V. C. ANDREWS®

Garten der Versuchung

W0336097

Mit ihrem ersten Roman »Blumen der Nacht« wurde V. C. Andrews® weltweit zur Bestsellerautorin. Es folgten zahlreiche weitere spektakuläre Erfolge, unter anderem »Wie Blüten im Wind«, »Dornen des Glücks« oder »Schatten der Vergangenheit«. Seit ihrem Tod bringt ihre Familie zusammen mit einem sorgfältig ausgewählten Autor neue packende V.C.-Andrews®-Serien auf den Markt. V.C.-Andrews®-Romane werden in zahllose Sprachen übersetzt und faszinieren Millionen von Lesern in aller Welt.

Folgende Titel von V. C. Andrews® sind bereits als Taschenbuch erschienen:

DAS ERBE VON FOXWORTH HALL:
Gärten der Nacht. Roman (9163) · Blumen der Nacht. Roman (6617) · Wie Blüten im Wind. Roman (6618) · Dornen des Glücks. Roman (6619) · Schatten der Vergangenheit. Roman (8841)

DIE CASTEEL-SAGA:
Dunkle Wasser. Roman (8655) · Schwarzer Engel. Roman (8964) · Gebrochene Schwingen. Roman (9301) · Nacht über Eden. Roman (9833) · Dunkle Umarmung. Roman (9882)

DIE CUTLER-SAGA
Zerbrechliche Träume. Roman (42045) · Geheimnis im Morgengrauen. Roman (41222) · Kind der Dämmerung. Roman (41304) · Stimmen aus dem Dunkel. Roman (41305) · Stunde der Nacht. Roman (43691)

DIE LANDRY-SAGA:
Ruby. Roman (44291) · Dunkle Verheißung. Roman (35164) · Fesseln der Erinnerung. Roman (35208) · Tödlicher Zauber. Roman (35303) · Karussell der Nacht. Roman (35396)

DIE LOGAN-SAGA:
Melody. Roman (35573) · Im Netz der Lügen. Roman (35614) · Das Lied der Nacht. Roman (35783) · Stärker als der Sturm. Roman (35292) · Olivia. Roman (35375)

DIE ORPHAN-SAGA:
Dunkler Schmetterling. Roman (35454) · Die Flucht der Waisen. Roman (35456)

DIE WILDFLOWER-SAGA:
Das Haus im Nebel (35461) · Garten der Versuchung (35460)

und:
Das Netz im Dunkel. Roman (6764)

V. C. Andrews®

Garten der Versuchung

Die Wildflower-Saga 5

Deutsch von Susanne Althoetmar-Smarczyk

BLANVALET

Die Originalausgabe erschien unter dem Titel
»Into the Garden«
bei Pocket Books, New York.

Umwelthinweis:
Alle bedruckten Materialien dieses Taschenbuches
sind chlorfrei und umweltschonend.

Blanvalet Taschenbücher erscheinen im
Goldmann Verlag, einem Unternehmen der
Verlagsgruppe Random House GmbH

1. Auflage
Deutsche Erstveröffentlichung Februar 2004
Copyright © der Originalausgabe 1999
by The Vanda General Partnership
All rights reserved including the right of reproduction in
whole or in part in any form.
This edition is published by arrangement with the
original publisher, Pocket Books, a division of
Simon & Schuster, Inc., New York.
V. C. ANDREWS and VIRGINIA ANDREWS are registered
trademarks of The Vanda General Partnership.
Following the death of Virginia Andrews, the Andrews
family worked with a carefully selected writer to organize and
complete Virginia Andrews' stories and to create additional
novels, of which this is one, inspired by her storytelling genius.
Copyright © der deutschsprachigen Ausgabe 2001
by Wilhelm Goldmann Verlag, München,
in der Verlagsgruppe Random House GmbH
Umschlaggestaltung: Design Team München
Umschlagfoto: Photonica / Vojnar
Satz: Buch-Werkstatt GmbH, Bad Aibling
Druck: GGP Media, Pößneck
Verlagsnummer: 35460
Made in Germany
ISBN 3-442-35460-9
www.blanvalet-verlag.de

PROLOG

Immer wenn ich Geschichten über Mädchen meines Alters lese, frage ich mich, was mit meiner Kindheit passiert ist. Ich wurde geboren, und jetzt bin ich einfach da – Cathy Carson, siebzehn. Die Erinnerungen an die Jahre davor sind verschwommen. Natürlich wusste ich warum. Ich will mich nicht daran erinnern, nicht nach all dem, was geschehen ist, nicht nach dem, was mein Vater mir angetan hat.

Er ist aus unserem Leben verschwunden, aber nicht wirklich weg. Er ist nie weit entfernt. Ich muss nur die Augen schließen, und da ist er wieder – lächelt, flüstert mir leise zu, wie hübsch ich bin, und berührt mich dann.

Ich schaudere, als würde mir Eis über den Rücken laufen. Dann schüttele ich heftig den Kopf, um diese Bilder durcheinander zu wirbeln und dadurch den Schmerz zu lindern. Er verschwindet, und eine Weile bin ich sicher.

Nach monatelangen Besuchen bei meiner Therapeutin Dr. Marlowe und der Gruppentherapie mit den anderen »Waisen mit Eltern« Jade, Star und Misty konnte ich mich wieder dem normalen Leben zuwenden. Ich hatte mein erstes Jahr an der St. Jude's High School beendet und die Gruppentherapie hinter mich gebracht. Noch ei-

ne weitere Sitzung bei meiner Therapeutin sollte folgen, dafür war aber noch kein Termin festgesetzt worden.
Als unsere Gruppensitzungen endeten, glaubte ich nicht, dass die anderen Mädchen mich wirklich zur Freundin haben und mit mir in Kontakt bleiben wollten, obwohl wir das verabredet hatten und Jade alle unsere Telefonnummern notiert hatte. Wir hatten einander so viele intime Geheimnisse anvertraut. Manchmal bindet es Menschen eng aneinander, solche Dinge miteinander zu teilen, schafft Bande, die fast nicht zu zerreißen sind.
Aber manchmal, wenn dir klar wird, was du enthüllt hast, kannst du dem Zuhörer nicht wieder ins Gesicht sehen. Es ist dir peinlich, dass er deinen Schmerz und deine Erniedrigung sieht, wenn er dich anschaut. Du wendest dich ab. Du wünschst, er würde weggehen, und du vermeidest, mit ihm in Kontakt zu treten. Am liebsten möchtest du ihn wieder zu einem Fremden machen. Vielleicht trefft ihr euch zufällig irgendwo, starrt einander ausdruckslos ins Gesicht und tut so, als sähet ihr einander nicht.
Eine Hälfte von mir hoffte, das würde geschehen, aber die andere Hälfte, die Hälfte, die sich nach Freundinnen und verwandten Seelen sehnte, hoffte, das würde nicht geschehen. Niemand außer meinem Vater, der seine Gründe dafür hatte, hat je ein Versprechen mir gegenüber gehalten. Ich erwartete nicht, dass die Mädchen es tun würden. Jede von ihnen hatte ihre eigenen Probleme, und jede war bestimmt beschäftigt und abgelenkt.
Misty Fosters Eltern hatten eine üble Scheidung hinter sich; ihr Vater hatte eine Affäre mit einer viel jüngeren Frau. Ihre Mutter traf sich mit anderen Männern, ging aber völlig darin auf, jung und schön zu sein. Die arme Misty fühlte sich so allein, dass sie die Idee hatte, sich und uns die »Waisen mit Eltern« oder WMEs zu nennen.

Es war ein komischer Einfall, aber nach einer Weile gefiel er mir, weil ich noch nie Mitglied irgendeiner Organisation oder eines Clubs gewesen war, noch nie in einem Stück oder einer Mannschaft mitgespielt hatte. Es handelte sich nicht um die Art Clubmitgliedschaft, die irgendjemand anstrebte, aber zumindest gab es so etwas wie Gemeinschaftssinn, das Gefühl, etwas zu teilen.

Star Fisher lebte mit ihrem achtjährigen Bruder Rodney bei ihrer Großmutter Pearl Anthony, der Mutter ihrer Mutter, nachdem zuerst ihr Vater die Familie verlassen hatte und dann ihre Mutter mit einem Freund davongelaufen war. Dennoch war Star die Stolzeste und in mancher Hinsicht die Stärkste von uns. Als ich sie kennen lernte, hatte ich Angst vor ihr. Sie wirkte so hart und sogar gemein, aber nachdem ich ihre Geschichte und sie unsere gehört hatte, schien sie weicher zu werden und mich und die anderen sogar beschützen zu wollen. Ich wollte in vieler Hinsicht so sein wie sie.

Und dann war da noch die Präsidentin unseres Clubs, Jade Lester, ein schönes und reiches Mädchen, das in einer Villa in Beverly Hills lebte. Ihre Eltern behandelten sie wie ein Besitzstück, einen Aktivposten, um den sie sich während ihrer unschönen Scheidung stritten. Die Eltern waren starke und unabhängige Persönlichkeiten: der Vater ein berühmter und erfolgreicher Architekt, die Mutter, Managerin in einer Kosmetikfirma, widmete sich ihrer Karriere mit Leidenschaft und ließ sich von ihrer Verantwortung als Mutter bei ihrem Aufstieg auf der Karriereleiter nicht in die Quere kommen. Als wir unsere Gruppentherapie beendeten, handelten ihre Eltern gerade einen Kompromiss in der Frage des Sorgerechtes aus, hatten ihn aber noch nicht erzielt.

So schlimm meine Geschichte auch war, am Ende taten

mir die anderen Leid. Die anderen schienen hingegen mehr Mitgefühl für mich als für sich selbst aufzubringen. Dabei kannten sie nicht einmal die ganze Wahrheit über meine Familie.

Familie ist solch ein seltsames Wort in meiner Situation. Ich war adoptiert worden, hatte das aber erst entdeckt, nachdem mein Vater begonnen hatte, sich mir aufzuzwingen. Die anderen Mädchen waren es, die mich auf die Frage brachten, warum meine Mutter überhaupt ein Kind hatte adoptieren wollen. Sie schien sich nicht wohl zu fühlen mit mir und hasste die Verantwortung als Mutter. Ich hatte mich schon früher gefragt, was sie veranlasst hatte, ein Kind zu wollen, aber nicht mit solchem Nachdruck und solcher Dringlichkeit, die die Mädchen in mir angestachelt hatten. Schließlich stellte ich meine Mutter zur Rede und zwang sie, mir die Wahrheit zu erzählen oder was ich als die schmutzige Wahrheit entdeckte.

Ich war nicht wirklich ihre Adoptivtochter, sondern ihre Halbschwester. Unsere Mutter hatte, als sie über vierzig war, eine Liebesaffäre gehabt und war schwanger geworden. Meine Halbschwester war gezwungen worden, Howard Carson zu heiraten und mich zu adoptieren. Es gab noch vieles, was ich nicht wusste, aber diese Enthüllung reichte aus, dass mir ganz schlecht wurde und ich mich noch unerwünschter und verwirrter fühlte.

Was war ich? Wer war ich? Zu erfahren, dass man ein bedauerlicher Fehltritt war, eine Sünde, eine Peinlichkeit, ist grauenhaft, aber ich musste noch mehr erfahren.

Meine Halbschwester Geraldine (es bereitet mir jetzt große Schwierigkeiten, an sie als meine Mutter zu denken) hat mich immer gewarnt, der Wahrheit zu nahe zu kommen. Sie behauptete, dass es dich nicht befreit. Sie sagte:

»Es ist wie bei allem Guten. Es lässt dich im Dunkeln zurück. Stell nicht so viele Fragen.«

Einmal als ich ihr eine meiner endlosen Litaneien von Fragen stellte und ihr sagte, ich müsse die Wahrheit wissen, die Wahrheit sei wichtig, reagierte Geraldine, indem sie mich fragte: »Was wäre, wenn du schrecklich hässlich wärst, aber in einer Welt lebtest, in der es keine Spiegel, keine reflektierenden Flächen gibt, keinerlei Möglichkeit, dich selbst zu sehen und es zu erfahren? Wärst du besser dran, wenn jemand dir einen Spiegel mitbrächte und dir dein Gesicht zeigte? Das ist auch die Wahrheit, und sie bringt nur Schmerzen.«

Hatte sie Recht? Hatte ich sie gezwungen, einen Spiegel hochzuhalten? War mein Schmerz mein eigenes Werk? Vielleicht hasste sie es deshalb, in Spiegel zu schauen und sich um ihr Aussehen zu kümmern. Vielleicht kritisierte sie deshalb die meisten Frauen als krankhaft selbstverliebt, erlaubte mir nur bestimmte Bücher und Zeitschriften, als ich jünger war, und gestattete mir nicht, bestimmte Fernsehprogramme anzuschauen. Vielleicht schimpfte sie deshalb über manche Werbespots und verlangte von mir, dass ich alles Menschenmögliche tat, um meine Brüste zu verstecken, als sie sich viel zu früh entwickelten.

Aber vielleicht gab es einen anderen Grund, einen tiefer liegenden Grund, einen Grund, den sie noch mehr fürchtete als die Wahrheiten, die sie bereits preisgegeben hatte. Unser Haus steckte voller Geheimnisse, unausgesprochenen finsteren Gedanken, die in Ecken lauerten oder wie Insekten unter Teppichen oder in verschlossenen Schränken hausten. Sollte ich sie herausholen? Sollte ich tun, wovor sie mich gewarnt hatte? Sollte ich mich weiter an das Schweigen klammern, fortschauen, die Augen schließen?

Ich erinnerte mich, wie Star ihre Fantasiewelt beschrieb, ihren fliegenden Teppich, der sie von ihrem Unglück fortträgt. Dazu war ich nie imstande. Es war mir immer zu schwierig, das hauchdünne Gewebe meiner Träume wurde zu leicht zerstört von Geraldines Stimme oder Blick. Meine Fantasien waren wie ein Ballon, der vom Boden abheben wollte und explodierte oder die Luft verlor und mich hart auf den Boden knallen und tief in meiner Einsamkeit Wurzeln schlagen ließ.

Uhren tickten, Tag wurde zu Nacht und wieder zu Tag. Ich erfüllte meine Pflichten, als sei ich hypnotisiert, mechanisch, ohne jegliche innere Regung, erschreckt vom Geräusch meines eigenen Gelächters, falls es je ertönte, und sogar überrascht von meinen eigenen Tränen und Schluchzern.

Nachdem Geraldine mir zögernd einen Teil der Wahrheit erzählt hatte, fühlte ich mich noch entfremdeter und allein. Ich starrte aus meinem Fenster auf die Straße hinaus und beobachtete, wie die Autos vorbeifuhren, fragte mich, wer diese Leute waren und wohin sie fuhren. Ich hielt auch Ausschau nach Anzeichen auf meinen Stiefvater. Für immer und ewig lauerte er drohend dort draußen.

Geraldine glaubte, er würde es nicht wagen aufzutauchen, aber insgeheim fürchtete ich, er würde zurückkommen. Vielleicht würde ich als Erstes seine Hände sehen, diese langen Spinnenfinger, dann träte er aus der Dunkelheit, lächelte und griff nach mir. Ich würde meinen Körper schließen wie eine Faust und den Atem anhalten.

Und er würde mich wieder berühren. So sehr ich es auch versuchte, ich konnte mich selbst nicht verschließen. Meine Protestschreie würden ungehört verhallen, und er würde mich mit einem Tuch, gewoben aus Finsternis, zudecken.

KAPITEL EINS

Verbotene Freuden

Als Jade mich anrief, um mich ebenso wie Misty und Star zu unserem ersten offiziellen Treffen der »Waisen mit Eltern« einzuladen, erwachte mein Herz und Glück durchströmte meine Adern. Mein ganzer Körper wurde lebendig und erhob sich, als ob seine schweren Ketten gesprengt worden wären. Ich konnte beinahe hören, wie sie zerbarsten und zu meinen Füßen aufschlugen.

Geraldine war eifrig damit beschäftigt, unser Abendessen vorzubereiten. Aber die ganze Zeit hörte sie mit einem Ohr zu, was um sie herum geschah. Unser Telefon im Erdgeschoss hing an der Küchenwand nahe der Tür. Ich selbst hatte kein eigenes Telefon in meinem Zimmer. Vertrauliche Gespräche konnte ich nur führen, wenn sie oben war, außer Haus oder auf der Toilette. Sobald ich den Hörer wieder auflegte, wirbelte sie auf dem Absatz herum und wollte wissen, wer angerufen hatte.

»Es war Jade«, verkündete ich, außer Stande, meine Aufregung zu verbergen. »Sie hat mich zu sich nach Hause zum Brunch eingeladen.«

»Jade?« Geraldine kniff die Augen zu misstrauischen Schlitzen zusammen, ein finsterer Blick voller Anschuldigungen, Ängsten und Drohungen. »Ist das nicht eine von denen?«

Geraldine bezog sich auf die anderen Mädchen in meiner Therapiegruppe gewöhnlich als »die«. Das klang so, als handelte es sich um monströse außerirdische Geschöpfe. Wenn sie Monster waren, was war ich dann, fragte ich mich. Sie gab meinem Vater an allem die Schuld, wenn sie darüber sprach, falls sie je darüber sprach. Aber tief in meinem Innersten war ich überzeugt davon, dass sie auch mir die Schuld gab. Ich konnte es sehen und spüren an der Art, wie sie ihren Blick wie zwei winzige anklagende Scheinwerfer auf mir ruhen ließ.

Schließlich hatte sie mir das Gefühl gegeben, als sei ich verseucht, weil ich als Produkt einer ehebrecherischen Beziehung geboren worden war, selbst wenn die Ehebrecherin ihre eigene Mutter war. Sünde hatte in Geraldines Augen immer etwas Ansteckendes. Warum sollte sie also nicht glauben, ich hätte die Neigung dazu geerbt?

Ich kann mich nicht daran erinnern, dass sie mich jemals erfreut angeschaut hätte und ganz bestimmt nie voller Stolz. Ständig suchte sie nach etwas, das sie kritisieren konnte, als sei ihr die Verantwortung übertragen worden, dafür zu sorgen, dass ich nie vom Pfad der Tugend abwich, ihrer Tugend. Meine frühreife üppige Figur verstärkte ihr Bild von mir. Einmal warf sie mir sogar vor, das deute auf Sexbesessenheit hin. Über Sex sprach sie immer, als handelte es sich um eine Seuche. Oft versuchte sie mich dazu zu bringen, mich meines Aussehens zu schämen. Sie hinderte mich sogar so lange wie möglich, meine weibliche Figur zu zeigen, indem sie meinen Körper in Korsagen quetschte, als er anfing, sich zu entwickeln.

»Sie ist eine von den Mädchen, ja«, bestätigte ich schließlich und hoffte, sie würde nicht wie schon so oft in der Vergangenheit anfangen, Jade und die anderen zu kritisieren.

»Die Mädchen? Du meinst, diese Mädchen aus Dr. Marlowes Klinik?«, fragte sie und verzog das Gesicht, als hätte sie in eine verschimmelte Walnuss gebissen.
Geraldine hatte diese Therapiesitzungen nie gebilligt. Sie hasste die Vorstellung, dass Fremde irgendwelche intimen Dinge über uns wussten. Am liebsten hätte sie alles in mir eingeschlossen, ganz gleich welchen Schaden das bei mir anrichtete. Nach ihrer Denkweise schluckte man das Schlechte mit dem Guten, schloss es in sich ein und arbeitete, arbeitete, arbeitete, war ständig beschäftigt, um zu vergessen, was unerfreulich oder hässlich war.
»Dr. Marlowe nannte es nie eine Klinik, Mutter. Du weißt, dass wir das Behandlungszimmer in ihrem Wohnhaus benutzen. Bei dir hört sich das schrecklich an, wie ein Krankenhaus oder ein Forschungslabor oder so was, in dem wir vier wie Versuchskaninchen behandelt wurden«, sagte ich.
Wieder schnitt sie eine Grimasse, nur diesmal angeekelt. Geraldine konnte ihren Mund verziehen, dass er beinahe wie ein Korkenzieher aussah. Sie war in der letzten Zeit so dünn geworden, dass sie die Wangen kaum noch einziehen konnte, aber wenn sie die Lippen verzog, wölbten sie sich in der Mitte nach innen wie Untertassen.
»Das ist nur ein Haufen Hokuspokus, dieser ganze psychologische Humbug. Was machten die Menschen denn, bevor es diese ganzen Therapeuten und Analysen gab, hm? Das werde ich dir sagen.« Wie so oft hatte Geraldine eine Frage gestellt, die sie für sich schon zufrieden stellend beantwortet hatte. »Sie bissen die Zähne zusammen und ertrugen es. Das machte sie stärker.
Heutzutage jammern und stöhnen alle herum, beklagen sich, sobald die geringste Schwierigkeit auftaucht. Man sieht sie sogar im Fernsehen – im Fernsehen! Und war-

um? Um die allerpersönlichsten Dinge auszuplaudern! Die Menschen haben kein Schamgefühl mehr. Sie sind bereit, völlig Fremden ihre privatesten Geheimnisse und Angelegenheiten anzuvertrauen, damit alle Welt es sieht und weiß. Ekelhaft.

Mit all dieser Dummheit verwässern wir unser Blut«, beharrte sie. »Verwässern das Blut, machen uns schwach und bemitleidenswert. Es gibt keine Entschlossenheit, keinen Mut mehr. Die Menschen besitzen keinerlei Selbstachtung, und diese so genannten Ärzte fördern das alles.«

»Dr. Marlowe hat uns geholfen, Mutter, uns allen in einer sehr schweren Zeit beigestanden«, widersprach ich.

»Hm«, brummte sie zähneknirschend. »Auf jeden Fall will ich nicht, dass du mit solchen Mädchen Umgang pflegst. Mir gefällt die Vorstellung überhaupt nicht, dass diese Ärztin euch alle zusammengebracht hat. Das war nicht gesund.«

»Aber ich mag sie und sie mögen mich. Wir haben ...«

»Was?«, fauchte sie. »Was habt ihr?«

»Viel gemeinsam«, erwiderte ich.

»Du meinst, sie ... ihre Daddys ...«

»Nein, jede hat ein anderes Problem, keines davon ist genau wie meines«, warf ich rasch ein.

Sie atmete tief und richtete ihren Oberkörper schlagartig gerade auf, als hätte sie einen Spazierstock verschluckt. Sie hasste alles, das auch nur vage daran erinnerte, was vorgefallen war.

»Was soll denn Gutes dabei herauskommen, wenn du mit Mädchen zusammen bist, die Probleme haben, Cathy? Sie werden den Brunnen nur noch mehr vergiften. Sie können keinen guten Einfluss auf dich ausüben. Wenn du Lungenentzündung hättest, würde es dir dann gut tun, mit Patienten zusammen zu sein, die an Tuberkulose leiden? Nein, natürlich nicht. Wenn diese Dr. Marlowe glaubte, du brauchtest Hilfe, warum bringt sie dich mit anderen Mädchen zusammen, die auch krank sind? Um schneller Geld zu verdienen, das ist es«, behauptete sie triumphierend.

»Nein, das stimmt nicht. Es ist eine Technik …«

»Technik«, fauchte sie. »Sie haben alle möglichen Worte, um die Wahrheit zu kaschieren und mit ihrem Hokuspokus davonzukommen. Ich will nicht, dass du noch irgendetwas mit diesen Mädchen zu tun hast, hörst du?«

»Aber –«

»Kein Aber, Cathy. Ich trage jetzt die ganze Verantwortung für dich. Habe es schon immer getan«, giftete sie. »Du gehst los und gerätst mit einigen gestörten Teenagern in Schwierigkeiten, und ich muss dann mit noch mehr fertig werden. Es reicht schon, dass ich diesen Haushalt führe und dafür sorge, dass du alles bekommst, was du brauchst.«

»Aber ich brauche auch Freunde!«

»Freunde ja, aber keine geisteskranken«, beharrte sie und wandte mir den Rücken zu.

»Sie sind nicht geisteskrank. Wenn sie geisteskrank sind, was bin ich denn dann?«

Sie schwieg.

»Ich gehe«, versicherte ich ihr.

Sie knallte einen Topf so heftig auf die Arbeitsplatte, dass mir die Eingeweide bis zum Hals sprangen. Dann drehte sie sich zu mir um und schwenkte drohend den Topf, den sie wie einen Knüppel umklammert hielt.

»Du wirst mir jetzt gehorchen«, warnte sie mich. »Ich bin gesetzlich deine Mutter und immer noch verantwortlich für dich, hörst du?«

Ich starrte sie an. Plötzlich wechselte ihre Farbe von Knallrot zu Leichenblass; sie taumelte gegen die Arbeitsplatte.
»Mutter, was ist los?«, rief ich.
Sie winkte ab.
»Nichts«, wehrte sie ab und holte anscheinend unter Schmerzen tief Luft. »Es ist nur ein kleiner Schwindelanfall. Geh und kümmere dich um deine Aufgaben. Ich rufe dich bald, um den Tisch zu decken.«
Sie umklammerte Bauch und Brust, als wollte sie alles in sich bewahren, und kehrte mir den Rücken zu. Ich wartete und sah zu, wie sie diesmal ihre knochigen Schultern mit größerer Anstrengung straffte und sich dann wieder ihrer Arbeit zuwandte. Sie stöhnte leise, sagte aber nichts mehr. Ich beobachtete sie noch einen Augenblick, bevor ich die Küche verließ.
Ich war fest entschlossen, zu Jade zu fahren. Ich wollte nicht ausgeschlossen sein. Ich hatte Geraldine nicht gesagt, dass der Brunch bereits morgen stattfinden sollte. Ich würde mich hinausstehlen und einfach gehen nach ihrer goldenen Regel: Was sie nicht weiß, macht sie nicht heiß. Die Wahrheit verbergen. Die Wahrheit kann Schmerzen bringen. Warum sollte ich ihr Schmerzen bereiten? Manchmal ist es freundlicher zu lügen.
Weil ich nicht mehr über den Brunch redete, erwähnte auch Geraldine das Thema nicht mehr, das sich wie so viele unangenehme Gedanken und Worte in diesem Haus verflüchtigte. Manchmal wenn ich mich zu Hause umschaute, hatte ich den Eindruck, die bereits dunklen Wände würden noch dunkler, weil so viele gemeine, üble und hässliche Worte sich über sie ergossen hatten.
Geraldine gefiel das Haus so. Den größten Teil des Tages hielt sie die Vorhänge dicht zugezogen, »damit die Leute

nicht durch das Fenster starren und schnüffeln«. Als ob es irgendjemanden interessierte, was in unserem Zuhause vor sich ging. Wir waren bestimmt die langweiligsten Leute in der ganzen Straße. Wer würde denn etwas über uns wissen wollen? Geraldine nahm nie an irgendwelchen gesellschaftlichen Ereignissen teil und sprach mit kaum jemandem. Sie blieb gerne für sich, das Licht gedämpft, die Türen fest geschlossen, die Welt in Schach gehalten.

Nach dem Abendessen gelang es mir, ans Telefon zu gehen, ohne dass Geraldine mithörte. Sie war nach oben ins Badezimmer gegangen. Schon immer hatte sie Angst gehabt, ich oder mein Adoptivvater, als er noch da war, könnten sie hören. Aus diesem Grund schrie sie mich immer an, wenn ich unten die Toilette benutzte: »Wenn du gehst, wirf erst etwas Klopapier in das Wasser, damit keine ekelhaften Geräusche zu hören sind. Diese Wände und Türen sind so dünn, dass du den Magen eines anderen gurgeln hören kannst.«

Ich hätte sie fragen sollen: »Warum hast du nie gehört, was hinter meinen Wänden und Türen vor sich ging, wenn sie doch so dünn sind?« Sie hatte mich nicht gehört, als ich sie am meisten brauchte, und als ich jetzt zum Hörer griff, hoffte ich, ihre freiwillige Taubheit würde andauern.

»Hier ist Cathy. Ich habe ein Problem«, begann ich, als Jade ans Telefon kam.

»Oh, nein«, rief sie. »Ich wusste, deine Mutter würde dich nicht kommen lassen. Und ich lasse diesen tollen Brunch für uns vorbereiten. Star und Misty kommen ganz bestimmt. Bitte sag nicht, du kannst nicht kommen.«

»Nein«, erwiderte ich und lachte über ihre Skepsis. »Ich komme auch. Ich muss es nur im Augenblick vor meiner

Mutter geheim halten. Sie möchte nicht, dass ich dich besuche.«

»Warum?«, wollte sie wissen. Ich hörte die Empörung in ihrer Stimme, die sich wie eine Blase mit jedem Atemzug breiter in ihr machte. Nur Star konnte der darauf folgenden Explosion standhalten. »Hält sie sich für etwas Besseres als mich und meine Familie?«

»Sie war nie dafür, dass ich Dr. Marlowe besuche, erinnerst du dich? Sie glaubt, wir würden alle einen schlechten Einfluss aufeinander ausüben.«

»Was ist denn mit ihr? Was ist denn mit ihrem Einfluss oder besser gesagt ihrem Mangel an Einfluss? Sie hat doch zugelassen, dass all das direkt vor ihrer Nase mit dir geschah. Sie hat die denkbar schlechteste Ausrede für eine Mutter –«

»Bitte«, bettelte ich und dachte: »Wenn sie die Wahrheit wüsste.«

»Also, was soll ich tun?«

»Sag deinem Fahrer, dass ich an der Ecke warte, nicht vor meinem Haus.« Ich nannte ihr den Namen der Straße und versicherte ihr, dass ich da sein würde, wenn er kam.

»Toll«, meinte sie. »Morgen kommt die Polizei und beschuldigt mich und meinen Chauffeur, dich gekidnappt zu haben. Deine Mutter wird bestimmt Anzeige erstatten.«

»Nein, das wird sie nicht«, beruhigte ich sie lachend.

»In Ordnung«, erklärte sie abschließend. »Zumindest hast du den Mumm, das Richtige zu tun und dich nicht einschüchtern zu lassen. Die Mädchen werden stolz auf dich sein«, fügte sie hinzu.

Es gab mir ein gutes Gefühl, sie das sagen zu hören, und mir wurde klar, dass ich mir nichts so sehr wünschte wie ihre Achtung. Viel mehr als Geraldines.

»Danke. Soll ich irgendetwas mitbringen?«

»Ja«, meinte sie, »dich.«
Ich lachte wieder und legte rasch auf, als ich Geraldines Schritte auf der Treppe hörte. Ich wusste, wie gut sie mir an den Augen ablesen konnte, wenn ich sie hinterging, deshalb räumte ich schnell das Geschirr weg und sagte ihr, ich hätte Kopfschmerzen und wollte mich hinlegen. Das war eine Entschuldigung, die sie immer akzeptierte. Vermutlich weil sie selbst so häufig unter Kopfschmerzen litt.
»In Ordnung«, sagte sie und zog sich ins Wohnzimmer zurück, um sich etwas »Anständiges« im Fernsehen anzusehen. »Vergiss nicht: Morgen früh erledige ich die Einkäufe für die Woche.«
Ich bot nicht an mitzugehen, und sie bat mich nicht darum. Wir machten so wenig gemeinsam. Wir gingen nie essen, ins Kino oder auch nur ins Einkaufscenter. Es machte sie nervös, wenn ich sie in die Geschäfte begleitete, weil sie stets beobachtete, wie die Männer mich anschauten, und mir dann befahl, den Mantel weiter zu schließen oder meine Arme höher zu halten, damit mein Oberkörper nicht so sehr hin- und herschwang. Sie machte mich so befangen, dass ich gar nicht gerne mit ihr zusammen war.
So bald wie möglich ging ich in mein Zimmer hinauf und schloss die Tür. Das war eine unserer Hausregeln … halt deine Tür geschlossen, schütze deine Intimsphäre, stell dich nicht zur Schau und bereite niemandem dadurch Unbehagen. Was für einen Sinn hatte das denn jetzt noch, da mein Vater weg war und nur noch sie und ich hier wohnten? Obwohl ich mich darüber wunderte, stellte ich ihre Anweisungen nicht in Frage. Es war einfacher, sie ihre Verhaltensregeln diktieren zu lassen.
In jener Nacht träumte ich von den Mädchen, davon,

richtige Freundinnen zu haben und mich zusammen mit ihnen zu amüsieren, vielleicht sogar auf Partys zu gehen und Jungen zu treffen.

Ich lernte Misty, Star und Jade kennen, als Dr. Marlowe uns zu einer Gruppentherapie zusammenbrachte. Wir waren alle so verschieden, und dennoch waren wir in einer Hinsicht gleich: Wir waren alle von unseren eigenen Eltern zu Opfern gemacht worden.

Es war eine ganze Weile her, seit wir uns zuletzt gesehen hatten. Jedes Mal, wenn das Telefon klingelte, was nicht häufig der Fall war, hoffte ich, es sei eine von ihnen. Wer sonst würde sich die Mühe machen, mich anzurufen? Geraldine hatte nur mich, weder Schwestern noch Brüder. Unsere Mutter und ihr Vater waren schon lange verstorben, und die Familienangehörigen meines Adoptivvaters, die sowieso nichts mit ihm zu tun haben wollten, waren jetzt ebenso wie er Persona non grata. Es kam so weit, dass ich Anrufe von Rechtsanwälten begrüßte, nur weil ich dann eine andere Stimme am Telefon hörte. Geraldine war immer direkt in der Nähe und beschwor mich: »Leg auf, leg auf, leg auf!«

Endlich hatte Jade angerufen. Sie hatte angerufen!

Am schwierigsten war es für mich, am nächsten Morgen meine Aufregung zu verbergen. Ich wählte den leichtesten Ausweg. Da Geraldine nie etwas über meine Periode wissen wollte, hatte sie keine Ahnung, wann sie kommen sollte. Ich klagte über Menstruationskrämpfe und erzählte ihr, dass ich keinen großen Appetit hätte. Wie üblich, wenn ich so etwas sagte, legte sie die Hände auf die Ohren und schloss die Augen.

»Ich habe es dir nicht einmal, ich habe es dir hundert Mal gesagt, Cathy. Man redet nicht über solche Dinge. Solche Dinge sind persönlich und sollten in deinem Kopf eingeschlossen bleiben. Sie sind nicht für die Ohren von Fremden bestimmt.«

»Du bist keine Fremde, Mutter«, erklärte ich ihr, obwohl ich fand, dass sie sich manchmal wie eine benahm.

Sie schüttelte den Kopf.

»Das ist nicht der entscheidende Punkt. Was in deinem Körper passiert, geht niemanden etwas an, nicht einmal mich«, beharrte sie.

Die gleiche Diskussion hatten wir schon oft geführt. Manchmal tat ich das gerne, nur um sie auf die Palme zu bringen, nur um zu sehen und zu hören, wie sie die gleichen Dinge sagte. Als brauchte ich einen Beweis, dass sie so war, wie sie war, und tatsächlich die seltsamsten Dinge glaubte, die sie sagte.

Einmal sagte ich: »Aber wenn nun etwas nicht in Ordnung ist? Wie erfahre ich das, wenn ich es dir nicht erzähle?«

»Du wirst es wissen«, beharrte sie. »Dein Körper kann das selbst am besten beurteilen.«

Am liebsten hätte ich darauf geantwortet: »Wenn das stimmte, machte ich mich am besten direkt auf den Weg in die nächste psychiatrische Anstalt«, aber ich versiegelte meine Lippen und gab auf.

Um weitere Diskussionen zu vermeiden und vor allem irgendwelchen Einzelheiten aus dem Weg zu gehen, die mir vielleicht noch herausrutschen würden, nach dem, was ich heute Morgen über meine Periode gesagt hatte, beeilte Geraldine sich und stürzte sich in ihre häuslichen Pflichten wie jemand, der in einen Swimming-Pool springt, um der heißen Sonne zu entkommen. Sie hatte bereits gefrühstückt, normalerweise eine Scheibe Toast und eine Tasse Tee, gefolgt von einem ihrer Kräuterallheilmittel. Mein Vater hatte sich immer lustig darüber gemacht, aber sie hatte ihn ignoriert. Ich schluckte diese Mittel nie, sie bot sie mir auch nie an oder ermutigte mich, sie zu nehmen. Als hätte sie ein geheimes Supermittel für alles und wollte das nicht teilen.

Heute Morgen trank ich nur ein wenig Saft und aß ein Schälchen mit Cornflakes. Bevor sie nach oben ging, um sich für die Öffentlichkeit angemessen anzukleiden, wie sie es nannte, teilte sie mir mit, dass ich die Speisekammer sauber machen sollte.

»Nimm alles aus den Regalen, wisch dort Staub und leg eine Bestandsliste an. Ich habe natürlich eine gewisse Vorstellung davon, was wir haben und was wir brauchen, aber ich möchte es gerne besser organisiert haben«, wies sie mich an.

Geraldine führte den Haushalt wie ein Atom-U-Boot. Sie polierte, reinigte, kontrollierte und überprüfte jede Ecke und jeden Winkel. Manchmal gab sie mir das Gefühl, ich sei ein Offizier der unteren Dienstgrade oder, noch schlimmer, nur ein gewöhnlicher Marineinfanterist. Während die meisten Mädchen meines Alters ihre Sommerferien genossen, an den Strand, zum Einkaufsbummel oder ins Kino gingen, sich mit Freunden trafen oder Partys feierten, arbeitete ich im Garten, im Patio, im Haus und räumte Sachen auf, die ich erst vor einer Woche schon einmal aufgeräumt hatte. Als ich einmal beobachtete, wie ein Eichhörnchen eifrig damit beschäftigt war, einen Futtervorrat anzulegen, und dabei mechanisch immer wieder das Gleiche tat, dachte ich mir, dass wir uns nicht sehr unterschieden. Vielleicht hielt es deshalb manchmal inne, starrte mich an und fuhr dann ganz unbeirrt mit seiner Arbeit fort.

Am besten war es, direkt in die Speisekammer zu gehen, damit sie dachte, alles liefe wie am Schnürchen. Sie kam

fertig angezogen nach unten, ihre Einkaufstasche in der Hand, und schaute zu mir herein.
»Gut«, lobte sie, als sie sah, wie ich eines der Regalbretter abwischte. »Lass dir Zeit und mach es gründlich. Ich brauche nicht länger als üblich.«
Ich wartete, bis ich hörte, dass sich die Haustür schloss, dann ging ich rasch hinauf in mein Zimmer, um mir etwas Nettes zum Anziehen auszusuchen. Es war warm, aber ich besaß keine Shorts. Geraldine kaufte mir einfach keine. Aber ich hatte eine Jeans, die ich ohne ihr Wissen an den Knien abgeschnitten hatte. Um sie vor ihr zu verstecken, stopfte ich sie in das Hosenbein einer anderen Jeans.
Ich zog sie an und fand einen blassrosa Baumwollsweater, den sie noch nicht weggeworfen hatte. Sie schaute oft meine spärliche Garderobe durch auf der Suche nach etwas, aus dem ich herausgewachsen war, und schenkte es dem Secondhandladen oder warf es einfach in den Müll. Alles was zu eng geworden sein könnte oder auch nur geringfügig zu kurz erschien, war dem Untergang geweiht.
Die Mädchen bei Dr. Marlowe hatten meine Frisur immer kritisiert. Das war nicht allein meine Schuld. Geraldine schnitt das Haar ungleichmäßig und ließ mich nicht zu einem Friseur gehen. Sie hielt das für eine Riesengeldverschwendung.
»Sie nennen sich Stylisten«, schimpfte sie. »Und dann knöpfen sie dir doppelt so viel Geld ab, wie sie sollten. Meistens schauen sie nur in irgendwelche Zeitschriften und versuchen zu kopieren, was sie sehen, auch wenn es gar nicht zu dir passt.«
Ich stritt mich nicht mit ihr. Sie schaute nicht einmal auf, um festzustellen, ob ich nickte oder aussah, als sei ich anderer Meinung. Geraldine erwartete stets, dass die Worte der Weisheit, die sie in meine Richtung ausstreute, in mei-

nem Netz landeten und von mir geschätzt wurden. Warum sollte sie das auch nicht glauben? Ich gab ihr kaum je Anlass, das zu bezweifeln. Anders als die meisten Mädchen meines Alters, vermied ich zumindest bis jetzt Auseinandersetzungen, Widerworte oder Trotzreaktionen.

Als ich das Haus verließ, klopfte mein Herz so stark, dass sich meine Beine wie gekochte Spaghetti anfühlten und ich befürchtete, auf dem Boden zusammenzusacken. Sie würde nach Hause kommen und mich auf dem Boden liegend vorfinden. Dann würde sie mir sagen, das käme davon, wenn ich ihren Wünschen zuwiderhandelte. Ich rechnete fest damit, einen elektrischen Schlag zu spüren, als ich nach dem polierten Messingtürknopf griff und ihn drehte. Ich holte tief Luft, schloss die Augen, und als ich sie wieder öffnete, trat ich aus dem Haus in den strahlenden warmen Sonnenschein.

Es war ein prachtvoller Tag, bestimmt nicht einer, den man eingepfercht in einer Speisekammer mit dem Putzen und Polieren von Regalbrettern und dem Anlegen von Inventarlisten verbringen sollte. Die Wolken wirkten wie dicke Kleckse Schlagsahne auf blauer Tortenglasur. Die Trottoirs und Straßen glitzerten, von Santa Ana wehte warm und sanft eine Brise herüber. All das gab mir Mut.

Ich eilte unseren schmalen Fußweg hinab zur Straße, wandte mich nach rechts und ging schnell davon, ohne mich noch einmal umzuschauen. Wenn ich das täte, würde ich vielleicht zögern und wieder nach Hause zurückkehren.

Ich hoffte, die Limousine wäre bereits da und ich müsste nicht warten, aber das war nicht der Fall. Sekunden erschienen eher wie Minuten. Ich reckte den Hals, um die Straße hinunterzuspähen nach Anzeichen auf den langen schwarzen Wagen, den ich gesehen hatte, als er Jade zu

Dr. Marlowe brachte oder hinterher auf sie wartete. Er war nicht in Sicht.

Ich warf einen Blick auf meine Armbanduhr und schaute ängstlich in die Richtung, aus der Geraldine zurückkommen würde. Es war noch zu früh für ihre Rückkehr, aber dennoch machte ich mir Sorgen, dass sie etwas vergessen haben könnte oder sich einfach entschlossen hatte, nach Hause zu kommen, um mich zu kontrollieren. Sie hatte häufig diese Anfälle von Paranoia, sprang auf, um zu überprüfen, ob Türen und Fenster verschlossen waren oder ob ich die Aufgaben erfüllte, die ich erledigen sollte. Es war bestimmt nur meine Einbildung, aber ich hatte das Gefühl, jeder vorüberfahrende Fahrer schaute mich misstrauisch an und fragte sich, warum ich an der Ecke herumlungerte. Glücklicherweise hatte Geraldine kein Interesse an unseren Nachbarn, deshalb brauchte ich mir keine Sorgen zu machen, dass einer von ihnen sie anrief oder ihr erzählte, dass sie mich gesehen hatten. Sie hasste Tratschen und verglich es mit Hunden, die sich ankläfften, oder fauchenden Katzen. Es war ihrer Meinung nach eine sinnlose Vergeudung von Zeit und Energie und führte nur zu Unglück und Schwierigkeiten. Müßiges Geschwätz war noch schlimmer als müßige Hände. Geraldines Motto lautete zu schweigen, wenn man nichts Wichtiges zu sagen hatte.

Endlich sah ich die glänzende schwarze Limousine in der Straße auftauchen und auf die Ecke zugleiten, an der ich wartete. Der Chauffeur verlangsamte das Tempo und fuhr an den Straßenrand. Bevor er aussteigen konnte, um die Tür zu öffnen, flog sie auf und Misty rief: »Rein mit dir, Cat!«

Ich warf einen Blick auf unser Haus und hechtete dann förmlich in das Riesenauto. Star saß dort kühl und beherrscht, ihre wunderschöne mattschimmernde schwarze Haut hatte nie strahlender und glatter gewirkt, ihre Augen funkelten wie schwarze Diamanten. Das Haar war frisch geflochten, sie trug einen knielangen khakifarbenen Baumwollrock und eine dazu passende Baumwollbluse. Ich schlüpfte neben sie, und Misty schloss die Tür.

»Weiter«, rief sie.

Der Fahrer nickte und lächelte, und wir fuhren los.

Misty trug eine Leggins mit einem T-Shirt in Übergröße, das die Aufschrift trug: »Wie findest du meinen Gang? Telefon: 555-4545«. Sie war ein zierliches Mädchen, das sich darüber beklagte, seine Figur sei zu knabenhaft. Ich wäre bereit, jederzeit mit ihr zu tauschen. Ihre blauen Augen funkelten vor spitzbübischer Freude, als sie mich sah.

»Das ist doch nicht deine richtige Telefonnummer, oder?«, fragte ich sie schnell und nickte in Richtung T-Shirt.

»Nein. Das ist die Nummer des Motor-Vehicle-Büros. Ich habe es mir an der Strandpromenade von Venice Beach machen lassen.«

»Kannst du deshalb keine Schwierigkeiten bekommen?«, fragte ich sie.

»Wie sollte sie denn deshalb in Schwierigkeiten geraten?«, fragte Star. »Cat, du bist ja so ängstlich wie eine Kirchenmaus. Ich wette, du überquerst nur an Zebrastreifen die Straße.«

»Das stimmt tatsächlich«, gab ich zu.

Star lachte.

»Hör auf, auf ihr herumzuhacken«, befahl Misty und drehte sich zu mir um. »Wie geht es dir?«, rief sie und beugte sich vor, um mir die Hand zu drücken. »Kannst du es glauben, dass wir uns wirklich treffen? Und was hältst du von dieser Limousine?«

»Ihr hättet sehen sollen, wie sie bei mir zu Hause vorfuhr«, sagte Star. »Die Nachbarn glotzten alle, und Granny schüttelte den Kopf und murmelte: ›Mein Gott, mein Gott. Meine Enkelin fährt mit so einer Karosse.‹«

Ich konnte mir diese Szene leicht ausmalen.

»Was wirst du den Leuten erzählen, wenn du wiederkommst?«, fragte Misty sie.

»Ich weiß es nicht. Vielleicht erzähle ich ihnen, ich hätte in einem Film mitgespielt«, schlug sie vor.

»Was passiert, wenn sie herausfinden, dass das nicht stimmt?«, hakte ich nach.

»Wen kümmert das schon?«, erwiderte sie. »Sie haben doch sowieso kein Recht, ihre Nasen in meine Angelegenheiten zu stecken, oder?«, meinte sie. Ihre weit aufgerissenen Augen funkelten zornig.

Ich zuckte die Achseln.

Sie starrte mich einen Augenblick immer noch wütend an, dann lächelte sie und lachte schließlich.

»Du benimmst dich so, als sei das Trottoir aus dünnem Eis und du aus Blei und schweren Steinen. Du hast keinerlei Grund, noch länger vor irgendjemandem Angst zu haben. Du bist Mitglied der WME. Na los, sag's ihr, Misty«, forderte sie sie auf.

»Das stimmt«, bestätigte Misty. Einen Augenblick lang wurde sie ernst. »Hast du Dr. Marlowe noch einmal besucht?«

»Noch nicht«, antwortete ich. »Sie rief an und sprach mit meiner Mutter, aber ein Termin ist noch nicht vereinbart worden. Was ist mit euch beiden?«

»Ich bin noch einmal bei ihr gewesen«, sagte Star. »Aber ich bin jetzt fertig damit.«

»Ich auch«, sagte Misty. »Ich glaube, Jade auch. Du bist als Einzige übrig.«

»Sie sagte mir, ich könnte sie jederzeit anrufen«, berichtete Star, »aber ich hoffe, ich brauche das nicht.« Sie schaute mich an. »Besuch sie einfach und bring es hinter dich«, fuhr sie fort. »Je länger du etwas hinausschiebst, vor dem du Angst hast oder das du für unerfreulich hältst, desto schlimmer erscheint es dir.«

»Sie hat Recht«, bestätigte Misty.

»Natürlich habe ich Recht. Ich brauche dich nicht, um allen zu erzählen, dass ich Recht habe.«

Misty zuckte nur leicht mit den Achseln und warf ihr eines ihrer hübschen kleinen Lächeln zu.

»Ich habe Hunger«, stellte sie fest. »Beim Frühstück habe ich absichtlich nur ein bisschen gepickt, damit ich jetzt richtig Appetit habe. Jade sagte, sie würde dafür sorgen, dass wir ein ganz besonderes Büfett bekommen. Ich kann mir nicht einmal vorstellen, wie es sein wird.«

»Es ist einfach nur Essen, egal ob eine Spitzenköchin aus Frankreich es zubereitet hat oder nicht.«

»Falsch«, trällerte Misty und malte mit dem rechten Zeigefinger ein X in die Luft.

»Was soll das heißen?«, wollte Star wissen.

»Ich halte mich auf dem Laufenden über deine Schnitzer«, erwiderte Misty.

Star rutschte auf ihrem Platz hin und her, schüttelte den Kopf und schaute mich an.

»Was hast du in der letzten Zeit so angefangen? Du sitzt stumm da wie ein Buddha, während wir kollern wie die Truthähne.«

»Im Haus geholfen, gelesen, manchmal einen Spaziergang gemacht. Im Garten ist viel zu tun. Meine Mutter hat unseren Gärtner gefeuert. Sie sagt, wir müssten sparsam sein, weil wir nur von unsren Zinsen leben müssen.«

»Warum geht sie denn nicht los und besorgt sich einen Job?«, fragte Star.
»Es klingt bei ihr immer so, als sei es dramatisch, aber ich weiß, dass wir ein gutes Einkommen haben. Sie hat, abgesehen von dem Geld, das mein Vater uns aushändigen musste, Geld geerbt.«
»Er hätte euch mehr aushändigen sollen als nur Geld«, murmelte Star. »Du weißt, worauf ich mich beziehe, Cat.«
Ich spürte, wie mir die Hitze rasch den Hals hinaufstieg bis ins Gesicht, und ich rot wurde.
Misty warf ihr einen vorwurfsvollen Blick zu, und Star wandte sich ab, um aus dem Fenster zu schauen. Wir schwiegen alle einen Augenblick, aber Misty hasste Stillschweigen. Es machte sie zappelig.
»Das ist ein schöner Pullover«, meinte sie.
»Ja«, bestätigte Star. »So wie der sitzt, bin ich überrascht, dass deine Mutter dich ihn überhaupt tragen lässt.«
»Sie weiß es nicht«, sagte ich. »Sie weiß nicht einmal, dass ich diese abgeschnittenen Jeans besitze.«
»Du hast dich hinausgeschlichen, stimmt's?«, wurde Star plötzlich klar. »Deshalb wolltest du an der Ecke abgeholt werden?«, erkundigte sie sich.
»Ja«, bestätigte ich.
»Was passiert, wenn sie das herausfindet?«, fragte Misty.
»Ich weiß es nicht.«
»Gar nichts wird passieren«, beschwichtigte Star uns. »Mach sie nicht noch ängstlicher, als sie ohnehin schon ist.« Sie wandte sich mir zu. »Sie wird ein bisschen meckern, und dann wird ihr klar werden, dass sie dich nicht mehr wie ein Kleinkind behandeln kann.
Auch Eltern«, fügte sie nickend hinzu, »müssen erwachsen werden.«
»Amen!«, rief Misty und äffte sie damit nach.

Star warf ihr einen ihrer Starblicke zu, dann lächelte sie und schüttelte den Kopf.

»Schau dir das an«, sagte sie. Wir beugten uns vor, um durch das Fenster einen Blick auf das Wachhäuschen und das Tor zu werfen, durch das wir in Jades Nachbarschaft gelangten. »Das Mädchen lebt ja wie eine Prinzessin. Kein Wunder, dass sie total verwöhnt ist.«

Die Wache winkte uns durch, das große Tor schwang auf. Wir alle starrten die wunderschönen riesigen Häuser an, die alle nach Maß entworfen waren.

»Wow«, sagte Misty. »Im Vergleich dazu wirkt unser Haus wie ein mickriger Bungalow.«

»Was soll ich denn da sagen? Dass wir bei meiner Großmutter in einer Hundehütte leben?«, sagte Star.

Die Straßen waren breit und von Palmen gesäumt. Es gab sogar ein Trottoir. Gelegentlich befanden sich zwischen den Häusern freie Flächen, Bäume und Rasenanlagen; in der Mitte war ein See, um den herum alle Häuser gebaut waren. Hinter allen Häusern erstreckten sich Gärten von beträchtlicher Größe.

»Sind wir noch in Amerika?«, rief Misty.

»Nicht in meinem Amerika«, sagte Star.

Die Limousine verlangsamte das Tempo und bog in eine halbkreisförmige Auffahrt ein. Wir starrten noch immer nach draußen, als Jades Haus ins Blickfeld kam. Es war so groß, wie sie es geschildert hatte. Ich erinnerte mich daran, wie stolz sie es beschrieben hatte.

Ich war völlig gebannt davon. Die Limousine blieb stehen, der Chauffeur stieg rasch aus, um uns die Tür zu öffnen. Einen Augenblick lang rührte sich keine von uns. Wir starrten nur hinaus.

»Also, warum benehmen wir uns eigentlich wie ein Haufen verrückter Touristen?«, rief Star. »Es ist einfach ein

großes Haus. Nun kommt schon«, forderte sie uns auf und stieg als Erste aus.
Misty und ich folgten ihr gaffend. Als wir auf die riesige doppelflügelige Haustür zugingen, wurde sie aufgerissen und Jade erschien.
»Ich bin völlig ausgehungert«, verkündete sie, die Hände auf die Hüften gestützt. »Ich habe das Frühstück ausgelassen, weil ich auf euch Jungs gewartet habe. Zumindest könntet ihr einen Schritt schneller gehen«, fügte sie hinzu.
Jade war wirklich der eleganteste Teenager, den ich kannte. Sie hatte langes, üppiges, braunes Haar mit einem leichten Rotstich, das ihr sanft über die Schultern floss. Ihre mandelförmigen Augen waren grün. Die hohen Wangenknochen verliehen ihrem Gesicht eine eindrucksvolle eckige Linie, die sich anmutig bis zum Kinn und den vollkommen geformten Lippen schwang. Ihre Nase war ein wenig zu klein und auch ein kleines bisschen nach oben gebogen. Stets war sie modisch gekleidet und perfekt geschminkt.
»Es ist nicht unsere Schuld, dass du hier draußen in der finsteren Provinz lebst«, spöttelte Star.
»Finstere Provinz! Das ist vermutlich die begehrteste Wohngegend in Los Angeles, wenn nicht an der ganzen Westküste!«, prahlte Jade.
Star schaute sich um, als wollte sie entscheiden, ob sie hineingehen wollte oder nicht.
»Hm. Zumindest gibt es keine Graffiti«, stellte sie fest, und Jade lachte.
»Kommt schon. Alles ist für uns hinten aufgebaut. Habt ihr eure Badeanzüge mitgebracht?«, fragte Jade.
»Davon hat mir niemand etwas gesagt«, stellte Star fest.
»Ich habe nicht daran gedacht«, gestand Misty und schüttelte den Kopf.

Ich schämte mich zuzugeben, dass ich nicht einmal einen besaß.

»Schon in Ordnung. Ich werde schon etwas für euch finden. Schlimmstenfalls müssen wir eben nackt baden.«

»Was?«, schrie ich.

»War doch nur ein Scherz«, beruhigte sie mich und nahm meine Hand. »Cat, hör auf, dir Sorgen zu machen«, befahl sie. »Zur Abwechslung wollen wir uns einmal amüsieren. Deine Traurigkeit und deine Probleme musst du draußen lassen.«

»Sie kann gar nicht aufhören, sich Sorgen zu machen«, stellte Star fest.

»Also, das soll das erste Gebot der WMEs sein: keine Sorgen.«

»Genau«, bestätigte Misty. »Ist das nicht toll?«, fragte sie. »Wir sind zusammen, für immer.«

Sie hakte mich unter und quietschte vor Vergnügen.

»Genau«, murmelte Star und nahm meinen anderen Arm, »ein Unglück kommt selten allein.«

Sie waren alle um mich herum. Ich schaute wieder die wunderschöne Villa an. Wie konnte hier irgendjemand unglücklich sein, besonders ich, fragte ich mich, als ich das Haus mit meinen besten Freundinnen auf der Welt betrat. Wir hatten alle unsere Stürme durchlebt, aber jetzt vereinte sich unser strahlendes, hoffnungsvolles Lächeln zu einem großen Regenbogen.

KAPITEL ZWEI

Wieder vereint

Die Eingangshalle in Jades Haus war fast so groß wie unser Wohnzimmer. Auf dem Boden glitzerten üppige goldbraune Fliesen. Zur Rechten hing ein ovaler Spiegel in Wandgröße, in dem wir drei uns spiegelten, als wir die breiteste, eindrucksvollste Treppe anstarrten, die ich je im wirklichen Leben gesehen hatte. Die Stufen waren mit rotem Samt ausgeschlagen.

»Ich habe das Gefühl, gerade *Vom Winde verweht* betreten zu haben«, verkündete Misty.

An der Wand links von der Treppe hing ein gewaltiges Ölgemälde einer feuchten Weide mit einer Art Mühle im Hintergrund unter einem stürmischen Himmel.

»Das ist das größte Gemälde, das ich je gesehen habe«, staunte Star beeindruckt.

»Das ist ein Jonathan Sandler. Er ist ein amerikanischer Künstler, der im späten neunzehnten Jahrhundert arbeitete und die niederländischen Landschaftsmaler imitierte. Mein Vater bekam es als Teil eines Deals mit einem reichen Bauunternehmer in Virginia. In diesem Haus gibt es viele Gemälde«, fuhr sie fort. Ihr beiläufiger Ton ließ es eher so klingen, als sei sie gelangweilt, und nicht, als wollte sie angeben. »Manche hat meine Mutter gekauft, andere hat mein Vater angeschafft, daher ist es eine Mi-

schung aus Stilen. Sie waren sich nie bei irgendetwas einig, warum sollte das bei Bildern anders sein?«
Misty nickte wissend. In dieser Hinsicht unterschieden sich ihre Eltern nicht sehr von Jades.
Alle Zimmer des Hauses waren riesig und üppig ausgestattet. Außer den Kunstwerken an den Wänden standen fast überall Vasen und Uhren, Kristallwaren und Statuetten. Ich sah nicht viel leeren Raum, daher kam es mir so groß und so voll wie ein Museum vor.
Wir drei gafften immer weiter, während Jade uns durch das Haus zum Fernsehzimmer führte, einem lang gestreckten Raum mit getäfelten Wänden, einem eingebauten Fernseher mit Großbildschirm und einer Wand mit Bücherregalen, die fast bis zur Decke reichten. Sie führte uns durch die Terrassentür in einen großen gefliesten Patio. Auf der rechten Seite des Patios waren lange schmale Tische zusammengestellt, auf denen sich ein Büfett türmte. Ein Hausmädchen und der Butler warteten darauf, uns zu bedienen.
Es sah aus, als reichte das Essen für eine ganze Hochzeitsgesellschaft. Ein Tisch war beladen mit Salaten, eingerahmt von Brot und Brötchen, auf einem anderen Tisch standen Platten mit Fleisch, Schrimps und sogar kleinen Hummerschwänzen. Auf einem dritten Tisch gab es Limonade und Säfte sowie Desserts: Törtchen, Kekse, zwei Kuchen und Schüsseln mit Obstsalat.
»Wer kommt denn alles?«, fragte Star atemlos vor Ehrfurcht.
»Wer kommt? Niemand kommt. Meine Mutter ist auf einer Geschäftsreise, und mein Vater ist in Nashville, um mit Investoren zu verhandeln, die ein Musiktheater bauen wollen.«
»Du meinst, das ist alles für uns?«, fragte Star.

»Ich war mir nicht sicher, was ihr mögt, deshalb habe ich sie gebeten, eine Auswahl vorzubereiten.«
»Eine Auswahl? Manche Supermärkte haben nicht so viel Auswahl. Was passiert mit all dem Essen, das wir nicht aufessen?«, wollte Star wissen.
»Ich weiß es nicht«, sagte Jade, die allmählich ärgerlich wurde. »Dienstboten machen irgendwas mit den Resten. Deshalb sind sie ja da. Kommt, wir holen uns etwas zu essen und setzen uns hin.«
»Bin ich froh, dass ich nicht viel zum Frühstück gegessen habe«, rief Misty und ging zum Büfett. Das Hausmädchen reichte ihr sofort einen Teller, und der Butler wartete nur darauf, ihre Wünsche zu hören. Dann bediente er sie.
Ich wusste nicht, für was ich mich als Erstes entscheiden sollte. Ich versuchte von allem ein bisschen zu probieren, aber der Butler legte zu große Portionen von allem auf meinen Teller.
Jade nahm am wenigsten von uns allen. Wir setzten uns an einen großen Tisch unter einen Sonnenschirm. Der Butler und das Hausmädchen brachten uns dort, was immer wir zu trinken wünschten. Dann stellten sie sich wieder an das Büfett und warteten darauf, ob eine von uns noch etwas wollte.
»Isst du immer so?«, erkundigte Star sich. »Mit Dienstboten und allem?«
»Nein. Meistens nehme ich nur einen Obstshake oder einen Joghurt, aber dies ist ein besonderer Anlass.«
»Donnerwetter. Ich wusste gar nicht, wie besonders dieser Anlass ist«, sagte Star, und wir alle lachten, sogar ich.
Während wir dort saßen, aßen und uns unterhielten, starrte ich die wunderschöne Gartenanlage an. Der Rasen wirkte eher wie ein Teppich. Die Büsche und Blumen waren perfekt arrangiert und beschnitten. Als ob einer der

berühmten Künstler, deren Bilder drinnen an den Wänden hingen, den Garten gestaltet hätte. Der nierenförmige Swimming-Pool endete in einem Whirlpool, von dem aus das blaugrüne Wasser in den eigentlichen Pool zurückfloss. Um den Patio herum standen Liegestühle mit dicken Kissen und ein kleines Zelt mit einer Außendusche.

»Es ist wirklich wunderschön hier«, platzte ich plötzlich heraus. Die anderen hörten auf zu reden, schauten einander an und lachten.

»Du hörst dich an, als seist du gerade aufgewacht«, meinte Star.

»Ich weiß nicht, ob ich wache oder träume.«

»Willst du sie noch eingebildeter machen, als sie ohnehin schon ist?«, warnte Star mich und nickte in Jades Richtung.

»Mach dir darüber keine Sorgen, Star. Wenn ich vom rechten Weg abweiche, bist du ja da, um mich mit deinen Sprüchen umzuhauen.«

»Das ist wahr«, bestätigte Star. Misty lachte, und wir alle schwiegen eine ganze Weile.

»Ich kann nichts dafür. Ich habe immer noch das Gefühl, als wären wir bei Dr. Marlowe«, sagte Misty. »Ständig rechne ich damit, dass eine von uns beginnt, über ihre familiären Probleme zu reden.«

»Dann wollen wir doch direkt eine weitere Regel festlegen … wir reden nicht über dieses Zeug, es sei denn, wir alle beschließen, dass es okay ist, einverstanden?«

»Worüber sollen wir denn reden?«, fragte Misty.

»Es gibt noch eine Menge anderer Dinge außer unserem elenden Familienleben«, beharrte Jade. »Hat beispielsweise eine von euch jemanden kennen gelernt?«

Sie schaute sich am Tisch um.

»Ich nicht. Noch nicht«, ergänzte Star geheimnisvoll.
»Was soll das heißen ›noch nicht‹?«, hakte Jade nach. Ihre perfekt gezupften Augenbrauen neigten sich gegeneinander.
»Also neulich war ich bei Lily Porter und sah dort ein Foto ihres Cousins Larry. Er ist bei der Armee. Er hat ihr dieses Bild in Uniform, wie er neben einem Panzer steht, geschickt. Im Moment ist er noch in Deutschland stationiert, kommt aber bald zurück.«
»Und?«, sagte Jade.
»Und ich fand ihn toll. Sie sagte mir, soweit sie wüsste, hat er hier keine Beziehung mit einem Mädchen. Sie wird mich ihm vorstellen, sobald er wieder zu Hause ist. Sie meinte, sie würde eine Party geben und so was.«
»Genau. Und in dem Augenblick, in dem er dich erblickt, haut es ihn um«, höhnte Jade.
Star kniff die Augen einen Moment zusammen, dann lächelte sie.
»Tja, vielleicht leihe ich mir ja eins von deinen teuren Outfits und blende ihn, so wie du jeden Mann blendest, der dich sieht.«
Jade lachte.
»Klar. Such dir aus, was du haben möchtest. Ich habe Zauberkleider, mit denen du garantiert den Mann, den du liebst, erringen kannst.«
»Was ist denn mit dir? Hat jemand in letzter Zeit dein Herz in Flammen gesetzt?«, wollte Star wissen.
Misty und ich waren wie Zuschauer in diesem verbalen Tennismatsch. Unsere Köpfe drehten sich von einer Seite zur anderen.
»Nein. Meine Mutter nahm mich vor zwei Tagen mit zu einer Nachmittagsparty bei den Nelsons, damit ich ihren Sohn Sanford kennen lernte, der gerade vom Studium in

Europa heimgekehrt war. Er ist reich und sehr intelligent, hat aber die Persönlichkeit einer Warze auf der Nase. Wo wir gerade über eingebildet reden … Dieser Bursche schaut Mädchen nur in die Augen, um dort sein eigenes Spiegelbild zu sehen.«

Wir lachten alle. Wie sehr wünschte ich mir, ich hätte auch ein paar Geschichten, ein paar Erfahrungen zu berichten, aber ich konnte nur zuhören und neidisch sein.

»Wollen wir wirklich einen Club gründen?«, fragte Misty, als wir alle schwiegen.

»Club hört sich so kindisch an«, meinte Jade. »Lasst es uns irgendwie anders nennen.«

»Wie denn?«, fragte Star.

»Ich weiß es nicht. Irgendeiner muss eine Idee haben. Mir fällt nichts ein.«

»Ich bin überrascht, dass du so etwas zugibst«, murmelte Star.

Wir schwiegen alle und dachten nach.

»Warum nennen wir uns nicht einfach Schwestern«, schlug ich vor.

Sie wandten sich mir zu.

»Ich meine nicht wirkliche Schwestern, sondern …«

»Mir gefällt das«, sagte Jade. »Die WMEs, Schwestern des Unglücks.« Sie warf Star einen Blick zu.

»Wie ist es?«, fragte Misty. »Kann ich uns T-Shirts machen lassen?«

»Wie würdest du das deinen Eltern erklären?«, fragte Star.

»Ich weiß es nicht. Keiner von ihnen fragt mich je, was meine T-Shirts bedeuten. Sie tun so, als sähen sie sie gar nicht. Dieses hier wäre genauso.«

»T-Shirts reichen nicht aus, um uns zu Schwestern zu machen«, gab Jade zu bedenken.

Plötzlich wirkte sie anders, finsterer, tiefer in Gedanken versunken. »Es gibt etwas, das ich Dr. Marlowe nie erzählt habe.«

»Was denn?«, fragte Star.

Jade wandte sich nach rechts und schaute am Haus hoch. »Ich habe meine eigene private Welt. Ein Raum im Dachboden mit nur einem kleinen Fensterchen. Dort gehe ich hin, wenn ich das Gefühl haben möchte, ich …«

»Was?«, fragte Misty.

»Ich bin weit weg von allem«, sagte sie mit einer wischenden Handbewegung. »Wir werden nach oben gehen und die Zeremonie durchführen.«

»Zeremonie? Welche Zeremonie?«, fragte Misty mit weit aufgerissenen Augen.

»Dieses Ritual wird uns das Gefühl geben, enger zusammenzugehören, eher wie Schwestern zu sein.« Als sie Star einen Blick zuwarf, hatte ich das Gefühl, die beiden hatten vorher bereits darüber gesprochen. Stars Lippen entspannten sich zu einem kleinen Lächeln.

»Ritual?«, fragte Misty mit besorgtem Gesichtsausdruck.

»Du hast doch keine Angst, oder?«, neckte Jade sie.

»Nein, nein. Natürlich nicht. Was ist mit dir, Cat?«, fragte sie mich rasch.

»Ich glaube, nicht einmal Jade, ja nicht einmal Jade und Star zusammen könnten sich irgendetwas ausdenken, das mich mehr ängstigt als meine eigenen Erinnerungen«, sagte ich.

Alle wurden ernst und nickten.

»Deshalb brauchen wir das«, sagte Jade. »Deshalb habe ich euch alle hierher eingeladen. Deshalb ist Schwestern nicht wirklich eine Übertreibung. Wir sind mehr als Freunde. Wir sind eine Familie.«

Sie starrte in den wunderschönen Garten hinaus.

»Vielleicht sind wir ja die einzige Familie, die wir haben.«
»Dann lass uns damit anfangen«, meinte Star.
»Können wir nicht zuerst das Dessert essen?«, rief Misty, die die Kuchen und Kekse beäugte.
Alle lachten, aber es war anders, ein Lachen voller Nervosität, dünn und zerbrechlich wie wir alle.
Vielleicht war es das, was uns wirklich zu Schwestern machte, dachte ich.

Nachdem wir das Essen beendet hatten, betraten wir wieder das Haus. Dabei sprachen wir alle leiser und dämpften unsere Stimmen, als hätten wir gerade eine Kirche betreten. Jade führte uns zurück zu der prachtvollen Treppe und erzählte uns, wie sie den Raum im Dachboden entdeckt hatte, als sie sieben Jahre alt war, und wie sie ihre kostbaren Schätze dort aufbewahrt hatte. Als ihr Vater ihr Treiben entdeckte, fand er das amüsant. Er ließ den Raum für sie herrichten, reinigen und tapezieren und fand sogar spezielle Möbel dafür.
Plötzlich blieb sie am Fuß der Treppe stehen und warf uns allen einen drohenden Blick zu.
»Wir wollen jetzt eine weitere Regel festlegen und uns daran halten. Wir wollen versprechen, einander nie zu belügen oder zu vermeiden, ihr etwas Unangenehmes zu sagen, wenn wir tief im Herzen das Gefühl haben, es sei das Beste für unsere Schwester. Entweder sind wir anders als alle anderen da draußen oder wir sind es nicht. Entweder sind wir wirklich aufrichtig zueinander und wachsen wirklich zu einer Familie zusammen oder nicht«, betonte sie. »Nun?« Sie schaute Star direkt ins Gesicht.
»Finde ich in Ordnung«, sagte Star. »Ich habe dich noch nie über etwas belogen, das mit dir nicht in Ordnung ist.«
»Das gilt auch umgekehrt.«

»Das sollte es auch«, entgegnete Star.
»Cat?«
Ich nickte, obwohl ich das Gefühl hatte, die größte Zielscheibe für die kritischen Pfeile der anderen abzugeben.
»Misty?«
»Für mich ist das in Ordnung. Mir ist es egal, was jemand über mich sagt«, fügte sie hinzu.
»Na bitte! Das ist eine Lüge«, beschuldigte Jade sie und hielt ihr den Zeigefinger anklagend vors Gesicht. »Also?«
»Okay. Es ist eine Lüge. Was ich meinte, ist, mir ist es egal, was eine von euch hier über mich sagt. Ich meine, es macht mir schon etwas aus, aber ich bin bereit, es hinzunehmen. Ist das in Ordnung?«
»Schon besser«, gab Jade zu, »aber es ist noch nicht aufrichtig genug. Wie auch immer«, fuhr sie fort und wandte sich dabei von Misty ab, die aufatmete und den Kopf schüttelte. »Mein Vater fand all diese Spielsachen für mich und machte mir mein eigenes Puppenhaus zurecht. Manchmal fühlte ich mich selbst wie eine Puppe. Es gibt dort kleine Lampen und Tische, Bücherregale und natürlich kleine Teller, Tassen und Gläser.
Aber ich habe dort noch andere Sachen; Sachen, die eine besondere Bedeutung für mich besitzen, und das sind nicht nur Kleinigkeiten. Ich halte den Raum stets verschlossen. Das Hausmädchen darf nicht einmal dort hinein, um sauber zu machen, was meine Mutter verabscheut. Ich kümmere mich selbst um dieses Zimmer.«
»Wow«, staunte Star mit übertriebener Überraschung, während wir oben den Flur entlanggingen, »du machst tatsächlich ein Zimmer selbst sauber?«
»Okay«, gab Jade zu, »ich bin ein verzogener Fratz.« Sie lächelte. »Aber ich leugne nicht, dass ich es genossen habe.«

»Verabscheut ihr nicht alle diese Wahrheit?«, fragte Star Misty und mich.
Mit einigem Zögern lachten wir beide.
Als wir am Schlafzimmer von Jades Mutter vorbeigingen, warfen wir einen Blick durch die Doppeltür und sahen ein riesiges Himmelbett mit einem Kopfteil, das aussah wie aus Perlen gewirkt. Es erhob sich bis halb zur Decke. Rechts daneben entdeckte ich ein ganzes weiteres Zimmer, einen Wohnraum mit einem Fernseher. Ich fragte sie danach, aber Jade war im Augenblick nicht bereit, stehen zu bleiben, um uns etwas zu zeigen.
Am Ende des Flures befand sich eine schmale Treppe, die uns in den Speicher führte. Rechts war Jades Puppenhaus, links ein Lagerraum. Sie holte einen Schlüssel aus der Tasche, schloss das Vorhängeschloss auf, öffnete die Tür und trat zurück, damit wir hineingehen konnten.
Drinnen blieben wir alle stehen. Es war, als wären wir durch einen Brunnen in das Land Oz oder ein anderes Märchenland gefallen. Vor das kleine Fenster war ein rot-weißer Vorhang drapiert. Der Boden war mit einem dicken, cremefarbenen Teppich bedeckt, der ebenfalls rote Streifen hatte. Wie sie es beschrieben hatte, war der Raum mit kleinen weißen Tischen und Stühlen, einem Sofa und niedrigen Stehlampen möbliert. In einem kleinen Schrank stand sogar ein Miniaturfernseher. An den Wänden mit den paradiesapfelroten und weißen Tapeten hingen Bilder von Clowns und Pferden, Landschaftsbilder und Darstellungen einiger Zeichentrickfiguren. Ich fühlte mich genau wie Gulliver in Lilliput, ein Riese unter Zwergen. Ich hatte Angst, mich zu rühren, Angst, ich könnte auf etwas treten oder mit einer unbeholfenen Bewegung etwas zerschlagen.
»Wir müssen die Möbel nicht benutzen«, meinte Jade, als

sie sah, dass wir zögernd am Eingang stehen blieben. »Wir können uns auf den Boden setzen. Das tue ich normalerweise auch, wenn ich hier oben bin.«
Sie schloss die Tür hinter sich und ging zu dem kleinen Bereich, wo ein Esstisch mit Puppengeschirr und -besteck gedeckt war. Dahinter befand sich eine Miniaturküche mit Schränken, einer Spüle und einem Herd. Keine von uns, nicht einmal Misty passte auf diese winzigen Küchenstühle. Eine wunderschöne Puppe mit langem, fließendem goldenem Haar hatte den Vorsitz am Kopf des Tisches. Auf den anderen Stühlen saßen Gestalten aus verschiedenen Kindergeschichten. Natürlich erkannte ich Pinocchio und Dorothy aus dem Zauberer von Oz ebenso wie Pocahontas.
Jade öffnete eine der kleinen Schranktüren, griff hinein und drehte sich dann mit einer langen schwarzen Kerze in der Hand zu uns um. Ich sah, wie sie Star anschaute, die nickte. Dann zog Jade die Jalousie vor dem kleinen Fenster herunter, um das Zimmer abzudunkeln. Sie stellte einen Kerzenständer auf den Boden, hockte sich daneben und lud uns ein, dasselbe zu tun. Wir schlossen uns zu einem kleinen Kreis zusammen, Jade steckte die Kerze in den Halter.
»Ich will das nicht allzu dramatisch gestalten, aber ich habe über uns nachgedacht und ein wenig geforscht über Rituale, die dazu bestimmt sind, Menschen aneinander zu binden, wie wir aneinander gebunden sein wollen.«
»Was meinst du mit gebunden?«, fragte Misty.
Jade wirkte einen Augenblick sehr nachdenklich. Es war sehr still. Ich hörte nur das leise Ticken einer kleinen Uhr auf einem Regalbrett hinter mir.
»Wir müssen alle spüren, dass wir Teil von etwas viel Größerem als wir selbst sind. Wenn man einen Teelöffel

Wasser in eine Flasche mit Wein gießt, verliert es seine Identität. Es nimmt den Geruch und den Geschmack des Weines an. Genauso müssen wir uns ineinander auflösen.«

»Wie machen wir das?«, fragte Misty. Ohne es zu merken, flüsterte sie.

Statt sofort zu antworten, zündete Jade die Kerze an.

»Wir müssen uns einander, der Schwesternschaft, verpflichten und schwören, dass wir die Interessen von uns allen über unsere persönlichen Interessen stellen.«

Misty wirkte immer noch beunruhigt und verwirrt.

»Möchtest du das nicht tun?«, fragte Jade sie.

Misty schaute mich an und nickte dann.

»Klar. Deshalb sind wir doch hier.«

»Wir haben uns kennen gelernt, weil Menschen, die für uns verantwortlich waren oder es immer noch sein sollten, an ihrem eigenen Glück stärker interessiert waren. Deshalb müssen wir, was uns anbelangt, selbstlos sein«, erklärte Jade.

Die Kerze brannte hell, das Licht flackerte auf unseren Gesichtern und ließ unsere Augen aussehen, als leuchteten in ihnen ebenfalls kleine Kerzen.

»Aber was sollen wir denn tatsächlich tun? Auf die Bibel schwören oder uns ein X in die Handflächen ritzen und eine Art Blutschwur ablegen?«, forschte Misty nach.

»Viel zu abgedroschen, direkt wie aus dem Comic«, erwiderte Jade.

»Also, was denn?« Misty schaute Star an, die wiederum Jade anschaute. Sie nickte in Richtung auf die Kerze.

»Wir müssen etwas den Flammen opfern«, fuhr Jade fort, »etwas, das beweist, wie sehr wir den WME vertrauen.«

»Das verstehe ich nicht«, sagte ich. »Den Flammen?«

»Das ist nur symbolisch gemeint«, erklärte Jade. »Das

Feuer verzehrt die selbstsüchtigen Teile von uns. Es verwandelt eine Form der Energie in eine andere. Deshalb wird es so oft in Ritualen benutzt.«

»Aber was sollen wir hineinwerfen? Welche Form von Energie?« Ich schaute Misty an, die nicht länger besorgt wirkte, sondern fasziniert.

»Wir bringen ein Opfer dar, ein tiefes Geheimnis«, sagte Jade und warf Star einen Blick zu, der mich davon überzeugte, dass die beiden über all dies schon geredet hatten. »Wir verwandeln ein Geheimnis in ein gemeinsames Band, eine Opfergabe, ein Bekenntnis zueinander. Es muss etwas sein, das wir nicht einmal Dr. Marlowe erzählt haben, das so entblößend ist, dass wir es nicht über uns brachten. Es muss also etwas sein, das keine von uns weiß. Wir brauchen etwas, das wir nicht einmal uns selbst gerne eingestehen«, sagte sie und presste die Lippen zusammen. Ihre Augen wirkten noch dunkler als sonst.

Alle schwiegen. Die Kerze leckte die Luft, die Flamme schnappte nach jeder von uns, als fordere sie uns heraus und schreie nach unseren Geheimnissen.

Schließlich brach Jade das Schweigen. »Cat, warum fängst du nicht an?«

»Mir fällt nichts ein, das schlimmer oder geheimer wäre als das, was ich euch von meinem Vater und mir erzählt habe«, erwiderte ich.

»Denk genauer nach«, befahl Jade.

Ich kämpfte mit meinen Erinnerungen. Ich hatte ihnen bei Dr. Marlowe alles erzählt, was wichtig war.

»Nun?«, fragte Misty und schüttelte meine Hand.

»Gib ihr eine Chance«, befahl Star.

Ich hatte ihnen wirklich fast alles über meinen Vater und mich erzählt. Ich wollte alles loswerden. Was konnte ich ihnen jetzt anbieten?

Und plötzlich fiel es mir ein. Das konnte ich ihnen gar nicht erzählt haben, weil ich es damals selbst noch nicht wusste.

»Meine Mutter«, sagte ich, »ist nicht nur meine Adoptivmutter. Sie ist meine Halbschwester.«

Misty und Jade ließen gleichzeitig meine Hände fallen. Ich öffnete die Augen. Alle schauten mich an.

»Deine Halbschwester?«, fragte Jade. »Das verstehe ich nicht.«

»Erinnert ihr euch daran, wie ihr mich ständig danach gefragt habt, warum meine Eltern mich adoptieren wollten, warum insbesondere meine Mutter die Verantwortung für ein Kind übernahm, wenn sie doch in jeder Hinsicht so verklemmt ist? Nun, das ist der Grund.«

Ich erzählte ihnen, was ich über meine leibliche Mutter wusste, wie sie mit mir schwanger wurde, wie meine Halbschwester von ihrem Vater beeinflusst wurde und schließlich heiratete, nachdem sie überzeugt worden war, so zu tun, als sei sie meine Adoptivmutter.

»Niemand außer mir, meiner Mutter und meinem Vater kennt die Wahrheit«, sagte ich. »Niemand außer euch jetzt.«

»Aber wer ist dein leiblicher Vater?«, fragte Misty.

»Ich weiß es nicht. Es gibt vieles, das ich noch nicht weiß. Meine Mutter dazu zu bewegen, mir etwas zu erzählen, ist schlimmer, als Zähne zu ziehen.«

»Du nennst sie immer noch deine Mutter?«

»Es ist schwierig, sie anders zu nennen, wenn ich mit ihr spreche, aber ich denke nicht mehr an sie als meine Mutter. Viel leichter fällt es mir, an euch als meine Schwestern zu denken. Sie will auf jeden Fall, dass ich sie Mutter nenne, und sie erinnert mich ständig daran, dass sie rechtlich mein Vormund ist und dass ich sie mit dem glei-

chen Respekt behandeln muss, den man Eltern schuldet. Sie behauptet, Schwestern brächten nicht die gleiche Ehrerbietung füreinander auf. Ihr wisst ja, wie sie zu Hause herrscht, es schon immer getan hat.
Es ist kompliziert«, gab ich zu, »aber bis jetzt habe ich getan, was Jade sagte, ich habe vermieden, selbst darüber nachzudenken. Ich meine, ich wüsste gerne mehr, gleichzeitig aber auch nicht. Wisst ihr, was ich meine?«
»Nein«, gestand Misty. »Das ist alles zu wild. Dein ganzes Leben lang glaubtest du, deine Schwester sei deine Mutter? Ich weiß nicht, was ich täte, wenn ich solch ein Geheimnis entdeckte. Warum hielten sie es geheim? Es ist verrückt.«
»Ich weiß. Ich glaube, jeder würde denken, wir sind eine kranke Familie«, sagte ich und starrte in das flackernde Kerzenlicht. »Wie sehr wünschte ich mir, es könnte wirklich geschehen, was Jade angekündigt hat«, sagte ich ihnen.
»Was meinst du?«, fragte Misty.
»Dass ich alles ins Feuer werfen und zuschauen könnte, wie alles in Rauch aufgeht.«
Alle starrten mich an, dann schüttelte Star den Kopf.
»Was ist?«, fragte Misty sie.
»Das sieht Cat ähnlich«, meinte sie, »mit einem Geheimnis herauszurücken, das keine von uns überbieten könnte. Also ich denke, damit sind wir aus dem Schneider.«
»Genau. Cats Geheimnis lässt alles, was ich anbringen könnte, dämlich wirken«, sagte Misty und schaute Jade an.
Jade seufzte tief. »Ich bin eurer Meinung«, sagte sie schließlich und drückte damit dieser Entscheidung das Siegel ihrer Zustimmung auf.

KAPITEL DREI

Wahre Geständnisse

Die Mädchen waren schockiert darüber, dass ich so wenig über meine Familie und meine Abstammung wusste. Auf jede Frage, die sie auf mich abfeuerten, als wäre ich eine Kriminelle im Polizeiverhör, konnte ich nur erwidern: »Ich weiß es nicht« und »Ich bin mir nicht sicher«.

»Wenn es um mich ginge«, meinte Misty, »würde ich vor Neugierde sterben. Ich würde deiner Mutter, ich meine Halbschwester, so lange zusetzen, bis sie mir auch die schäbigste, kleinste Einzelheit erzählt hätte. Ich würde ihr keinen Augenblick Ruhe gönnen.«

»Es ist nicht so leicht, mit meiner Mutter zu reden«, gab ich zu bedenken. »Sie kann abschalten wie ein Lichtschalter.«

»Ich weiß, dass du das früher schon sagtest, aber ich verstehe immer noch nicht, wie du dasitzen und sie immer noch deine Mutter nennen kannst!«, rief Jade. »Du weißt doch jetzt, dass sie das nicht ist.«

Ich zuckte die Achseln.

»Ich weiß, was sie mir erzählt hat, aber es hat sich mir vermutlich nicht richtig eingeprägt. Schließlich habe ich sie nie anders genannt«, fügte ich hinzu, als sie eine Grimasse schnitt.

»Ich würde das Wort nicht entweihen, indem ich sie Mutter nenne.«
»Du kannst all die Jahre nicht in wenigen Minuten auslöschen«, protestierte ich.
»Nach allem, was du uns über sie erzählt hast«, meinte Star, müsstest du doch froh sein, sie nicht Mutter nennen zu müssen. Wie heißt sie denn?«
»Geraldine. Seit sie mir die Wahrheit gesagt hat, nenne ich sie im Geiste häufiger Geraldine.«
»Sie hätte Glück, wenn ich sie so nennen würde. Mir fällt noch ein Haufen anderer Namen für sie ein. Sie hat kein Recht, all das geheim zu halten«, fügte sie hinzu, »jetzt nicht mehr. Misty hat Recht. Du solltest alles erfahren.«
»Ich will es wohl wissen. Nur ...«
»Du hast einfach Angst vor ihr«, folgerte Jade. Sie überlegte einen Augenblick. »Hast du je daran gedacht, dass sie möglicherweise lügt? Vielleicht hat sie das alles nur erfunden, um dich unter ihrer Fuchtel zu halten. Nach dem Wenigen, das du uns über sie erzählt hast, halte ich sie für fähig, so etwas zu tun.«
Star nickte.
»Welchen Beweis hast du dafür, dass sie dir die Wahrheit sagt?«, wollte Jade wissen.
»Beweis? Keinen«, räumte ich ein. »Außer dem, was sie mir erzählt hat.«
»Das ist doch kein Beweis, Mädchen. Jade hat Recht. Als Erstes musst du herumschnüffeln, nach Briefen, Dokumenten, Bildern suchen, nach allem, das dir irgendetwas verrät.«
»Du meinst, ihre persönlichen Sachen durchsehen?«
»Na klar, was denn sonst? Das sind auch deine persönlichen Sachen, stimmt's?«
»Ich weiß nicht, ob ich das könnte. Sie schützt ihre Pri-

vatsphäre mit peinlicher Sorgfalt. Ich komme kaum je in ihr Zimmer.«

»Du musst mehr herausfinden«, verlangte Misty mit ernstem und entschlossenem Gesichtsausdruck. »Als Erstes sollte man dir sagen, wer dein leiblicher Vater ist. Das ist nicht fair. Es ist einfach nicht richtig.« Sie schaute Star an, die bestätigend nickte.

»Vielleicht weiß sie es wirklich nicht«, gab ich zu bedenken.

»Vielleicht weiß sie es aber auch«, hielt Jade dem entgegen. »Also«, Jade straffte sich und wandte sich den anderen zu, »wir haben unser erstes WME-Projekt: Cat zu helfen, alles über ihre eigene Vergangenheit herauszufinden.« Rasch stimmten ihr alle zu.

»Was meinst du damit? Was habt ihr vor?«, fragte ich mit klopfendem Herzen. Ich würde schon jetzt einen Haufen Ärger bekommen, weil ich mich herausgestohlen hatte und hierher gekommen war, obwohl Geraldine es mir ausdrücklich verboten hatte.

»Bist du in Los Angeles geboren?«

»Ich glaube ja«, sagte ich. »Ich weiß es nicht.«

»Du weißt nicht einmal, wo du geboren bist?«, rief Star.

»Sie hat mir nie gesagt, wo ich geboren wurde.«

»Versuch zumindest einmal herauszufinden wo, und wir sehen dann, ob wir das anhand des Geburtsregisters überprüfen können«, schmiedete Jade Pläne.

»Ja, du musst doch eine Geburtsurkunde haben«, sagte Star, »und darauf steht auch, wer deine Eltern sind!«

»Vielleicht war es eine heimliche Geburt, in einem Keller oder auf einem Dachboden«, schlug Misty vor, der lauter wilde Geschichten durch den Kopf schwirrten. »Und dann fälschten sie die Geburtsurkunde. Ich habe das in diesem Buch gelesen und –«

»Wo wohnte deine leibliche Mutter?«, fragte Jade und tat Mistys Bemerkungen mit einer Handbewegung ab, als ob sie eine lästige Fliege wegscheuchte.
»Hier in Pacific Palisades, nicht weit von uns entfernt.«
»Also erinnerst du dich zumindest an sie?«, sagte Misty.
»Ich kannte sie nicht sehr gut. Meine Mutter hat mich nie besonders gerne zu ihr mitgenommen. Ich glaube, sie kamen nicht gut miteinander zurecht.«
»Was ist mit deinem Großvater?«, fragte Jade. »Ich meine, mit dem Mann, den du für deinen Großvater hieltest«, korrigierte sie sich.
»Er starb zwei Jahre später. An ihn erinnere ich mich ein bisschen besser, obwohl er nicht besonders an mir interessiert war, und ich sah ihn auch nicht besonders häufig. Er besuchte uns an Feiertagen, aber sonst nicht besonders oft.«
»Kein Wunder«, murmelte Star. »Er wusste genau, dass du nicht von ihm warst, stimmt's?«
»Vermutlich. Geraldine sagte, er wusste, dass ich nicht sein Kind war, aber ich weiß es nicht.«
»Hörst du bitte auf mit diesem ›Ich weiß es nicht‹! Wenn ich das noch einmal höre, werde ich verrückt!«, kreischte Jade.
»Ich weiß es doch nun mal nicht«, protestierte ich, und Tränen stiegen mir in die Augen. »Es ist etwas, das ich gerade erst herausgefunden habe, und wahrscheinlich befinde ich mich deswegen immer noch in einem Schockzustand.«
Jade schaute einen Augenblick zum Himmel, als wollte sie ihre Fassung wiedergewinnen.
»Okay«, sagte sie. »Okay. Dein Auftrag ist es, sämtliche Informationen zu suchen, die Licht in deine Vergangenheit bringen können.«

»Mein Auftrag?«
»Als Mitglied der WMEs. Ich bin die Präsidentin, erinnerst du dich? Ich kann Aufträge erteilen.«
»Wann haben wir das denn beschlossen?«, fragte Misty, den Kopf schief gelegt wie ein junges Kätzchen.
»Gerade eben. Irgendwelche Einwände?«
Misty überlegte einen Augenblick und zuckte dann die Achseln. »Wohl nicht«, sagte sie. Dann veränderte sich ihr Gesichtsausdruck, sie fing an zu strahlen. »He, wann gehen wir schwimmen? Du hast davon gesprochen, als wir kamen.«
»Misty, kannst du nicht beim Thema bleiben?«
Misty zuckte erneut die Achseln.
»Ich dachte, wir wären fertig.«
»Oh, mein Gott«, sagte Jade. Sie schaute Star an, die lächelte und den Kopf schüttelte. »In Ordnung. Wir haben wohl geschafft, was wir heute geschäftlich erledigen wollten. Jetzt gehen wir in mein Zimmer, und ich suche euch alle Badeanzüge heraus«, beendete Jade das Thema.
»Ich weiß nicht, ob ich schwimmen gehen will«, sagte ich.
»Wir alle wollen schwimmen gehen, also willst du es auch. Du willst doch jetzt nicht anfangen, alles abzulehnen, oder?«, fragte sie und kniff die Augen ein wenig zusammen. »Du willst doch nicht jedes Mal, wenn wir etwas entscheiden, eine andere Meinung vertreten?« Ihre Stimme hob sich. Mein Herz begann hektisch zu klopfen. Ich schüttelte den Kopf.
»Nein, ich ...«
»Also? Was denn?«, wollte sie mit fragend erhobenen Armen wissen.
»Ich kann nicht schwimmen«, gestand ich.
Ihr Mund erstarrte zu einer O-Form.

»Du kannst nicht schwimmen?« Sie sah Star an, die den Kopf schüttelte, dann wandte sie sich skeptisch wieder an mich. »Wie kann das denn sein? Hast du es denn in der Schule nicht gelernt?«
»Als ich jünger war, hatte ich ein ärztliches Attest. Ich hatte einmal starke Ohrenschmerzen, und meine Mutter glaubte, durchs Schwimmen würde das noch schlimmer. Außerdem besitzt die kirchliche Schule, die ich besuche, kein Schwimmbad.«
»Niemand ist je mit dir an den Strand oder ins Schwimmbad gegangen?«, fragte Star.
»Nein«, gestand ich mit gesenktem Blick. »Meine Mutter hat mir nie einen Badeanzug gekauft. Erinnert ihr euch, wie ich euch davon erzählt habe, dass mein Vater einen Pool bauen lassen wollte?«
»Ja, und deine Mutter war nicht besonders glücklich darüber; deshalb wurde die Idee fallen gelassen«, erinnerte Star sich.
»Und damit meine Hoffnung, schwimmen zu lernen.«
»In Ordnung.« Jade straffte ihre Schultern. »Das zweite wichtige Projekt der WMEs ist, Cat schwimmen beizubringen.«
»Wirklich?«, sagte Misty.
»Wirklich«, bestätigte Jade. »Wenn eine von uns auf einem Gebiet schwach ist, sind wir alle es. Das bedeutet es, aneinander gebunden zu sein, eins zu sein. Hast du das schon vergessen?«, fragte sie energisch.
»Nein.« Misty wollte lächeln, hielt aber inne. Jade sah so aus, als würde sie in die Luft gehen, sobald auch nur eine Silbe geäußert wurde, die ihr im Geringsten widersprach.
»Auf geht's«, kommandierte sie und beugte sich vor, um die Kerze auszublasen. Wenige Augenblicke später verließen wir ihr geheimes Zimmer und machten uns auf den

Weg zu ihrem Zimmer und ihrem Kleiderschrank – einem Wandschrank, der fast so groß war wie mein ganzes Zimmer.
Ihr Zimmer selbst war dreimal so groß wie meines. Sie hatte einen Frisiertisch mit einer Marmorplatte und einen vergoldeten Spiegel, der sich über die Wand erstreckte. Ich musste lachen, als ich mir vorstellte, was Geraldine sagen würde, wenn sie das sähe. In diesem Zimmer konnte man nicht anders, als sich ständig anzuschauen.
Jade hatte ebenso wie ihre Mutter ein Himmelbett mit einem Baldachin aus weißer Seide. Mindestens ein halbes Dutzend Riesenkissen mit rüschenbesetzten Spitzenbezügen lagen auf der farblich passenden wunderschönen Tagesdecke. Auf dem Nachttisch stand ein hellrotes Telefon in Lippenform.
Dem Bett gegenüber war nicht nur ein Großbildfernseher, sondern auch eine Stereoanlage in die Wand eingebaut.
Alle Möbel schimmerten in einem sanften Perlmuttglanz. Es gab zwei Kommoden, einen Schrank und einen Schreibtisch. Jade hatte keine Poster an den Wänden, aber an einer Wand hing ein Gemälde von John Lennon, das sehr teuer aussah.
Als wir alle in ihren begehbaren Kleiderschrank schauten, konnten wir die Reihen über Reihen von Kleidern, die Schuhregale und die eingebauten Schubladen nur anstarren.
»Hier gibt es mehr Klamotten als in manchem Laden«, stellte Star fest.
»Jedes Jahr gebe ich etwa ein Viertel davon weg für wohltätige Zwecke«, sagte Jade.
»Setz mich auf deine Liste wohltätiger Zwecke«, bat Star, worauf Jade lachte.

Sie ging direkt zu der eingebauten Kommode, öffnete die zweitunterste Schublade und schmiss uns Badeanzüge zu.
»Dieser sollte Misty passen. Ich habe ihn nur einmal getragen, als ich zwölf war.«
»Vielen Dank«, erwiderte sie schnippisch.
»Sei froh, dass ich ihn aufgehoben habe«, konterte Jade.
Misty hielt ihn hoch und nickte zögernd.
»Sieht aus, als würde er mir passen«, gab sie zu, »und er ist gar nicht übel.«
Es war ein schwarzgoldener Einteiler. Das Schwarz erstreckte sich von einer Seite des Oberteils über die Mitte und schlang sich dann nach hinten.
»Star hat etwa meine Größe. Du kannst dir also einen von diesen aussuchen«, befahl sie und hielt ihr drei hin.
»Warte. Das ist mein Lieblingsbikini, aber du kannst ihn heute tragen«, fügte sie hinzu und warf ihr den ebenfalls zu. Star fing das Oberteil und hielt es hoch. Das Unterteil war ein Stringtanga.
»Den hast du getragen?«, fragte sie ungläubig.
»Nur hier, nie am Strand. Ich bin ein Feigling. Probier ihn. Mach schon«, drängte sie, und Star begann sich auszuziehen. Misty stand bereits in BH und Höschen da.
»Cat, ich habe hier Shorts, die zu meinem größten Bikinioberteil passen.«
Ich starrte es an.
»Es sei denn, du willst oben ohne gehen«, fügte sie mit einem spöttischen Lächeln hinzu.
Ich schüttelte den Kopf und nahm das blassrosa Oberteil.
»Es wird mir zu klein sein«, prophezeite ich. »Bestimmt kann ich es hinten nicht schließen.«
Sie überlegte einen Augenblick.
»Wir werden etwas dranbinden. Hier«, sie zupfte ein rosa Band oben von der Kommode herunter. »Mach einfach ei-

nen Knoten, das funktioniert bestimmt. Ist doch egal, wie es aussieht. Es sind doch nur wir da«, beruhigte sie mich. Misty stieg bereits in ihren Anzug. Voller Neid schaute ich sie an. Sie zog die Augenbrauen hoch, als sie sah, wie ich sie anstarrte.

»Was ist?«

»Ich wünschte, ich hätte deine Figur«, sagte ich.

»Was? Habt ihr das gehört? Wir sollen einander doch die Wahrheit sagen«, erinnerte sie mich.

»Das ist die Wahrheit«, beharrte ich.

»Ich glaube ihr«, sagte Jade und suchte sich selbst einen Zweiteiler aus, einen goldenen mit einem Stringtanga. Sie begann sich auszuziehen, hielt dann inne und schaute mich an. »Nun? Willst du deinen Badeanzug nicht anziehen?«

»Das ist doch kein Badeanzug«, stöhnte ich.

»Aber es geht doch, oder? Später können wir dir einen richtigen Badeanzug besorgen, und du kannst ihn hier lassen, damit deine Mutter nichts davon erfährt.« Star lachte. Sie sah fantastisch aus in Jades Bikini. Was für eine tolle Figur sie hatte. Sie hatten alle tolle Figuren. Ich werde da draußen wie ein Elefantenbaby aussehen, und schwimmen kann ich auch nicht.

Ich starrte auf die Shorts und das Oberteil in meinen Händen. Ich werde albern darin aussehen. Ich schämte mich meiner Figur so sehr, dass ich froh war, zu Hause nicht so viele Spiegel zu haben.

»Kann ich nicht einfach zuschauen, wenn ihr alle schwimmt?«, bat ich.

»Nein«, erwiderte Jade entschieden. Sie knöpfte ihre Bluse auf und zog sie rasch aus. »Du bist jetzt eine von uns. Du tust, was wir tun. Es gibt keine Ausnahmen, keine Entschuldigungen.«

Ich senkte den Blick und spürte, wie ich zitterte.
»Jade«, meinte Star. »Vielleicht ist es nur dieses eine Mal in Ordnung, wenn sie es nicht will …«
»Nein«, beharrte Jade und funkelte Star an. »Dies ist der erste große Test für die WMEs. Wir müssen alles gemeinsam tun.«
»Okay, okay. Hört auf, euch zu streiten«, rief ich. »Ich werde den Bikini anziehen. Ich werde versuchen zu schwimmen.« Mehr als alles auf der Welt wollte ich Teil der Gruppe sein, selbst wenn das bedeutete, mit nicht mehr als einem zu engen rosa Bikinioberteil am Leib in Jades Swimming-Pool zu ertrinken.
Ich griff nach hinten, öffnete meinen BH und zog ihn aus. Schnell zog ich das Oberteil an, das Jade mir gegeben hatte, aber genau wie ich vermutet hatte, war es hinten etwa zwei Zentimeter zu kurz. Jade trat hinter mich und knotete das Band dazwischen, so dass es hielt.
»Na bitte«, sagte sie. »Du hast es überlebt. Zieh die Shorts an, und dann ab ins Wasser. Sonnencreme gibt's draußen im Zelt. Und Musik auch.«
Schnell schlüpfte ich in die Shorts, die sie mir gegeben hatte. Sie saßen eng, aber es ging.
»Auf geht's, WMEs«, verkündete Jade.
»Du wirst im Handumdrehen schwimmen lernen«, versprach Misty, die neben mich kam. »Mach dir keine Sorgen deswegen.«
»Danke«, sagte ich und folgte ihnen nach draußen. Nach allem, was bis jetzt in Jades Haus passiert war, würde Schwimmen leicht sein.

Dankbar stellte ich fest, dass bis auf einen Gärtner in der entferntesten Ecke des Anwesens niemand zu sehen war. Als ich den Fuß ins Wasser setzte, merkte ich, dass der

Pool beheizt war. Er war fast so warm wie eine Badewanne.
»Meine Mutter heizt das Wasser stärker als nötig«, erklärte Jade. »Ich glaube, das macht sie nur, um meinen Vater verrückt zu machen. Ständig beklagt er sich darüber, wie teuer das ist. Dabei geht sie kaum noch schwimmen.«
Sie tauchte mit einem Hechtsprung hinein. Misty watete die Stufen hinunter, und Star folgte ihr. Wenige Augenblicke später bespritzten sie einander und lachten. Ich stand am flachen Ende, die Arme über dem Busen verschränkt, und beobachtete sie.
»Okay«, sagte Jade und hielt eine Hand hoch. »Jetzt helfen wir Cat.«
Sie schwamm zu mir herüber und wies mich an, ins tiefere Wasser zu gehen und ihre Hände zu halten. »Fang an zu treten«, sagte sie. »Schneller, fester. Treten! Stell dir vor, du trittst deine Mutter!«
Jade führte mich im Pool herum und ging dabei rückwärts, während ich den Beinschlag übte.
»Du kannst deine Hände so wölben«, machte Star mir vor. Misty erklärte, wie man atmet, den Kopf zur Seite dreht und dann wieder Luft holt.
»So hat man mir das im Sportunterricht beigebracht«, erklärte sie.
»Immer weiter treten«, rief Jade. »Atmen. Gut.«
Sie brachte mich in tieferes Wasser und ließ dann plötzlich meine Hände los. Ich geriet in Panik und ging unter. Als ich wieder auftauchte, schrien mich alle an, ich sollte Arme und Beine bewegen. Ich würgte. Binnen Sekunden hatte Star die Hände um meine Taille gelegt. Sie hielt mich einen Augenblick über Wasser.
»Lass sie los. Entweder schwimmt sie oder sie ertrinkt«, sagte Jade.
»Hast du das etwa so gelernt?«, fauchte Star sie an.

»Praktisch ja«, sagte Jade.
»Bei ihr lassen wir es langsamer angehen«, beharrte Star und führte mich weiter im Pool herum, ließ mich los, hielt mich wieder an den Händen und führte mich herum. Bemerkenswerterweise stellte sich heraus, dass sie die größte Geduld aufwies. Jade und Misty kletterten aus dem Pool, streckten sich auf den Liegen aus und sahen zu, wie Star mir das Schwimmen beibrachte.
Ich schaffte es, ein paar Meter weit zu schwimmen, bevor wir eine Pause machten.
»Du lernst es«, versicherte Star mir. Daraufhin verließen wir den Pool und legten uns zu Jade und Misty auf die Liegen. Über das Haustelefon neben ihrem Liegestuhl rief Jade das Hausmädchen an und bat es, uns Limonade und Obst zu bringen.
»Dies ist das beste Hotel, in dem ich je gewesen bin«, murmelte Star, als sie sich auf der Liege zurücklegte.
Ich war so außer Atem, dass ich mich einfach auf dem Rücken ausstreckte und in den blauen Himmel schaute. Ich schloss die Augen und trieb mit der Musik aus dem Radio dahin, das Jade angedreht hatte, als Star und ich noch im Pool gewesen waren. Ihre Albereien und ihr Gelächter waren wie ein Schlaflied, das mich völlig entspannte. Ich hörte nicht einmal, wie sie mir Limonade anboten. Die Anspannung, die Aufregung, das Schwimmen, alles hatte mich doch mehr erschöpft, als ich mir vorgestellt hätte.
Fast eine halbe Stunde später stupste Jade mich an.
»Wir machen Schluss«, sagte sie. »Star muss zurück, um ihrer Granny zu helfen, und Misty hat ihrer Mutter versprochen, heute Abend mit ihr ins Kino zu gehen.«
Ich setzte mich rasch auf. Mein Gesicht fühlte sich so gespannt an, dass ich glaubte, es würde zerspringen.

»Au«, jammerte ich und schnitt eine Grimasse.
»Hast du dich nicht mit Sonnencreme eingerieben?«, erkundigte sich Jade.
»Nein«, sagte ich.
»Meine Güte. Okay, ich habe etwas, das dir ein wenig helfen wird, eine Hautcreme, die man speziell nach dem Sonnenbad aufträgt. Einige Vorteile hat es schon, eine Mutter zu haben, die eine Kosmetikfirma leitet.«
»Kannst du mir diesen tollen neuen Lippenstift besorgen?«, fragte Misty, als wir zum Haus zurückgingen. »Bei dem die Lippen aussehen wie Neonlichter bei Nacht?«
»Natürlich. Ich habe ein paar davon da. Ich kann dir jede Farbe besorgen, die du haben willst.«
Misty quietschte entzückt.
»Haben wir kein Glück, dass wir einander haben?«, rief sie begeistert.

Als ich mir in Jades Badezimmer die Haare trocknete, gab sie mir einige Anregungen, wie ich mein Aussehen verbessern könnte. Ich starrte mich in ihrem Frisierspiegel an und fragte mich, ob es überhaupt möglich war, auch nur ansatzweise so attraktiv wie eine von ihnen zu wirken. Vielleicht. Vielleicht konnte ich viel mehr wie sie sein, als ich je gehofft hatte.
Bevor ich mich versah, war es Zeit zu gehen. Die Limousine wartete bereits vor dem Haus. Misty musste als Erste abgesetzt werden, weil sie am nächsten wohnte. Der Fahrer entschied, dass ich die Nächste wäre.
»Die gleiche Ecke?«, fragte er.
»Nein«, sagte ich und nannte ihm meine Adresse.
»Braves Mädchen«, lobte Star mich. »Sobald sie sieht, dass du eine selbstständige Person bist, wird sie einen Rückzieher machen.«

»Ich weiß nicht«, seufzte ich, außer Stande, meine Sorgen zu verbergen. Es war eine Sache, vor ihr und den anderen Mädchen so mutig aufzutreten, aber eine ganz andere, Geraldine gegenüberzutreten, wenn sie wütend war. Sie hatte so eine Art, die Augen in kalten grauen Marmor zu verwandeln und die Schultern aufzuplustern, bis sie wie ein Raubvogel aussah. Sie hatte auch nie an der Rute gespart, wenn es darum ging, mich zu disziplinieren. Ich erinnerte mich an ein Mal, als sie mich mit dem Schürhaken schlug und mir damit einen blauen Flecken am rechten Oberschenkel verpasste, der beinahe einen Monat dort blieb. Und das nur, weil ich etwas im Fernsehen gesehen hatte, das sie mir ausdrücklich verboten hatte!

Als die Limousine näher kam, spürte ich, wie meine Eingeweide sich anspannten und verhedderten wie eine rostige alte Kette. Es fiel mir schwer, tief Luft zu holen. Meine Rippen fühlten sich so brüchig an, als würden sie jeden Moment zerbrechen.

»Denk daran«, ermahnte Star mich, »du hast Rechte. Wenn du Hilfe brauchst, ruf eine von uns an. Okay?«

Ich nickte, als das Auto an den Bordstein fuhr.

»Auf Wiedersehen. Ich habe mich großartig amüsiert«, sagte ich. »Bestell deiner Granny schöne Grüße von mir.«

»Keine Sorge, alles geht in Ordnung«, versicherte sie mir, und ich schloss die Tür. Dann stand ich da und beobachtete, wie die Limousine davonfuhr. Ich holte tief Luft und ging zur Haustür.

Als ich sie öffnete, verblüffte mich das tiefe Schweigen dort drinnen. Man hörte kein Radio, das alte Musik spielte, keinen Staubsauger, kein laufendes Wasser. Vielleicht war Geraldine in ihrem Sessel eingeschlafen, dachte ich, als ich eintrat.

In dem Augenblick, als ich die Schwelle überquerte, erwischte mich das Strohende eines Besens am Hinterkopf. Es traf mich völlig überraschend, so dass ich die Balance verlor und nach vorne stolperte. Mir blieb gerade noch genug Zeit, die Hände nach vorne zu reißen, sonst wäre ich direkt auf dem Gesicht gelandet.

Ein weiterer Streich des Besens traf mich am Hinterteil. Ich krabbelte vorwärts.

»Wie kannst du es wagen, mir nicht zu gehorchen? Wie kannst du es wagen?«, schrie sie. Sie schlug mich wieder, hob und senkte den Besen mit raschen scharfen Schlägen auf Beine, Rücken und Schultern, bevor ich schnell genug vorwärts kriechen konnte, auf die Beine kam und schreiend den Kopf schützte.

»Hör auf!«

»Geh in dein Zimmer. Geh hinauf. Ich habe gesehen, wie du aus der Limousine gestiegen bist. Versuch ja nicht, mich zu belügen.«

Sie stand da mit dem Besen auf der Schulter wie ein Baseballschläger, das Gesicht hochrot erhitzt, die Augen glühend wie zwei Kohlen.

»Schau dir bloß dein Gesicht an. Was hast du da gemacht? Warum hast du einen Sonnenbrand?«

»Wir sind schwimmen gegangen«, erklärte ich.

»Schwimmen? Du kannst doch gar nicht schwimmen. Waren dort auch Jungen?«

»Nein, nein, es waren nur wir vier, und die Mädchen haben es mir beigebracht.«

»Lügnerin, dreckige Lügnerin. Nach allem, was ich mit dir durchgemacht habe, tust du mir jetzt das an. Mir bricht das Herz«, jammerte sie kopfschüttelnd. Sie entspannte ihre Schultern und drehte den Besen herum, so dass sie ihn eher als Stock benutzen konnte. »Warum hast du mir nicht gehorcht? Warum?«

»Ich möchte Freunde haben. Sie sind meine Freundinnen.«

»Wasser sucht sich immer den einfachsten Weg«, murmelte sie. »Sie sind von deinem Schlag, ja? Alles, was ich für dich getan habe, was ich dir beizubringen versucht habe, ist wie weggewischt, stimmt's? Es liegt in den Genen. Es steckt in dir. Du bist genau wie sie. Genauso gut könnte ich dich direkt dem Satan übergeben.«

»Meine Freundinnen sind nicht schlecht. Sie sind gut. Sie sind sensibel und besorgt, und wir kümmern uns mehr umeinander, als unsere Familien sich um uns kümmern. Es ist überhaupt nicht so, wie du glaubst.«

Sie schleuderte mir einen Blick entgegen, der so voller kalter Anklage war, dass ich wegschauen musste. Das bestätigte nur, welche hässlichen Gedanken in ihrem Gehirn erblüht waren wie schwarzes Unkraut in einem Garten voller Furcht und Verachtung.

»Geh nach oben«, befahl sie. »Du bekommst heute Abend kein Essen.«

»Das ist mir egal. Ich habe bereits gegessen«, murmelte ich. Meine wütenden Worte schienen ihr neue Energie zu schenken. Sie hob den Besen und wollte wieder damit auf mich einschlagen, aber statt zurückzuweichen erinnerte ich mich an Stars ermutigende Worte und trat vorwärts. Geraldine sah aus, als hätte sie mir am liebsten die Haut vom Leibe gepeitscht, aber ich wich nicht zurück und duckte mich auch nicht wie üblich.

»Schlag mich nicht wieder«, leistete ich ihr entschlossen Widerstand. »Hör auf damit.«

Sie erstarrte.

Ich hielt die Luft an, und obwohl ich am ganzen Körper zitterte, blieb ich stehen. Trotzig und entschlossen starrte ich sie an.

Sie schüttelte den Kopf, die angespannten Linien in ihrem Gesicht wurden weicher.
»Was für einen Zweck hat das?«, fragte sie sich selbst, als sie den Besen senkte. Sie ließ die Schultern sinken und seufzte tief. Dabei zitterte sie, als wäre ihr das Herz wirklich gebrochen. »Man kann nicht ändern, was schon seit Geburt dort ist. Es war närrisch von mir, es auch nur zu versuchen, es je zu hoffen.«
»Was war dort seit Geburt? Wovon redest du? Sag es mir!«, schrie ich.
Sie wandte sich ab, als wäre ich gar nicht da, und ging in Richtung Küche.
»Ich will mehr wissen«, rief ich hinter ihr her. »Ich will die Wahrheit wissen, die ganze Wahrheit. Ich habe ein Recht, sie zu wissen, und du musst sie mir sagen.«
Sie blieb stehen und schaute sich zu mir um. Noch nie hatte sie so klein und müde ausgesehen.
»Du willst die Wahrheit wissen?«, fragte sie und lachte kalt. »Die Wahrheit ist, dass du wirklich die Tochter deiner Mutter bist. Das ist die einzige Wahrheit, die in diesem Haus von Bedeutung ist.«
Sie ging weiter den Flur entlang.
»Das reicht nicht. Ich will alles wissen«, rief ich. Sie ignorierte mich, ging einfach in die Küche und schloss die Tür. Ich stand einen Augenblick dort, mein Körper zitterte so sehr, dass mir die Zähne klapperten. Ich schlang die Arme um mich und holte tief Luft. Dann ging ich in mein Zimmer und schloss die Tür hinter mir. Ein schreckliches Schweigen legte sich über mich. Ich hörte nicht einmal, wie unten das Wasser lief oder Töpfe klapperten. Vermutlich rauchte sie noch vor Zorn, während sie dort stand und die Küchentür anstarrte.
Wir waren beide in unsere eigenen Alpträume einge-

sperrt und wohnten im gleichen Haus, das nur mit grauenhaften Erinnerungen gefüllt war. Sie zu überleben war das Einzige, das jetzt zählte. Es war das Einzige, das uns wirklich zusammenhielt. Liebe war es ganz bestimmt nicht.

Die Liebe würde vermutlich nie einen Fuß über unsere Schwelle setzen. Und wenn sie es täte und hereinkäme, würde sie sich einmal umschauen und fliehen. Genauso fühlte auch ich mich.

KAPITEL VIER

Verborgene Vergangenheit

Geraldine rief mich nicht zum Essen, und ich verließ mein Zimmer erst um neun Uhr. Ich wusste, sie würde dann entweder Musik hören, eines ihrer Erweckungspredigerprogramme im Fernsehen schauen oder einfach in ihrem Sessel dösen. Überrascht stellte ich fest, dass sie bereits ins Bett gegangen war. Ich begrüßte die Stille und machte mir eine heiße Schokolade.

Während ich dort saß, dachte ich darüber nach, wie die Mädchen auf mein Geheimnis und meine Unkenntnis über meine Vergangenheit reagiert hatten. Vielleicht sollte ich Jades Auftrag ernster nehmen. Ich lauschte eindringlich, ob ich irgendwelche Geräusche hörte, dass Geraldine sich in ihrem Zimmer bewegte, aber ich hörte nichts. Also stand ich auf, stellte Tasse und Untertasse leise in den Geschirrspüler und ging in die Speisekammer. Dort knipste ich das Licht an und schaute hoch.

Es gab einen Stauraum, den man durch eine kleine quadratische Tür in der Decke der Speisekammer erreichte. Ich hatte gelegentlich gehört, wie Geraldine davon sprach, aber ich konnte mich nicht daran erinnern, dass sie jemals die kleine Tür geöffnet hätte und dort hinaufgeklettert wäre, um irgendetwas zu holen.

Jetzt starrte ich dort hinauf und überlegte. In keinem anderen Raum des Hauses außer dem Schlafzimmer meiner Eltern konnte irgendetwas wie alte Dokumente, Fotos, was auch immer, aufbewahrt werden. Ich hatte nie in Geraldines Schränke geschaut, aber mein Verdacht richtete sich auf diesen Speicherraum. In der Garage hatten wir eine Trittleiter. Ich ging hinaus und holte sie so leise wie möglich ins Haus. Es war nicht einfach, die Leiter durch die Türen zu befördern, und so stieß ich damit gegen den Pfosten der Küchentür.

Mir blieb das Herz stehen. Langsam begann es wieder zu schlagen, während ich lauschte, ob Geraldine irgendetwas gehört hatte und aufgestanden war, um nachzuschauen. Sie horchte oft, während sie schlief, mit einem Ohr, ob Einbrecher kämen, denn wir besaßen kein Alarmsystem. Das Haus knarrte, als Sturmböen vom Meer hereinpeitschten, aber ich hörte keinerlei Schritte oder das Öffnen von Türen.

Da ich mich sicher fühlte, setzte ich den Weg zur Speisekammer fort, stellte die Leiter auf und kletterte zur Decke hinauf. Die Tür des Speicherraumes schien festzuklemmen. Wie ich vermutet hatte, war sie sehr lange, vielleicht seit Jahren, nicht mehr geöffnet worden. Es war schwierig, dagegen zu drücken, ohne ein Geräusch zu machen; einmal rutschte ich fast von der Leiter.

Schließlich gab die kleine Tür meinen Anstrengungen nach und sprang auf. Man musste sie zur Seite schieben. Zentimeter für Zentimeter bewegte ich die Tür und versuchte dabei, auch das geringste Geräusch zu unterdrücken. Als ich hochschaute, wurde mir klar, dass es dort kein Licht gab. Deshalb musste ich die Leiter wieder hinunterklettern und die Taschenlampe aus dem Schrank unter der Spüle holen. Als ich sie anknipste, waren die Batterien leer. Alles in diesem Haus schien sich gegen mich verschworen zu haben und versuchte mich davon abzuhalten, irgendwelche Spuren meiner eigenen Vergangenheit zu finden. Glücklicherweise zahlte sich aus, dass Geraldine davon besessen war, alles im Haushalt zu inventarisieren. In der Schublade, die für Werkzeuge bestimmt war, fand sich ein Vorrat an frischen Batterien. Rasch setzte ich die Taschenlampe in Gang und kehrte zur Leiter zurück. Auf dem Weg nach oben schlich ich praktisch auf Zehenspitzen.

Der Lichtstrahl enthüllte eine Wand aus Spinnweben auf jeder Seite der Öffnung. Der Staub war so dicht, dass er wie eine zweite Holzschicht wirkte. Aber zu meiner Rechten sah ich eine Reihe von Kartons, die mit dicker Kordel zusammengeschnürt waren. Keiner von ihnen trug ein Schild. Noch einmal stieg ich die Leiter herunter, diesmal, um mir ein Messer zu holen, mit dem ich die Kordeln durchschneiden konnte. Ich kletterte wieder hoch und stemmte mich in den Speicher, ohne auf Spinnweben und Staub zu achten. Auf Händen und Knien krabbelte ich zu den Kartons.

Einen Augenblick saß ich dort, am ganzen Körper zitternd, und lauschte noch einmal, ob ich nicht entdeckt worden war. Es war sehr still. Selbst das Knarren im Haus schien aufgehört zu haben, als hielte das Gebäude selbst den Atem an. Ich schnitt mit dem Messer die Kordeln des ersten Kartons auf. Dann öffnete ich ihn und leuchtete mit der Taschenlampe hinein.

Ordentlich zusammengepackt, jedes Teil in Zellophan gehüllt, lagen dort alte Spielsachen, Spielzeug für ein kleines Mädchen: Püppchen, Puppenkleider, Teetassen und Teller, Spielzeugmöbel und ein Puppenhaus, das sorgfältig auseinander genommen worden war. Behutsam hob ich jedes Teil heraus und inspizierte es. Jemand hatte Tränen auf die Wangen einiger Puppen gemalt. Dass sie aufgemalt wa-

ren, erkannte ich daran, dass die Tränen ungleichmäßig waren. Das Gesicht einer Puppe war zertrümmert, als wäre jemand mit einem Hammer darauf losgegangen.
Waren das einmal meine Puppen? Keine von ihnen kam mir bekannt vor. Waren sie von Geraldine? Warum waren sie hier versteckt? Als ob jemandes Kindheit geheim gehalten oder für immer begraben werden sollte.
Ich wandte mich dem Karton zu meiner Rechten zu und zerschnitt die Kordeln. Wieder öffnete ich ihn langsam und richtete den Strahl der Lampe auf Gegenstände, die in Zellophan verpackt waren, nur handelte es sich diesmal um Kleidung. Ich holte ein Teil aus der Verpackung und hielt es hoch: ein hellgelbes Kleidchen für ein Kleinkind. Ich schaute mir das nächste Kleidungsstück an und das nächste, holte jedes heraus und untersuchte es mit dem gleichen Ergebnis: Kleidungsstücke für ein sehr kleines Kind. Alle wirkten neu, ungetragen. Wessen Kleidung war das? Meine? Geraldines? Warum wurden sie hier aufgehoben, statt verschenkt oder sogar weggeworfen zu werden, was Geraldine für gewöhnlich mit alten, abgetragenen Sachen machte?
Ich drehte mich um und glitt nach links, um den nächsten Karton zu öffnen, indem ich die Kordeln zerschnitt und die Deckel aufriss. Hier fand ich Erinnerungsstücke: Schnipsel von hübschen Bändern, juwelenbesetzte Kämme, Amulettarmbänder für winzig kleine Handgelenke, ein paar vergoldete Babyschuhe, eine Zigarrenkiste voller alter Bilder und ein handbemaltes Schmuckkästchen, das auch eine Spieluhr war. Als ich es öffnete, fing sie jedoch nicht an zu spielen, weil sie nicht aufgezogen war. Ich war froh darüber. Die Musik hätte Geraldine möglicherweise aufgeweckt. Auch in der Kiste war alles ordentlich in Zellophan eingepackt. Wessen Sachen waren das?

Mit noch größerer Beklommenheit wandte ich mich dem letzten Karton zu, zerschnitt die Kordeln und öffnete ihn langsam. Oben lag eine Decke aus einem Babybettchen mit einem Stück duftender Seife darauf. Ich nahm sie behutsam heraus und legte sie beiseite. Darunter lag ein kleiner Packen Briefumschläge, die mit einem dicken Gummiband zusammengeschnürt waren, und sonst nichts. Die Gummis zerfielen, noch bevor ich versuchte, sie abzustreifen. Auf keinem der Umschläge stand eine Adresse oder ein Name. Ursprünglich waren sie rosa gewesen, im Laufe der Zeit aber verblasst zu einer hellen Cremefarbe. Alle waren geöffnet worden.
Ich holte den Brief aus dem obersten Umschlag und faltete ihn auseinander.
Er begann »Liebe Cathy«. Ich schnappte nach Luft. Wer hatte mir geschrieben?

»Ich weiß, dass du meine Briefe erst lesen wirst, wenn du viel älter bist als jetzt. Meine Tochter Geraldine hat mir versprochen, dass sie dir die Briefe geben wird, wenn du alt genug bist, sie zu verstehen. Wenn du sie bekommst, wirst du auch die Wahrheit über deine Geburt erfahren.
Was für eine seltsame Art für eine Mutter, sich ihrem eigenen Kind vorzustellen, aber dazu sind diese Briefe da. All die Jahre, bevor du diese Briefe in Händen hältst, wirst du an mich als deine Großmutter denken. Ich kann dir gar nicht sagen, was für ein seltsames Gefühl es für mich ist, dass du mich Großmutter nennst und ich so tue, als seist du meine Enkelin und nicht meine Tochter. Ich hoffe, du kannst schließlich begreifen, warum das so sein musste.
Das Wunderbarste, was eine Mutter ihrer Tochter geben

kann, sind ihre eigenen Erfahrungen. Dies ist wirklich das einzige Erbe, das zählt. Ich bin mir sicher, dass Geld kein Problem für dich ist, deshalb ist mein Schmuck oder der Treuhandfonds, der dir an deinem achtzehnten Geburtstag übergeben wird, nur ein Bettel, wenn es darum geht, was eine Mutter einer Tochter geben kann.«

Treuhandvermögen? Geraldine hatte mir gegenüber nie ein Treuhandvermögen erwähnt. Wann wollte sie das tun? Es dauerte nur noch ein Jahr bis zu meinem achtzehnten Geburtstag. Ich kehrte wieder zu dem Brief zurück.

»Anfangen möchte ich damit, dass ich dir die erste aufrichtige Information mitteile, seit du die Wahrheit über dich selbst erfahren hast. Ich habe nie eine gute und glückliche Ehe geführt. Ich heiratete aus den falschen Gründen. Meine Mutter stolzierte immer um mich herum, wenn ich mich für eine Party anzog, und hämmerte mir ein: ›Denk daran, Liebes, man kann sich genauso leicht in einen reichen Mann verlieben wie in einen armen.‹ Sie ließ mich glauben, dass man das Verlieben völlig unter Kontrolle hatte und man seine tiefsten Gefühle in jede beliebige Richtung lenken konnte, wann immer man wollte. Sie lachte bei der bloßen Vorstellung, dass die Liebe sich auf wundersame Weise ereignete, dass Glocken in deinem Kopf oder in deinem Herzen läuteten, dass du quer durch ein Zimmer schauen, einen völlig Fremden sehen und plötzlich spüren konntest, dass deine Seele vor Glück erblühte. All das sei nur Quatsch. Das war ihr Lieblingswort für die meisten Dinge, die sie bestritt oder nicht glaubte: Quatsch. Es war ein Ausdruck ihres Vaters. Ich

hasste es, hasste es, dieses Wort zu hören, sagte es ihr aber nie ins Gesicht.
Ein gehorsameres Kind als mich konntest du kaum finden. Ich wuchs in einem Haushalt auf, der eher an eine kleine Monarchie als an alles andere erinnerte. Mein Vater war der König, meine Mutter die Königin und ich bloß einer der Untertanen. Wenn der eine oder die andere etwas verkündete, krachte diese Last mit göttlichem Gewicht auf meine kleinen Schultern. Mein Vater glaubte, zuerst käme die Furcht und dann, quasi als nachträglicher Einfall, die Liebe. Er wollte, dass ich Angst vor ihm hatte, und er bekam, was er wollte.
All dies ist eine Vorbereitung für meine Erklärung, warum ich tat, was du nur schwer verstehen kannst … warum ich dich weggab. Ich gab dich ja nicht wirklich weg, sondern verschob dich an einen anderen Platz in unserer Familie. Ich wusste, dass ich dich nicht als meine Tochter aufziehen konnte. Dennoch konnte ich den Gedanken nicht ertragen, dass du bei völlig Fremden leben solltest. Ich wollte dich sehen können, wann immer ich wollte und so oft ich wollte. So zu tun, als sei ich deine Großmutter, gab mir die Gelegenheit, dir Liebe und Zuneigung zu beweisen, etwas, das mir sonst nie möglich gewesen wäre. Ich hoffe, ich werde das noch sehr lange tun können und eines Tages, nachdem du meine Briefe gelesen hast, können wir uns hoffentlich einmal treffen, nur wir beide, und ich kann dich umarmen, so wie eine Mutter ihre Tochter umarmt, und du lernst vielleicht, mich so zu umarmen, wie eine Tochter ihre Mutter umarmt. Vielleicht ist das nur eine Fantasie. Uns ist nicht klar, wie kostbar und selten Fantasien werden können, wenn wir älter werden und gezwungen sind, die kalte Realität anzuerkennen.

Ein weiterer Grund, warum ich dich Geraldine gab, ist, dass Geraldine meinem Mann und mir eine gehorsamere Tochter ist, als ich meinen Eltern war. Ich wusste, sie würde alles tun, was man ihr sagte und genau wie man es ihr sagte. Mein Mann und ich waren wohl keine besseren Eltern als meine und führten unsere Familie ebenso wie die kleine Monarchie, in der ich aufwuchs. Zumindest benahmen wir uns so zueinander.
Geraldine ist ganz anders als ich. Sie gleicht eher meinem Mann, aber manchmal glaube ich, sie ist besser dran, so wie sie ist, weil ich auf eine Weise leide, die sie nie kennen lernen wird. Sie hat nie wirklich leidenschaftlich geliebt und diese Liebe verloren.
Ich habe das, und wenn du diesen Brief liest, bist du vermutlich alt genug, um daraus, noch bevor ich es dir sage, zu schließen, dass der Mann, den ich liebte, wirklich leidenschaftlich liebte, dein leiblicher Vater war.
Ich schaue jetzt auf die Uhr und sehe, wie viel Zeit es gebraucht hat, diese Gedanken niederzuschreiben. Ich muss jetzt aufhören. Der Mann, den du als deinen Großvater kennst, ruft mich. Wir sind auf dem Weg zu einem seiner Geschäftsessen, und die sind immer so wichtig, dass wir keine Minute zu spät kommen dürfen. Ich hätte wohl früher anfangen sollen, dies zu schreiben, aber (vielleicht findest du das amüsant oder interessant) ich betrachtete mich im Spiegel und sah plötzlich dich. Ich sah mich in deinem Gesicht, und ich dachte, wenn nun die Zeit vorübergeht und wir einander nie ehrlich anschauen? Das gab meinem Herzen einen Stich der Angst, ich setzte mich sofort hin und begann zu schreiben.
Natürlich werde ich immer wieder schreiben. Jetzt muss ich diesen Brief verstecken, genau wie ich meine wahren

Gefühle verstecken musste. Meine Finger zittern, während ich diesen Brief unterschreibe.

In Liebe
Mutter«

Ich saß einen Moment mit dem Brief in der Hand da und schaute dann zu den anderen Kartons. All das mussten Sachen sein, die sie mir gegeben hatte, aber ich erkannte nichts davon. Geraldine hatte sie mir vorenthalten. Bestimmt war das so, aber warum sollte sie mir Spielsachen und Decken, Kämme und Schmuck vorenthalten?

Plötzlich hörte ich unten ein Geräusch, ein lautes Klappern von Holz. Mein Herz machte einen Satz. Ich drehte mich um und schaute durch die Speichertür nach unten. Meine Leiter! Sie war weg! Ich hörte, wie sie davongetragen wurde.

»Mutter!«, schrie ich. »Mutter!«

Sie hatte die Leiter in die Garage zurückgebracht. Ein paar Minuten später tauchte sie in der Speisekammer auf. Sie trug ihren Morgenmantel und Pantoffeln und schaute zu mir hoch.

»Warum hast du die Leiter fortgenommen?«

»Wer hat dir gesagt, du sollst dort hinaufgehen?«, erwiderte sie stattdessen.

»Ich wollte sehen, was hier oben war«, sagte ich. »Wie soll ich jetzt hinunterkommen?«

»Seit wann schnüffelst du so in unserem Haus herum? Seit wann tust du etwas, ohne mich zuerst zu fragen? Ich kann dir sagen seit wann. Seit du mit dieser Psychotherapeutin angefangen hast und diesen bösen Mädchen. Du gehorchst mir einfach nicht, gehst schwimmen und tust wer weiß was, und dann kommst du nach Hause und fängst an herumzuschnüffeln. Glaubst du, das sei alles ein

Zufall? Hm? Ich nicht. Ich habe dir gesagt, dass das passieren würde. Ich habe dich gewarnt.«
»Bring bitte die Leiter zurück«, bettelte ich. »Wie soll ich denn hier herunterkommen?«
»Du wolltest dort oben sein. Dann bleib auch dort«, sagte sie und wandte sich ab.
»Es ist unheimlich hier oben. Ich kann doch nicht hier bleiben. Hör auf«, rief ich.
Sie blieb in der Tür stehen und schaute zu mir hoch.
»Du hast dir dein Bett für die Nacht bereitet. Jetzt schlaf auch dort«, sagte sie.
»Warte«, rief ich. »Was ist mit all diesen Sachen? Warum hast du mir diese Briefe nie gegeben?«
Sie drehte sich wieder um, und ohne mir zu antworten drehte sie das Licht in der Speisekammer aus, ging hinaus und schloss die Tür hinter sich.
»Mutter!«, rief ich, dann schaute ich hinunter auf den Brief in meinen Händen und schrie: »Geraldine!«
Ich wartete, aber sie kehrte nicht zurück. Dadurch, dass ich alle Kartons geöffnet und in diesem winzigen Stauraum herumgekrochen war, hatte ich dicken Staub aufgewirbelt. Davon musste ich husten und niesen und fühlte mich am ganzen Körper dreckig. Ich beugte mich über die Einstiegsluke und richtete die Taschenlampe nach unten. Es sah aus, als seien es mindestens drei Meter bis zum Boden. Ich musste mich vorsichtig herunterlassen, mit den Händen festhalten und dann versuchen, auf die Füße zu fallen. Wie dumm. Was glaubte sie eigentlich, was ich tun würde, bis zum Morgen hier bleiben?
Ich steckte die Briefe in den Karton zurück und schloss ihn. Dann ging ich an der Tür des Speicherraumes in Position. Es war unmöglich, gleichzeitig die Taschenlampe festzuhalten. Ich überlegte mir, ob ich sie unten auf den

Boden fallen lassen sollte, aber vermutlich würde sie dabei zerbrechen. Deshalb stopfte ich sie in meine Bluse. Danach begann ich, mich durch die jetzt sehr dunkle Öffnung herabzusenken. Mein Herz klopfte so heftig, dass ich Angst hatte, keine Luft mehr zu bekommen und zu fallen. Meine Finger waren anscheinend nicht kräftig genug, um mich an den Seiten festzuhalten. Das ist so verrückt, dachte ich ständig. Warum hat sie das getan?
Ich drehte meinen Körper und ließ mich mit zitternden Beinen durch die Öffnung hinunter. Als das volle Gewicht meines Körpers auf Händen und Handgelenken ruhte, rutschten meine Finger ab und ich riss mir Splitter ein. Ich verlor mit der rechten Hand den Halt. Schreiend stürzte ich nach unten und stieß unbeholfen auf dem Boden auf. Mein linker Fuß traf zuerst auf, drehte sich unter meinem Körper und wurde darunter eingequetscht. Ich hörte, wie der Knochen knackte.
Mit dem Kopf stieß ich so hart auf den Boden auf, dass ich Sternchen sah und ein schneidender Schmerz mir durch Hals und Schultern fuhr. Ich bekam keine Luft mehr, keuchte und zog mein linkes Bein unter mir hervor, aber die Schmerzen waren so stark, dass ich nicht schnell genug atmen konnte. Ich muss ein paar Sekunden oder sogar eine ganze Minute das Bewusstsein verloren haben. Als ich die Augen wieder öffnete, herrschte um mich herum nur Dunkelheit. Mein Knöchel schien einen eigenen Mund zu haben und seinen Schmerz in das Bein hinauf zu schreien.
»Mutter!«, rief ich. »Hilf mir!«
Weinend zog ich mich vorwärts. Ich versuchte es, konnte aber auf dem Gelenk nicht stehen. Ich griff in meine Bluse und zog die Taschenlampe heraus. Dann schleppte ich mich in Richtung Tür. Nachdem ich halb kriechend, halb rutschend hindurchgelangt war, hievte ich mich an

der Arbeitsplatte der Küche hoch und schrie immer wieder nach ihr. Vor Schmerz traten mir heiße Tränen in die Augen, die mir über die Wangen strömten.
Schließlich ging im Flur das Licht an. Ich hörte ihre Schritte auf der Treppe, und wenige Augenblicke später erschien sie finster dreinblickend in der Küchentür, die Hände in die Hüften gestemmt.
»Weshalb heulst du so?«
»Ich bin gefallen«, rief ich. »Ich bin gefallen und habe mir, glaube ich, den Knöchel gebrochen!«
Sie schaute rasch hinunter auf meinen Fuß.
»Blödsinn«, herrschte sie mich an.
»Nein, das ist kein Blödsinn. Ich hörte es knacken. Warum hast du die Leiter weggenommen?«, brüllte ich sie an. »Wie konntest du so etwas tun? Mein Fuß fühlt sich an, als würde er aufgeblasen wie ein Ballon.«
Sie schüttelte den Kopf und ging zum Kühlschrank.
»Du brauchst nur etwas Eis darauf«, meinte sie, ohne auch nur einen Blick auf den Fuß zu werfen.
Sie holte einige Eiswürfel heraus und schaufelte sie in einen Plastikbeutel.
»Hier«, sagte sie und warf ihn mir zu. »Leg das darauf und geh schlafen. Das kommt davon, wenn man ungehorsam ist. Vielleicht hörst du ja jetzt und hältst dich von diesen bösen Mädchen fern, die dich vergiftet haben.«
Sie drehte sich um und wollte weggehen.
»Er ist nicht nur geschwollen, sage ich dir. Er ist gebrochen. Ich hörte es knacken.«
Sie drehte sich nicht wieder um.
»Mal sehen, wie es morgen früh aussieht«, vertröstete sie mich. »Wenn du nicht nach oben gehen kannst, schlaf auf dem Sofa im Wohnzimmer.«
Ich hörte ihre Schritte auf der Treppe, dann war alles still,

abgesehen von dem Klingeln in meinen Ohren und den Schreien, die mir in der Kehle stecken blieben. Hopsend und humpelnd machte ich mich auf den Weg ins Wohnzimmer, wo ich mich aufs Sofa fallen ließ. Ich zog meine Schuhe aus und legte das Eis auf meinen Knöchel, aber der Schmerz wurde dadurch nicht erleichtert. Die ganze Nacht stöhnte und weinte ich, bis ich gegen Morgen einschlief. Als ich die Augen öffnete, stand sie vor mir und starrte auf meinen Knöchel. Er war dunkelrot und angeschwollen.

»Vielleicht ist er tatsächlich gebrochen«, entschied sie. »Setz dich hin, ich helfe dir dann ins Auto. Wir müssen wohl in die Notaufnahme des Krankenhauses. Das ist ja eine ganz tolle Sache, um einen neuen Tag zu beginnen«, murmelte sie, »und das alles nur, weil du dich mit kranken Menschen abgibst.«

Ich hatte zu starke Schmerzen und war zu müde, um mit ihr zu streiten. Ich stützte mich auf sie, als wir uns zum Auto schleppten. Sobald ich drinnen saß, schloss ich die Augen und lehnte mich gegen die Tür. Auf dem ganzen Weg zum Krankenhaus murmelte sie eine Litanei von Klagen vor sich hin. Als wir ankamen, ging sie zuerst hinein; ein Krankenpfleger kam dann mit einem Rollstuhl für mich. Es dauerte fast eine Stunde, bis jemand nach mir schaute, dann wurde ich zum Röntgen geschickt, und es vergingen weitere zwei Stunden, bis ein Arzt kam, um mich zu untersuchen. Die ganze Zeit über saß Geraldine mit mir im Wartezimmer und schüttelte den Kopf über die Zeitschriften, die auf den Tischen ausgelegt waren.

»Wenn nun ein Kind hier hereinkommt? Es könnte eine von diesen Zeitschriften lesen oder anschauen. Schau dir nur das Bild dieser Schauspielerin im Nachthemd an. Genauso gut könnte sie nackt sein. Man kann völlig hin-

durchschauen und sehen, was sie zum Frühstück gegessen hat.«
Ich hatte immer noch zu große Schmerzen, um ihr richtig zuzuhören oder etwas zu erwidern, aber ich sah, wie die anderen Patienten sie anstarrten, als sie hörten, was sie sagte. Daraufhin tuschelten alle miteinander.
Schließlich ließ die Krankenschwester mich ins Behandlungszimmer zurückkommen, wo der Arzt meine Röntgenaufnahmen auf einem Leuchtschirm hängen hatte.
»Es ist ein Bruch«, stellte er fest. »Hast du versucht, mit diesem Fuß zu gehen, nachdem du dich verletzt hattest?«
»Ja«, sagte ich.
»Hmm. Die Drehbewegung ist instabil«, sagte er, während er meinen Fuß untersuchte. »Du brauchst einen Oberschenkelgipsverband und musst regelmäßig geröngt werden, um zu verhindern, dass eine katastrophale Fragmentverschiebung zu spät entdeckt wird.«
Geraldine stöhnte, als passierte das alles ihr und nicht mir. »Ärzte und Medizin«, murmelte sie.
»Wie bitte?«, fragte der Arzt.
»Schon gut«, murmelte sie und wandte sich mir zu. »Das kommt davon, wenn du irgendwo hingehst, wo du nichts verloren hast.«
»Oh. Wie ist das denn passiert?«, erkundigte er sich.
»Ich stürzte, als ich versuchte, vom Speicher herunterzukommen«, log ich.
Er nickte.
»Es kommt alles wieder in Ordnung«, tröstete er mich und rief die Schwester, um meinen Gips vorzubereiten.
Nach weiteren drei Stunden waren wir auf dem Nachhauseweg. Ich hatte jetzt einen Gips und Krücken. Sie hatten mir auch etwas gegen die Schmerzen gegeben. Ich spürte, wie ich immer wieder eindöste.

Entweder hatte Geraldine aufgehört, sich über Dr. Marlowe, die Mädchen und mich zu beklagen, oder ich hörte es einfach nicht mehr. Die Medizin tat ihre Wirkung, schaltete Augen, Ohren, ja selbst meine Gedanken ab.

Als wir nach Hause kamen, musste sie mir aus dem Auto helfen. Die Treppe hinauf in mein Zimmer zu gehen war eine einzige Tortur, besonders weil ich mich so benommen fühlte. Sie hatte nicht genug Kraft, um mich zu stützen; ich schwankte und sie schrie auf. Irgendwie schafften wir es, und ich ging ins Bett. Fast im gleichen Augenblick, als mein Kopf das Kissen berührte, schlief ich ein.

Als ich aufwachte, war schon fast die Abenddämmerung hereingebrochen. Mein Magen knurrte, weil ich den ganzen Tag nichts gegessen hatte. Ich stöhnte und versuchte mich aufzusetzen, da ich den Gips ganz vergessen hatte. Rasch wurde ich daran erinnert, dass dies kein Traum war.

Wie üblich war die Tür zu meinem Zimmer geschlossen. Ich warf mein Bein mit dem Gips über die Bettkante und drehte mich um, während ich nach den Krücken griff. Als ich wieder Luft bekam, humpelte ich zur Tür und öffnete sie.

»Mutter!«, rief ich. Einen Augenblick später stand sie am Fuß der Treppe.

»Was ist?«

»Ich bin hungrig und durstig«, sagte ich.

»Fein. Jetzt darf ich auch noch das Dienstmädchen spielen. Geh ins Bett zurück. Ich bringe dir dein Abendessen nach oben«, sagte sie.

»Hat jemand für mich angerufen?«, rief ich hinter ihr her.

»Nein«, rief sie.

Sie würde es mir nicht sagen. Warum machte ich mir überhaupt die Mühe, sie zu fragen?

Etwas später kam sie die Treppe herauf. Jeder Schritt

klang schwerer als der vorherige. Sie wirkte außer Atem, ja bleich, als sie mit dem Tablett in mein Zimmer kam.

»Ich kann zum Essen nach unten kommen«, sagte ich. Sie nickte.

»Nächstes Mal wirst du das machen müssen. Ich bin wohl nicht mehr so jung, wie ich einmal war. Ärger kann einen binnen Minuten um Jahre altern lassen«, sagte sie und schaute mich mit einem scharfen kalten Blick an.

Sie stellte das Tablett auf meinem Schreibtisch ab. Ich humpelte hinüber und setzte mich. Auf dem Tablett standen zwei gekochte Eier, Marmelade und Toast, ein Glas Pflaumensaft und etwas Götterspeise. Normalerweise kochte sie Hühnchen oder Fisch.

»Das sieht aus wie Krankenhausessen«, stellte ich fest.

»Du beklagst dich? Du solltest froh sein, überhaupt etwas zu bekommen. All das ist dein Fehler. Vergiss das nicht«, sagte sie und drohte mir mit ihrem langen dünnen Finger.

»Wieso ist das denn mein Fehler, Mutter? Du hast doch die Leiter weggenommen. Das war grausam und dumm.«

Sie straffte ihre Schultern.

»Wage es ja nicht, mich grausam und dumm zu nennen!«, schrie sie, machte eine Pause, presste die Lippen aufeinander und kniff ihre Augen hasserfüllt zusammen. »Nach dem, was du getan hast, verdientest du es, bestraft zu werden.«

»Was habe ich denn so Schreckliches getan?«, rief ich, die Arme fragend erhoben.

»Dort herumzuschnüffeln, als ich dir den Rücken gekehrt hatte«, erwiderte sie.

»Warum hast du mir denn nie diese Briefe gegeben? Und warum sind all diese Dinge dort oben in Kartons versteckt? Diese Sachen waren doch alle für mich, oder? Du hast mir nie etwas davon gegeben, nicht wahr?«

»Nein, und ich hatte Recht, das nicht zu tun. Das sah ihr

ähnlich, ihre Fehler wieder gutzumachen, indem sie dir Sachen kaufte«, fauchte sie. Mit einem kalten Lächeln fuhr sie fort: »Sie hoffte, deine Liebe zu erkaufen, versuchte dich zu bewegen, dass du sie mehr mochtest als mich. Es hat ihr stets Sorge bereitet, du könntest sie nicht so gern haben wie mich. Ich wusste, das war eine ständige Angst, die an ihr nagte. Geschieht ihr recht«, sagte sie mit einem befriedigten Lächeln.

»Du hasstest deine eigene Mutter?«

»Nein. Ich hasste sie nicht. Ich bemitleidete sie wegen ihrer Schwächen«, sagte sie. Schlagartig erlosch das Lächeln auf ihrem Gesicht.

»Warum hast du mir nie erzählt, dass ich ein Treuhandvermögen besitze?«, hakte ich weiter nach, während ich aß.

»Warum? Du darfst es ein weiteres Jahr nicht anrühren«, erwiderte sie.

»Dennoch hättest du es mir sagen sollen«, beharrte ich. »Wie viel ist es denn?«

»Oh, jetzt machst du dir also Sorgen, wie viel Geld du hast?«

»Nein, aber ich möchte es gerne wissen. Ist das etwa falsch?«, fragte ich. Eisern hielt ich die Tränen zurück, die mir heiß unter den Lidern brannten.

»Wenn die Zeit kommt, wirst du es erfahren«, kündigte sie an. »In der Zwischenzeit kümmere ich mich um deine Finanzen.«

»Kannst du mir nicht mehr darüber erzählen, was passiert ist?«, bat ich. Ich erinnerte mich daran, was Jade mir aufgetragen hatte auszuforschen. »Wo wurde ich zum Beispiel geboren? War es hier in Los Angeles, oder ging sie irgendwo anders hin, um mich zu bekommen?«

Sie presste die Lippen fest aufeinander, als wollte sie ihre Zunge davon abhalten, eine Antwort zu geben.

»Es war ein widerliches Chaos. Es hat keinen Zweck, die schmutzige Vergangenheit wieder aufzuwühlen und dies Monate, Wochen und Tage noch einmal erleben zu müssen. Außerdem, was ändert das denn schon? Du bist jetzt, wer du bist, du bist jetzt hier, und damit hat sich der Fall.« Sie holte tief Luft, als ob ihre Lunge ihr von alleine nicht genug Luft geben würde. Dann nickte sie zu meinem Tablett hin. »Ich komme später das Geschirr holen.«

»Es ist meine Vergangenheit«, drängte ich sie. »Ich habe ein Recht, es zu wissen.«

Sie blieb stehen, drehte sich auf dem Absatz um und starrte mich an.

»Recht? Du hast ein Recht? Wer gibt dir Rechte? Ich gebe dir deine Rechte. Wer musste wegen all dem am meisten leiden? Ich bin diejenige, die am meisten leiden musste, nicht du. Für dich wurde doch gut gesorgt, oder? Kein Waisenhaus für dich, obwohl du außerehelich geboren wurdest. Keine fremde Pflegefamilie. Du hattest von Anfang an ein Zuhause mit einer Familie, oder?«

»Familie«, murmelte ich bitter. »Eine schöne Familie.«

»Ich lasse mir nicht die Schuld an dem geben, was er getan hat. Du hättest früher zu mir kommen können.«

»Aber natürlich«, höhnte ich. »Du hast doch nie zugehört bei allem, das auch nur das Geringste damit zu tun hatte. Du hast mir ja nicht einmal geholfen, als ich zum ersten Mal meine Periode hatte. Er war der Einzige, der jemals so getan hatte, als machte er sich etwas aus mir. Deshalb ist das alles ja passiert.«

Sie schüttelte den Kopf.

»Du warst noch nie so respektlos. Bestimmt sind das diese Mädchen. Sie sind wie eine Krankheit. Wehe, wenn du auch nur noch einmal mit ihnen redest, hörst du?«

»Sie sind meine Freundinnen«, beharrte ich.

»Wir werden sehen«, sagte sie. Sie wollte hinausgehen, blieb aber noch einmal stehen, um zu mir zurückzuschauen. »Wir werden sehen.«
Sie schloss die Tür. Mir hatte sich der Hals zugeschnürt, ich würgte an einem Stück Toast herum. Ich trank einen Schluck Saft und stieß die Teller beiseite. Ich werde nichts essen, dachte ich. Das werde ich tun. Ich werde fasten, bis sie mich mit den Mädchen sprechen lässt.
Eine Stunde später kam sie herein und sah, dass ich mein Abendessen kaum angerührt hatte.
»Was soll denn diese Verschwendung von Lebensmitteln?«, wollte sie wissen. »Du müsstest doch hungrig sein. Du hast den ganzen Tag noch nichts gegessen.«
»Und ich werde auch nichts essen«, sagte ich, »keinen einzigen Bissen, bis du mich mit Misty oder Jade oder Star reden lässt, wenn eine von ihnen anruft.«
Sie starrte mich einen Moment mit einem fast amüsierten Ausdruck in den Augen an.
»Tatsächlich?« Sie nahm das Tablett und ging zur Tür. Dort drehte sie sich um. »Du bist genau wie sie«, stellte sie fest, »egoistisch und halsstarrig. Sie hat bekommen, was sie verdiente, und du wirst auch bekommen, was du verdienst. Es ist nicht meine Schuld. Ich habe dir die richtigen Sachen beigebracht. Wenn du nicht hören willst, hörst du eben nicht.
Ich werde dir nichts mehr zu essen hochbringen. Wenn du etwas essen möchtest, geh nach unten und hol es dir. Wenn nicht …«, sie zuckte die Achseln, »dann nicht.«
Sie schloss die Tür wieder, und es war still bis auf ihre schweren Schritte, als sie die Treppe hinunterstieg.
Ich umarmte mein Kissen. Die Schmerzen waren wiedergekommen. Sie hämmerten in meinem Bein und trugen so zu meinem riesengroßen Elend bei.

Ich hätte die Briefe aus dem Speicherraum mit nach unten bringen sollen. Jetzt würde es einige Zeit dauern, bis ich wieder dort hinaufkam und endlich den Unterschied zwischen all den Lügen und der Wahrheit kennen lernte. Falls Geraldine sie nicht vorher vernichtete.

Ich lehnte mich zurück und rief mir den ersten Brief in Erinnerung zurück. Ich hatte das ganze Dokument in meinem Gedächtnis gespeichert. Jetzt ließ ich es wieder ablaufen. Sie hörte sich so bedauernd, so reuevoll an, so erpicht darauf, dass ich sie liebte. Warum hatte sie mich nicht selbst großziehen können? Die Welt wäre völlig anders für mich gewesen. Ich hätte nicht diesen Vater gehabt, der mir solche Dinge antat. Ich hätte Geraldine nicht gehabt, die mich mit ihrer Wut und ihrem Hass quälte. Die Schatten würden verschwinden.

Was hatte ich getan, um so etwas zu verdienen, außer geboren zu werden? Wenn man mir jetzt Gelegenheit gegeben hätte, mich zu entscheiden, hätte ich gesagt, nein danke. Lasst mich, wo ich bin. Behaltet eure Welt, eure Erde, eure Luft, Wasser, Bäume und Blumen. Lasst mich hier bleiben hinter einer Wolke und auf eine andere Gelegenheit warten, die Chance, jemandes Tochter zu sein und nicht jemandes Fehltritt.

Mein erster Schrei würde Lächeln hervorzaubern statt Tränen und Sorgen.

Vor allem hätte ich von Anfang an gewusst, wer ich war, statt den größten Teil meines Lebens damit zu verbringen, Hinweise zu verfolgen, durch die Dunkelheit, hinter verschlossenen Türen, bis in die Gruft, in der mein Name hinter Schloss und Riegel gehalten wurde.

KAPITEL FÜNF

Die Gefangene

Geraldine kam am Morgen nicht zu mir, um sich nach meinem Befinden zu erkundigen. Auf dem Weg nach unten ging sie ohne das geringste Zögern an meiner Tür vorbei. Ich war sehr hungrig, aber entschlossen, mich nicht wie ein Kind und eine Gefangene im eigenen Haus behandeln zu lassen, abgeschottet von meinen Freundinnen. Ich stand auf und trank etwas Wasser. Dann lag ich auf meinem Bett und wartete. Bald, dachte ich, bald wird ihr klar werden, dass es mir ernst ist damit, nichts zu essen, solange ich keinen Kontakt zu meinen Freundinnen aufnehmen darf, und sie wird nach oben kommen.

Statt ihrer Schritte auf der Treppe und im Flur hörte ich jedoch unten den Staubsauger. Ich wusste, das konnte stundenlang so weitergehen. Jeden Tag ging sie das Haus von oben bis unten durch. Es war ihr ganzes Leben, und ich erkannte, dass es nicht lange dauern würde, bis dies auch mein Leben sein würde, wenn ich tat, was sie wollte, und so lebte, wie sie es sich vorstellte.

Schmollend verschränkte ich die Arme, wappnete mich, diese unangenehme Situation zu ertragen, und starrte zur Tür. Ein ständiger dumpfer Schmerz kroch mein Bein hoch, der zusammen mit dem Gurgeln in meinem Magen dazu führte, dass ich mich sehr unbehaglich fühlte. Wie

schafften Leute wie Ghandi das, fragte ich mich. Wie brachte man seinen Körper dazu, nicht länger nach Essen zu schreien? Sosehr ich mich auch bemühte, ich musste an Cornflakes und Obst, Eier, Toast und Marmelade, Saft, Kekse und alle möglichen Sorten von Sandwiches denken. All diese Dinge paradierten an meinem inneren Auge vorbei. Sogar manche Sachen in meinem Zimmer erinnerten mich an Essen. Ein Band auf der Frisierkommode verwandelte sich in eine Banane. Ein Blatt Papier daneben wurde zu einer Scheibe Truthahnbrust.
Zögernd stand ich auf, ging zur Tür und öffnete sie einen Spaltbreit. Der Staubsauger war ausgeschaltet worden. Ich hörte, wie ein Fenster geöffnet wurde. Jetzt lüftete sie ein Zimmer. Bald würde sie den Küchenboden putzen. Danach durfte er etwa eine Stunde lang, bis sie überzeugt davon war, dass er trocken war, nicht betreten werden. Als ich das Telefon klingeln hörte, humpelte ich zur Treppe, um zu lauschen.
»Hallo«, sagte sie. Darauf schwieg sie und sagte schließlich: »Nein, sie kann nicht ans Telefon kommen.« Dabei umklammerte sie den Hörer krampfhaft. Das musste eines von den Mädchen sein.
»Mutter?«
Schweigen.
»Mutter?«
Das Schweigen wurde lauter. Dann hörte ich, wie der Mülleimer in der Küche zur Seite gerückt wurde. Es war seltsam, dass ich jedes Geräusch in diesem Haus identifizieren konnte. Ich war damit aufgewachsen. Selbst wenn ich blind wäre, wüsste ich genau, was sie in jedem wachen Moment tat.
Ich kehrte in mein Zimmer zurück, zog meinen Morgenmantel an, nahm mir die Krücken und machte mich auf

den Weg nach unten. Sie hatte gerade begonnen, den Wischmopp in einen Eimer mit Wasser und Putzmittel zu tauchen, als ich im Flur auftauchte.
Sie drehte sich um und richtete sich auf, als sie mich erblickte.
»Soso. Hat die Prinzessin endlich ihren Wutausbruch beendet und sich entschlossen, herunterzukommen und sich zu entschuldigen?«, fragte sie.
»Ich glaube nicht, dass ich etwas getan habe, für das ich mich entschuldigen müsste«, entgegnete ich.
Sie nickte.
»Das überrascht mich nicht.«
»War der Anruf für mich?«, fragte ich.
»Wenn du etwas zu essen haben möchtest, holst du es dir besser jetzt. Ich wollte gerade den Boden wischen«, erwiderte sie stattdessen.
»Jemand hat mich angerufen, stimmt's?«
»Nein«, log sie. »Machst du dir jetzt Frühstück oder nicht? Ich habe nicht den ganzen Tag Zeit. Ich muss ja noch die Bestandsliste für die Speisekammer fertigmachen, bei der du kläglich versagt hast, erinnerst du dich?«
»Du kannst mich nicht davon abhalten, Freunde zu haben«, murmelte ich und ging an ihr vorbei in die Küche. Wenn ich fastete, bestrafte ich mich nur selbst. Ich würde ihre Meinung nicht ändern, und durch Fasten konnte ich nichts erreichen, außer mich selbst zu zerstören.
Also machte ich mir etwas zu essen zurecht. Geraldine ging Staub putzen und Möbel polieren, während ich aß. Nur etwa zwanzig Minuten später klingelte das Telefon erneut. Ich versuchte aufzustehen und vor ihr dorthin zu gelangen, aber plötzlich entwickelte sie sich zur Sprinterin und war schon dort, als ich mir gerade die Krücken unter den Arm geklemmt hatte.

»Ja?«, sagte sie verärgert. Sie schaute mich an.
»Wer ist es?«, wollte ich wissen.
»Es geht ihr gut«, antwortete sie. »Sie hatte einen kleinen Unfall, deshalb ist ihr Knöchel jetzt in Gips und sie wird eine Weile nirgendwohin gehen können. Nein, mir wäre es lieber, wenn sie eine Weile niemand besucht«, fügte sie hinzu. »Danke für den Anruf.«
»Ist das Dr. Marlowe? Ja?«, rief ich, aber sie hängte auf.
»Warum hast du mich nicht mit ihr reden lassen?«
»Es gibt keinen Grund, überhaupt noch mit ihr zu reden. Sie hat dir nichts zu bieten. Sei einfach gehorsam, werde gesund und erfülle deine Pflichten«, empfahl sie. »Trödel nicht so mit deinem Frühstück herum. Ich möchte den Boden wischen. Du hast eine Menge Staub aus dem Speicherraum mitgeschleppt«, stellte sie fest und ging davon.
Ich starrte das Telefon an. Später würde ich bei der ersten sich bietenden Gelegenheit Jade anrufen. Vorerst kehrte ich zu meinem Frühstück zurück und aß auf. Danach humpelte ich ins Wohnzimmer. Sie raste zurück zu ihrem Putzeimer und ihrem Mopp und begann den Küchenboden zu putzen. Ich saß da und dachte nach. Ich musste die restlichen Briefe bekommen. Wie sollte ich jetzt wieder in diesen Speicherraum gelangen? Jemand musste das für mich erledigen. Na super. Sie würde nie jemanden ins Haus lassen.
Ich spürte den Schmerz in meinem Fußgelenk noch frisch. Es pochte immer stärker und länger, so dass ich gezwungen war, noch eine von diesen Pillen zu nehmen. Bevor ich wusste, wie mir geschah, döste ich im großen Polstersessel ein. Als ich die Augen wieder öffnete, spürte ich, dass Stunden vergangen waren. Die Sonne war von grauen Wolken bedeckt, die das Haus dunkel und kalt wirken ließen.

Ich hörte nicht, wie Geraldine ins Zimmer kam. Einige Augenblicke lang hatte ich nicht gemerkt, dass auch sie dort saß. Sie hatte mir den Rücken zugewandt und schaute einfach aus dem Fenster. Dabei verhielt sie sich ganz ruhig.

»Wie viel Uhr ist es?«, fragte ich.

Langsam, so langsam, dass es fast wie ein Traum erschien, drehte sie sich um.

»Warum?«, erwiderte sie. »Hast du eine Verabredung?«

»Nein, ich habe mich nur gefragt, wie lange ich geschlafen habe«, entgegnete ich.

»Es ist fast halb eins. Ich mache etwas zu essen zurecht«, kündigte sie an und wollte aufstehen. Es schien sie anzustrengen.

Sie wirkte müde und schwach, zerbrechlicher, als ich mich je erinnern konnte, sie gesehen zu haben. Als sie stand, musste sie nach Luft schnappen und sich einen Augenblick fangen.

»Was ist los mit dir?«, fragte ich.

»Nichts«, tat sie das rasch ab. »Ich muss jetzt die ganze Arbeit allein erledigen, das ist alles.«

»Ich kann dir doch helfen«, bot ich an.

Sie stand dort und starrte mich an. Ihr Gesicht lag im Schatten, so dass ich seinen Ausdruck nicht erkennen konnte, aber an der Haltung ihrer Schultern erkannte ich, dass sie nicht erfreut war.

»Ich wollte nicht fallen, weißt du. Aber ich hatte nicht vor, die ganze Nacht dort oben zu bleiben.«

»Ich weiß nicht, was in dich gefahren ist«, sagte sie.

»Nichts ist in mich gefahren außer dem Wunsch, mehr über mich zu erfahren. Warum bist du so dagegen?«

»Das habe ich dir doch gesagt. Das sind Sachen, die du doch gar nicht wissen willst.«

»Das sollte ich entscheiden. Es handelt sich hauptsächlich um meine Vergangenheit.«

»Deine Vergangenheit«, höhnte sie mit einem dünnen, brüchigen Lachen. Sie trat einen Schritt vor, dass ich das kalte stählerne Funkeln in ihren Augen erkennen konnte. »Ich werde dir etwas davon erzählen, damit du verstehst, wessen Vergangenheit das wirklich war. Sie benutzte mich. Du kannst dir nicht vorstellen, dass eine Mutter ihre Tochter so benutzte.«

»Dich benutzt? Wie?«

»Anfangs nahm sie mich mit. Sie wusste, dass mein Vater auf diese Weise keinen Verdacht hegen würde.«

»Nahm dich wohin mit?«, fragte ich und versuchte dabei nicht zu aufgeregt oder interessiert zu wirken, aus Angst, sie würde sonst aufhören.

»Zu ihren Verabredungen. Oh, sie hatte nicht nur einen Geliebten, weißt du, ganz gleich, was sie dir in diesen lächerlichen Briefen schrieb, in denen sie dir etwas weismachen wollte von der großen Liebe ihres Lebens. Es fing alles an, als ich noch sehr klein war. Sie nahm mich mit – angeblich um einen Innenarchitekten oder Architekten zu treffen«, sagte sie wieder mit diesem brüchigen Lachen. »Was für eine Art Innenarchitekt oder Architekt arbeitet schließlich in seinem Schlafzimmer, hm? Wir gingen in ein Spielzeuggeschäft, und dort kaufte sie mir etwas, um mich zu beschäftigen, während sie ihre unanständigen Sachen trieb. Man sagte mir, ich sollte im Wohnzimmer warten, während die allerliebste Mommy sich wegen einer Renovierung des Hauses beraten ließ. Glaubst du, ich konnte sie nicht hören, hörte nicht ihre widerlichen Geräusche?«

»Hast du ihr denn nichts gesagt?«, fragte ich flüsternd.

»Ich wusste nicht, was ich sagen sollte. Ich war zu jung,

um es wirklich zu verstehen, und außerdem war ich zum Gehorsam erzogen worden und sprach nur, wenn man mich ansprach.«

»Dein Vater hat es nie herausgefunden?«

»Erst viel, viel später. Erst als du kamst«, sagte sie mit einem solchen Ekel, dass ich das Gefühl hatte, eher ein riesiger Keim als ein Mensch zu sein. »Selbst als sie über vierzig war, benahm sie sich noch schlecht, nur wusste ich dann genau, was sie tat und mit wem sie es trieb«, fügte sie hinzu und wollte das Zimmer verlassen.

»Aber …«

»Hör auf«, befahl sie und wirbelte zu mir herum.

»Verstehst du denn nicht, warum ich nicht darüber reden möchte? Es ist besser, dass du sie nie als Mutter kennen gelernt hast. Wer will schon eine Mutter wie sie? Eine Schlampe, ein Flittchen, eine Hure!«, schrie sie.

Sie starrte mich einen Augenblick an, machte dann einige Schritte wieder auf mich zu.

»Warum ich diese Sachen oben in dem Speicherraum versteckt habe? Ich werde dir sagen warum. Sie sind alle verdorben, infiziert von ihren dreckigen Händen, diese Mitleid erregenden Versuche, sich selbst als Opfer darzustellen! Arme Lea«, sagte sie, wackelte mit dem Kopf und verzog die Lippen. »Arme, arme Lea, zu einer schrecklichen Ehe gezwungen mit einem gut aussehenden, reichen und geachteten Mann, der ihr von allem immer nur das Beste gab und versuchte, sie glücklich zu machen. Die arme Lea mit ihren Dienstboten, dem großen Haus, den Autos, Juwelen und Pelzen. Der armen, armen Lea wurde etwas versagt … was?«

»Liebe?«, schlug ich vor, als ich an den Brief dachte, den ich gelesen hatte.

»Oh, Liebe.« Ihr sardonisches Lächeln wich einem finsteren Gesichtsausdruck. »Man sucht keine Liebe auf den Rücksitzen von Automobilen oder in den Schlafzimmern fremder Männer. Liebe ist etwas, das gepflegt werden muss, das im Laufe der Zeit wächst.«

»Vielleicht konnte sie das in einer erzwungenen Ehe nicht.«

»Unsinn. Jede Frau, die in ihrem Herzen anständig ist und die richtigen Dinge achtet, kann das.«

»Du wolltest nicht heiraten, oder? Du wurdest dazu gezwungen.«

»Ich tat, was getan werden musste«, sagte sie und straffte entschlossen ihre Schultern. »Ihretwegen musste ich große Opfer bringen, aber ich tat es nicht für sie. Ich tat es für meinen Vater, der es nicht verdient hatte, in eine peinliche Lage gebracht und entehrt zu werden.«

Sie hielt einen Moment inne, um Luft zu holen. Es sah aus, als bereitete ihr das Schmerzen.

»In Ordnung? Bist du jetzt zufrieden? Weißt du jetzt zu schätzen, was ich getan habe? Wirst du mir gehorchen?«, fragte sie.

»Ich will doch nur Freunde haben«, stöhnte ich.

»Das wirst du, aber anständige und normale. Wir brauchen nicht noch mehr Tumult in unserem Leben, Cathy«, sagte sie mit einem so vernünftigen und sanften Ton, dass ich aufschaute. »Jetzt sind nur noch wir beide da. Lass die hässliche Welt dort draußen und die hässliche Vergangenheit dort, wo sie hingehört, begraben«, bat sie.

Ich senkte den Blick. Vielleicht hatte sie Recht, dachte ich erschöpft. Vielleicht hatte meine Mutter lockere Moralvorstellungen und war leichtsinnig, vielleicht würde ich wie sie, wenn ich nicht hörte. Ich musste zugeben, dass es bestimmt nicht richtig war, seine eigene Tochter mitzunehmen, wenn man sich heimlich mit seinem Geliebten traf.

»Willst du mir nicht sagen, wo ich geboren wurde«, bettelte ich.

»Sie fuhr nach Palm Springs in unser Winterhaus und verbrachte die Zeit, bis du geboren wurdest, dort in Abgeschiedenheit. Fast sechs Monate lang bliebst du bei einer Kinderschwester, bis Howard und ich dich adoptierten. Mein Vater regelte das alles. Es brach ihm das Herz, aber er tat, was getan werden musste, weil er ein starker Mann war.«

»Du weißt also, wer mein Vater war«, sagte ich.

»Nein«, erwiderte sie rasch, zu rasch, fand ich.

»Aber du sagtest doch, du wusstest, was sie tat und mit wem.«

»Dein Vater konnte jeder aus einer ganzen Reihe von Frauenhelden sein«, behauptete sie, aber ich glaubte, dass sie mir nicht die Wahrheit sagte. »Lass mich jetzt gehen, um Mittagessen zu machen«, sagte sie. »Ich finde es ekelhaft, auch nur darüber zu reden«, meinte sie und verließ das Zimmer. Mir war, als hätte sie den ganzen Sauerstoff mit hinausgenommen.

Ich lehnte mich grübelnd zurück. Sollte ich alles glauben, was sie mir gesagt hatte? Ich wollte, musste immer noch diese Briefe lesen. Die Frau, die den ersten geschrieben hatte, konnte doch nicht so schlecht sein, oder?

Geraldine rief mich zum Essen. Ich saß da und aß ein Sandwich mit Schinken und Käse. Sie hatte wieder zu viel Mayonnaise darauf getan, aber ich wagte es nicht, sie zu kritisieren. Wenn ich mich darüber beklagte, dass ich zu viel Fett und Kalorien verzehrte, beschuldigte sie mich, von meiner Figur und dem Wunsch, attraktiv sein zu wollen, besessen zu sein.

Konnte ich attraktiv sein? Ich hatte von der Frau, die ich

für meine Großmutter gehalten hatte, viele Fotos gesehen, als sie noch jünger war. Sie war eine sehr hübsche junge Frau. Glich ich ihr in irgendeiner Weise? Konnte ich auch hübsch sein?

»Unsere Mutter war sehr attraktiv, nicht wahr?«, fragte ich sie. Es war das erste Mal, dass ich sie »unsere Mutter« nannte. »Besonders als sie jünger war.«

»Nein. Sie entstellte ihr gutes Aussehen mit all dem Make-up, das sie immer trug.«

»Aber darunter war sie hübsch.«

Zögernd stimmte sie zu. Sie dazu zu bringen, über unsere Mutter etwas Nettes zu sagen, war mühsam wie Zähne ziehen.

»Gab es denn nie eine Zeit, als du sie mochtest, liebtest?«, fragte ich.

»Du hörst nicht auf, über all das zu reden, oder?«, fauchte sie mich an.

»Es ist doch nur natürlich, dass ich es wissen will«, sagte ich.

Sie überlegte einen Augenblick, lehnte sich zurück und nickte dann leicht.

»Natürlich liebte ich sie, als ich ein kleines Mädchen war. Was wusste ich denn schon? Ich war nicht einmal respektlos zu ihr, nicht einmal hinterher, selbst als ich …«

»Was?«

»So tun musste, als wärst du ein fremdes Baby. Sie kam hierher, stellte sich neben mich, starrte in deine Wiege und redete, als wärst du das Kind einer andern. Ich sollte auch so tun, um ihren blütenweißen Ruf zu wahren. Nicht einmal habe ich ihr die Wahrheit ins Gesicht gesagt. Oft lag es mir auf der Zungenspitze, aber ich habe es nicht getan. Ich habe all diese Bitterkeit und den Zorn hinuntergeschluckt.

Einmal sah ich meinen Vater in seinem Büro sitzen, er wirkte ganz schwach und gebrochen. Er wusste nicht, dass ich ihn sah, und ich dachte: Das hat sie ihm angetan. Sie hat eine Stütze der Gesellschaft in einen Schatten seiner selbst verwandelt. Das war deine leibliche Mutter, eine Delilah, eine Betrügerin. Du willst Anspruch auf sie erheben? Nur zu, beanspruche sie für dich und sei mit ihr verdammt«, sagte sie.

»Ich will doch nur etwas über all diese Dinge erfahren«, stöhnte ich.

»Den Apfel vom Baume der Erkenntnis essen? Der Herr hat es uns verboten, aber nein, schwach und närrisch wie wir sind, essen wir die Frucht. Wir müssen das Böse kennen lernen, und dann leiden wir«, erklärte sie und stand auf, um das Geschirr zur Spüle zu tragen. Anscheinend strengte sie das mehr an als je zuvor.

»Ich kann das doch machen«, sagte ich.

»Auf Krücken? Bestimmt zerbrichst du dann etwas. Aber keine Sorge – sobald da wieder dazu imstande bist, werde ich dir etwas zu tun geben. Das wirst du wieder gutmachen«, drohte sie.

Ich saß da und sah zu, wie sie arbeitete. Hörte die Bitterkeit, die sie empfand, nie auf? Hatte sie jemals einen schwachen Moment, in dem sie bedauerte, wie ihr Leben sich entwickelt hatte? Tat ihr je Leid, welchen Hass und welche Wut sie unserer Mutter entgegenbrachte?

Nicht ein einziges Mal hatte sie das Grab besucht, nicht einmal, um ihrem Vater ihre Aufwartung zu machen. Bestimmt gab es frühe Erinnerungen, die ihr lieb und teuer waren. Sie konnte doch nicht alles begraben wollen.

Mein Grübeln wurde unterbrochen von der Türklingel. Wir beide erstarrten einen Augenblick. Trotz der rechtlichen Vereinbarung lebten wir in der Angst, dass mein

Vater zurückkehrte und sich damit der Verfügung des Richters widersetzte. Sie wischte sich die Hände an einem Geschirrtuch ab.

»Vermutlich einer dieser Vertreter, die versuchen, den Leuten nutzloses Zeug anzudrehen«, meinte sie. »Mit dem mache ich kurzen Prozess.«

Plötzlich machte sie sich voller Energie und mit echter Begeisterung daran, ihre Mission zu erfüllen. Sie war gerne gemein zu Leuten. Es bestärkte ihre Philosophie, ihre Lebensweise, ihre Überzeugung, dass fast alle und alles dort draußen grauenhaft war und verdiente, so behandelt zu werden.

»Wir möchten gern Cathy besuchen«, hörte ich Misty sagen. Ich vergaß fast, dass ich einen Gips am Bein hatte. So schnell wie möglich erhob ich mich und klemmte mir die Krücken unter den Arm.

»Sie kann niemanden sehen«, sagte Mutter ihr.

»Nein«, schrie ich.

Ich war gerade aus der Küche in den Flur getreten, als sie die Tür vor Mistys und Stars Nase schloss. Bestimmt hatten sie mich gehört und einen Blick auf mich erhascht, weil ihre Gesichter in dem Augenblick schockiert wirkten.

Sie schloss die Tür ab.

»Lass sie doch hereinkommen«, rief ich. »Mutter, bitte. Du wirst sehen, wie nett sie sind.«

»Was für eine Unverschämtheit, einfach unangemeldet hier aufzukreuzen. Das beweist doch, was ich sage. Welche anständige junge Dame würde denn einfach so bei jemandem hereinplatzen, hm? Das ist doch keine Art«, erwiderte sie.

»Hör auf. Lass sie herein«, verlangte ich und humpelte zur Tür.

Sie trat zwischen mich und die Tür, die Augen zusam-

mengekniffen, die Schultern hochgezogen und wie ein Raubvogel, der zustoßen will.
»Wage es ja nicht, diese Tür zu öffnen und sie zu rufen. Wage es ja nicht, mir nicht zu gehorchen. Verschwinde nach oben in dein Zimmer für deine Unverschämtheit. Na los«, forderte sie mich auf und wies mit ihrem knochigen Finger zur Treppe. »Geh.«
»Nein«, widersprach ich. Sie trat auf mich zu und schlug mir hart über das Gesicht.
Ich musste meine ganze Kraft aufbringen, um nicht zur Seite zu kippen, aber ich schaffte es.
»Wage es ja nicht, mir zu widersprechen. Wage es ja nicht. Na los!«, schrie sie. »Geh nach oben.«
Ich starrte sie einen Augenblick an. Wie hässlich und entstellt sie aussah. Wie hatte ich sie je Mutter nennen können? Vielleicht schaffte ich es, schnell genug nach oben in mein Zimmer zu kommen, um das Fenster zu öffnen und ihnen zuzurufen. Ich ging so schnell ich konnte nach oben, aber als ich am Fenster ankam, war keine Spur mehr von ihnen zu entdecken. Tränen der Enttäuschung stiegen mir in die Augen. Ich lehnte die Stirn gegen die Scheibe und schluchzte. Dann hörte ich, wie meine Zimmertür zugezogen wurde. Ich wirbelte herum, gerade als Geraldine den Schlüssel im Schloss herumdrehte.
»Du kannst mich nicht als Gefangene halten. Ich werde Freunde haben!«, rief ich. »Das werde ich, das werde ich«, schluchzte ich.
Schwach und erschöpft sank ich langsam zu Boden und lehnte mich gegen die Wand. Ich schloss die Augen und schlief binnen weniger Augenblicke ein.

Als ich aufwachte, war es stockdunkel. Die Wolken hatten sich den ganzen Nachmittag über verdichtet, und jetzt regnete es stetig. Die Tropfen klopften gegen das Fenster wie jemand, der mit den Fingernägeln gegen das Glas pochte. Ein Blitzstrahl erhellte das Zimmer einen kurzen Augenblick, und ich erinnerte mich, wo ich war und was passiert war. Ich kämpfte mich auf die Füße, stützte mich auf meine Krücken und humpelte zum Nachttisch, um das Licht anzudrehen. Dann saß ich auf dem Bett und starrte auf die Uhr. Es war fast neun Uhr. Sie hatte sich nicht die Mühe gemacht, mich zum Abendessen zu rufen. Vermutlich war das ihre Art, mich dafür zu bestrafen, dass ich gewagt hatte, ihr zu trotzen.

Wut kochte in mir hoch. Ich spürte, dass brodelnde Blasen wie in einem Teerfass in mir aufstiegen. Ich gehe jetzt diese Treppe hinunter, beschloss ich, und rufe Jade an – und sie kann mich nicht davon abhalten. Wenn sie mich wieder schlägt, werde ich mit meiner Krücke zurückschlagen. Wutschnaubend und entschlossen, mich nicht unterkriegen zu lassen, griff ich nach der Türklinke. Überraschenderweise war die Tür nicht abgeschlossen.

Verblüfft stellte ich fest, dass im Flur kein Licht brannte. Es war noch zu früh, um schlafen zu gehen. Nicht einmal oben an der Treppe brannte ein Licht, etwas, worauf sie stets bestand, für den Fall, dass sie nachts einmal nach unten gehen musste.

Ich fand den Schalter und drehte das Licht an. Dann stand ich lauschend da. Alles war totenstill, kein Gläserklirren, kein Radio oder Fernsehen. Als ich die Treppe hinunterspähte, schienen auch dort alle Lichter ausgeschaltet zu sein. Vielleicht war sie doch bereits schlafen gegangen. Gut. Ich wollte ihr sowieso nicht gegenübertreten und konnte so Jade anrufen, ohne dass sie davon erfuhr. Ich hasste es, heimlich herumzuschleichen, aber das war ihre Schuld, nicht meine.

Auf der Treppe bewegte ich mich trotz Krücken so leise wie möglich. Die Stufen quietschten jedoch. Es waren ihre Stufen, dachte ich, Wachposten, die ihr meinen Standort meldeten. Ich hielt inne, um zu lauschen, aber ich hörte sie nicht aus ihrem Zimmer kommen, deshalb ging ich weiter hinunter. Als ich unten angekommen war, beschloss ich, keine weiteren Lampen anzuschalten. Ich ging den Flur entlang, bemüht, nicht zu sehr mit den Krücken auf den Boden zu klopfen. Etwas Ungewöhnliches fiel mir jedoch auf, als ich an der Wohnzimmertür vorbeiging. Nur aus dem Augenwinkel bemerkte ich es, aber es ließ mich zögern. Ich lauschte noch einmal, kehrte dann zur Tür zurück und spähte ins Wohnzimmer.
Eine Lampe auf dem Tisch war umgestoßen. Warum? Sie würde so etwas nicht zulassen, dachte ich und trat ins Zimmer. Dort ging ich zur Stehlampe neben dem Sessel und schaltete sie ein. Das Licht, das die Dunkelheit erhellte, gab zuerst den Blick auf ihre Füße frei, die verdreht dalagen.
»Mutter?« Ich bahnte mir weiter den Weg. »Geraldine?«
Als ich um den großen Couchtisch herumgegangen war, sah ich sie auf ihrer rechten Seite am Boden liegen, das Gesicht mir zugewandt, der Kiefer verkantet, als versuchte sie etwas zwischen den Zähnen herauszubekommen, die Augen weit aufgerissen, aber glasig.
Einen Augenblick lang konnte ich nicht atmen, mich nicht rühren. Ungläubig starrte ich sie an.
»Mutter?«
Langsam, mit einiger Mühe bückte ich mich und griff nach ihrer Hand. In dem Augenblick, als ich sie berührte, wusste ich, dass sie tot war. Ihre Hand war kalt, die Finger ein wenig steif. Ich zog meine eigene Hand zurück, als hätte ich einen heißen Ofen berührt, und keuchte.

»Mutter?«
Mein Magen fühlte sich an, als schlüge er Purzelbäume. Ich musste sie noch einmal berühren, sie an der Hüfte stupsen. Ihr Körper erbebte, und ihr Arm rutschte von der Seite des Tisches und schlug hart auf dem Boden auf. Sonst bewegte sich nichts. Sie schien mich wütend anzustarren, mich anzuklagen. Ich sah, dass ihre Zunge purpurrot und ihre Lippen blau waren.
»Oh, mein Gott«, schrie ich und mühte mich ab, um schnell wieder auf die Beine zu kommen. Nervös und zitternd fummelte ich mit den Krücken herum und taumelte rückwärts, bevor ich mich wieder fing und aufstand. Ich starrte auf sie hinunter. Panik hatte mich am Boden festgenagelt, und selbst der Gedanke daran, einen Schritt zu tun, erschien unmöglich. Schließlich kehrte ich ihr den Rücken. Einige Augenblicke lang wandte ich mich in eine Richtung, dann in eine andere, drehte mich im Kreise, weinte, rief um Hilfe. Ich wusste, dass ich direkt zum Telefon gehen und den Notruf 911 wählen sollte, aber irgendetwas hielt mich davon ab. Stattdessen tappte ich blind im Flur hin und her, von dort durch die Küche in das kleine Wohnzimmer, zurück zum Flur bis zum Fuß der Treppe. Einige Sekunden lang zog ich in Erwägung, einfach in mein Zimmer zurückzukehren und mich in meinem Bett zu verkriechen.
Ich hatte Angst, sie noch einmal anzuschauen. Jedes Mal, wenn ich an der Tür zum Wohnzimmer vorbeikam, wandte ich den Blick ab. Dann wollte ich zur Haustür gehen. Ich werde um Hilfe schreien, überlegte ich. Die Tür hatte ich bereits geöffnet, aber als ich in die Nacht hinausschaute und die vorbeifahrenden Autos sah, erstarrte ich, trat wieder zurück und schloss die Tür.
Sie ist tot, sagte ich mir. Geraldine ist tot. Mutter ist tot.

Ich bin ganz allein. Wie ist sie gestorben? Was ist mit ihr passiert? Ich glaubte, von der Rückseite des Hauses ein Geräusch gehört zu haben, das Geräusch der ins Schloss fallenden Hintertür. War das mein Vater? War er zurückgekehrt? Vielleicht war er da gewesen, sie hatten gestritten, er hatte sie geschlagen und getötet!

Das Blut erstarrte mir zu Eis. Auch jetzt konnte ich wieder keinen Muskel rühren. Ich lauschte angestrengt, aber ich hörte nur den Wind und einige vorüberfahrende Autos. Vorsichtig ging ich langsam in die Küche zurück und schaute mir die Hintertür an. Sie war fest verschlossen, genau wie Geraldine es immer gehalten hatte. Niemand konnte durch diese Tür gegangen sein. Das erleichterte mich, aber ich zitterte immer noch am ganzen Leibe. Was sollte ich bloß tun? Ich war allein.

Schließlich ging ich zum Telefon, aber nicht um 911 anzurufen. Stattdessen wählte ich Jades Nummer. Nach nur einem Klingeln hob sie ab.

»Hallo.«

»Jade, ich bin's. Cathy«, flüsterte ich heiser.

»Cat. Wie geht es dir? Misty und Star erzählten mir, was heute passiert ist. Ich habe gerade mit beiden telefoniert, um zu entscheiden, was wir als Nächstes tun sollten. Sie kann dich doch nicht dort einsperren. Ich habe auch Dr. Marlowe angerufen. Sie erzählte, sie hätte bei euch angerufen und deine Mutter hätte ihr gesagt, du hättest einen Unfall gehabt. Was für einen Unfall?«

»Ich bin gestürzt und habe mir den Knöchel gebrochen.«

»Wie ist das denn passiert? Zumindest lässt sie dich jetzt telefonieren, oder tust du das hinter ihrem Rücken? Cathy? Bist du noch da?«

»Jade …«

»Was ist los? Sag's mir«, verlangte sie. »Wir sind deine

Schwestern. Cathy? Wir sind für dich da. Du kannst uns vertrauen.«

Meine Kehle war wie zugeschnürt. Ich kriegte nicht mehr genug Luft zum Atmen. Ich konnte nicht schlucken. Tränen hingen mir wie erfroren an den Lidern. Mir zitterte schrecklich die Hand, als ich den Hörer ans Ohr hielt.

»Cathy, rede mit mir. Cathy?«

»Sie ist von uns gegangen«, sagte ich schließlich.

»Wer? Cathy?«

»Sie liegt im Wohnzimmer auf dem Boden«, flüsterte ich, als hätte ich Angst, sie könnte mich selbst im Tod noch hören und wütend sein, dass ich jemandem von ihr erzählt hatte.

»Was?«

»Sie ist tot, Jade. Meine Mutter, Geraldine, meine Schwester, sie ist tot«, brachte ich schließlich über die Lippen.

»Wie meinst du das, tot?«

»Ich kam nach unten und fand sie im Wohnzimmer auf dem Boden. Sie ist tot. Sie starb, als ich oben schlief.«

»Bist du sicher?«, keuchte sie. »Vielleicht schläft sie nur.«

»Nein, sie schläft nicht nur. Sie ist kalt, und ihre Augen bewegen sich nicht mehr.«

»Ihre Augen bewegen sich nicht mehr? Das ist doch Unsinn. Hast du irgendjemanden angerufen, die Polizei, 911?«

»Nein.«

»Wie ist sie gestorben?«

»Ich weiß es nicht«, flüsterte ich und schaute mich dabei wieder um.

»War dort Blut?«

»Nein, ich glaube nicht. Ich bin mir aber nicht sicher. Ich habe sie nicht richtig angeschaut.«

»Vielleicht ist sie doch nicht tot, Cathy.«
Ich fuhr herum, weil es mir kalt den Rücken hinunterlief und ich dadurch das schreckliche Gefühl hatte, nicht allein zu sein.
»Cathy?«
»Ich weiß nicht, was ich tun soll«, flüsterte ich weiter.
»In Ordnung. Bleib ganz ruhig. Ich bin unterwegs. Ich werde auch die anderen anrufen.«
»Soll ich 911 anrufen?«, fragte ich.
Es trat eine Pause ein.
»Bist du absolut sicher, dass sie tot ist, Cathy? Ja?«
»Ja«, sagte ich. »Das bin ich.«
»Nein«, entschied Jade daraufhin, »ruf noch niemanden an. Warte einfach. Ich komme sofort. Mach dir keine Sorgen. Wir kommen und helfen dir, Cathy.«
Sie legte auf. Ich hielt den Hörer noch einen Moment in der Hand, dann legte ich auf und lauschte. Im Haus war es still. Niemand ist hier, sagte ich mir selbst. Sei ruhig, beschwichtigte ich den Teil von mir, der am liebsten geschrien hätte. Dann holte ich mir ein Glas Wasser und wartete. Mein Blick kehrte sich nach innen auf einen wirbelnden Strudel der Angst.

KAPITEL SECHS

Vergraben von Geheimnissen

Jade kam als Erste. Als ich ihr die Haustür öffnete, stand sie da und starrte mich an, schockiert über meinen Anblick mit Gips und Krücken. Ich sah, wie ihre Limousine davonfuhr.

»Star erzählte mir, dass sie glaubte, dich auf Krücken gesehen zu haben. Wie ist das passiert?«, fragte sie. Sie war immer noch nicht eingetreten.

»Ich war in unserm Speicher und schaute, wie ihr es mir gesagt hattet, auf der Suche nach meiner Vergangenheit alte Kartons durch, als sie entdeckte, was ich tat, und mir die Leiter fortnahm. Ich versuchte herunterzuklettern und fiel hin. Dabei brach ihr mir einen Knochen im Fußgelenk.«

»Sie nahm die Leiter weg? Warum?«

»Um mich für mein Herumschnüffeln zu bestrafen«, sagte ich.

»Und hat dich einfach dort oben gelassen? Wie grausam. Wo ist sie?«, hakte sie einen Augenblick später nach. Wir unterhielten uns immer noch an der Tür, aber sie spähte mit zögerndem Blick an mir vorbei, als glaubte sie, Geraldine läge direkt hinter mir im Flur.

»Im Wohnzimmer. Wie gesagt, ich schlief oben ein. Als ich herunterkam, waren die Lampen alle ausgeschaltet.

Ich fand sie auf dem Fußboden«, sagte ich. »Auf einem Tisch war eine Lampe umgestoßen.«
»Tatsächlich?« Sie spähte wieder an mir vorbei. »Bist du sicher, dass du allein bist?«, fragte sie. Ich wusste, was ihr Sorgen bereitete.
»Ja. Ich habe es kontrolliert; die Hintertür ist immer noch verschlossen.«
»In Ordnung«, sagte sie und holte tief Luft, »zeig es mir.«
Ich trat zurück, und sie kam herein. Ich schloss die Tür und führte sie ins Wohnzimmer. Wir standen beide dort und schauten auf Geraldine herab.
»Ich habe noch nie einen Toten gesehen«, sagte Jade beeindruckt. »Bist du absolut sicher, dass sie tot ist?«
»Fass sie an«, schlug ich vor. Sie stierte einen Augenblick vor sich hin, dann schüttelte sie den Kopf.
»Nein, sie sieht tot genug aus.« Sie trat zurück und setzte sich in den Sessel.
Ich starrte immer weiter auf die Frau, die ich mein ganzes Leben lang Mutter genannt hatte, und fragte mich, warum ich nicht mehr Traurigkeit empfand, warum ich mir nicht die Augen aus dem Kopf heulte. Vermutlich kam das daher, dass sie mich, dass sie die Welt immer so wütend anschaute.
»Gab es, abgesehen von der Lampe, noch irgendwelche anderen Anzeichen für einen Unfall?«
Ich schüttelte den Kopf.
»Du siehst es ja.«
»Hast du dir den Rest von ihr angeschaut?«
»Den Rest von ihr – was meinst du damit?«
»Ich meine, bist du sicher, dass sie nicht irgendwo blutet?«, fragte sie mit einer Grimasse, als bereitete es ihr Schwierigkeiten, auch nur daran zu denken.

Ich überlegte einen Augenblick, ging um Geraldine herum und bückte mich hinter ihr.
»Da ist nichts«, versicherte ich und richtete mich wieder auf.
»Vielleicht fiel sie in Ohnmacht, stürzte und schlug auf den Kopf«, murmelte Jade.
»Vielleicht. Schon seit Tagen ging es ihr nicht gut. Ich merkte, dass sie leicht außer Atem geriet und sogar Schmerzen hatte, aber du weißt ja, was ich euch über ihr Verhältnis zu Ärzten erzählt habe. Sie würde nie zugeben, ein Problem zu haben«, sagte ich. »Sie hasste Medizin und nahm nur ihre Pflanzenmittel. Sie war auch tatsächlich nie sehr krank, aber in der letzten Zeit wirkte sie oft blass. Ihre Lippen sind so blau. Sonst sieht sie gar nicht sehr verändert aus. Ihr Körper ist natürlich kalt«, schwadronierte ich drauflos.
Jade zog die Augenbrauen hoch, schlang die Arme um den Oberkörper und sah zur Haustür.
»Wo bleiben die beiden bloß«, fragte sie. »Es war nicht viel Verkehr. Sobald ich nach dem Gespräch mit dir aufgelegt hatte, rief ich sie an und schickte Star ein Taxi. Misty nahm ihr eigenes. Sie wohnt sogar noch näher bei dir als ich!«
Ich nickte und schaute auf Geraldine.
»Ich versuchte, aus Protest in einen Hungerstreik zu treten, aber das ließ sie völlig unbeeindruckt. Ich konnte es nicht einmal einen Tag ohne Essen aushalten«, gestand ich.
»Protest? Wogegen wolltest du protestieren?«
»Dagegen, dass ich nicht mit dir, Star und Misty befreundet sein durfte.«
Jade zog eine Grimasse.
»Sie wollte nicht zulassen, dass du mit uns befreundet bist? Was stimmt denn nicht mit ihr?«

»Jetzt nichts mehr«, sagte ich. Ich starrte sie an. »Sie ist tot.«
Jade wirkte allmählich auch ein wenig blass.
»Ist mit dir alles in Ordnung?«, erkundigte ich mich.
»Mit mir? Ja, natürlich. Ich versuche nur, ruhig zu bleiben und klar zu denken.« Sie umklammerte ihre Hände und verdrehte die Finger ein bisschen. »Wo sind sie?«
»Als ich in dem Speicherraum war, gelang es mir, einen der Briefe meiner leiblichen Mutter zu lesen, bevor Geraldine mich entdeckte und die Leiter wegnahm. Meine leibliche Mutter hat für mich einen Treuhandfonds eingerichtet, den ich bekomme, wenn ich achtzehn bin. Ich wusste überhaupt nichts davon. Aber es gab ja eine Menge, was ich nicht wusste. Ich musste die restlichen Briefe oben lassen. Vielleicht kannst du mir helfen, sie herunterzuholen. Natürlich brauchen wir die Leiter. Sie ist wieder in der Garage. Alles in diesem Haus hat seinen ordnungsgemäßen Platz und muss wieder dahin zurückgebracht werden«, zitierte ich. Geraldine hatte mir das eingebläut.
Jade starrte mich einen Augenblick an und schaute dann wieder auf Geraldine.
»Sie ist tatsächlich tot«, meinte Jade kopfschüttelnd. »Wow.« Sie starrte sie einen Augenblick an und schaute dann zu mir. »Wie bitte? Was ist mit einer Leiter?«
Mir wurde klar, dass sie kein Wort verstanden hatte von dem, was ich gesagt hatte.
Wir hörten die Türglocke klingeln.
»Das müssen Misty und Star sein«, sagte sie und sprang auf die Beine. »Endlich. Warte hier.«
Sie ging hinaus, um sie hereinzulassen. Ich hörte, wie sie in der Diele miteinander flüsterten. Mindestens eine Minute hielten sie sich dort auf, bevor sie alle auftauchten

und sich um mich scharten, um einen Blick auf Geraldine zu werfen.

»Ist sie wirklich tot?«, fragte Misty.

Star kniete sich unerschrocken hin, griff nach ihrem Handgelenk und suchte nach dem Puls.

»Sie ist tatsächlich verschieden«, bestätigte sie. Ohne Zögern hob sie Geraldines Kopf an, untersuchte ihr Haar und betrachtete ihr Genick. »Niemand hat sie geschlagen«, stellte sie fest. Sie schaute zu mir hoch. »Nach dem, was du Jade darüber erzählt hast, wie schwach sie in letzter Zeit war, wette ich, dass es ein Herzinfarkt war.«

»Man muss ein Herz haben, um einen Herzinfarkt zu bekommen«, murmelte Jade.

»Das ist wie eine Szene aus einem Film«, stellte Misty fest. Ihre Augen waren so weit aufgerissen, dass ich glaubte, die Pupillen würden auf winzigen Federn herausspringen. »Es wird eine Untersuchung geben, Polizei, Reporter, alles!«

»Warum jagst du ihr nicht noch mehr Angst ein?«, fauchte Star, deren ebenholzschwarze Augen wie glühende Kohlen funkelten. Sie stand auf und schaute mich an. »Wie fühlst du dich?«

Ich schüttelte den Kopf und schlang die Arme um mich. »Die Lampe war umgestoßen, aber nicht kaputt. Jetzt steht sie wieder dort, wo sie hingehört.«

»Was?« Sie schaute Jade an, die den Kopf schüttelte. »Cat, ist mit dir alles in Ordnung?« Sie berührte meinen Arm.

Ich schüttelte den Kopf.

»Ich fühle mich ganz benommen«, sagte ich. »Ich spüre nicht einmal mehr den Schmerz in meinem Fußgelenk.«

Misty fragte mich, wie ich mir den Knöchel gebrochen hätte, und ich wiederholte die Geschichte noch einmal.

»Was für eine Gemeinheit«, schimpfte Misty.

»In zwei Tagen soll ich wieder zum Röntgen kommen, um sicherzugehen, dass es auch richtig heilt«, berichtete ich mit einem dünnen, nervösen Lachen. »Sie glaubte, die Ärzte versuchten nur, eine hohe Arztrechnung auflaufen zu lassen. Sie wollte nicht wieder dorthin zurückkehren. Jetzt braucht sie es auch nicht.«

Ich lachte wieder, das Lachen wurde brüchig und wandelte sich zu einem Schluchzen. Das Schluchzen dauerte an, bis mir die Tränen kamen. Ich fing an, am ganzen Körper zu zittern. Rasch legte Star den Arm um mich und half mir aufs Sofa. Alle scharten sich um mich.

»Hol ihr ein Glas Wasser«, befahl Star Misty, die aus dem Zimmer eilte. »Gleich geht es dir wieder besser, Cat. Mach dir keine Sorgen.«

»Ich habe viel nachgedacht, während ich auf euch gewartet habe. Vielleicht ... vielleicht ist es ja meine Schuld, dass sie tot ist«, sagte ich und versuchte, den Kloß in meinem Hals herunterzuschlucken. Misty brachte mir ein Glas Wasser, das ich hastig trank. »Sie wurde so wütend auf mich. In den letzten Tagen tobte sie nur noch. Wenn sie einen Herzinfarkt hatte, ist es meine Schuld«, beharrte ich.

»Nein, nein«, widersprach Jade kopfschüttelnd. »Sie hätte über diese Dinge nicht wütend werden dürfen. Es ist ihre Schuld. Vermutlich hat sie sich vor Gram verzehrt.«

»Jade hat Recht«, pflichtete Misty ihr bei. »Meine Mutter spricht immer davon, dass Stress dich krank macht und für Falten sorgt. Genau das ist deiner Schwester passiert. Sie hat sich selber unter Stress gesetzt, bis sie daran zerbrochen ist.«

»Es war ihr Schicksal zu sterben«, fügte Star hinzu. »Ihre Zeit war gekommen. Das kannst du dir doch nicht zum Vorwurf machen.«

»Ich konnte ihr nicht bei der Hausarbeit helfen, und sie hasste es, dass ich sie dazu brachte, die Vergangenheit noch einmal zu durchleben. Dauernd stellte ich ihr Fragen, die sie nicht beantworten wollte. Mir von der Vergangenheit zu erzählen war auch für sie schmerzlich«, erzählte ich ihnen. Obwohl sie nicht so aussahen, als ob sie mir glaubten, nickten sie, während ich sprach. Es war einfach ein gutes Gefühl, immer weiter zu reden, deshalb berichtete ich ihnen alle Tatsachen, die Geraldine mir über unsere Mutter und ihre so genannten Verabredungen mit verschiedenen Männern mitgeteilt hatte. Solange ich redete, musste ich nicht weinen.

»Sie hätte dir das alles schon vor Jahren erzählen sollen. Du bist doch kein Kind mehr«, sagte Star. »Granny sagt, Geheimnisse können wie Ratten sein, die in deinem Herzen leben und an dir nagen, bis du krank wirst.«

»Sie war bestimmt krank«, sagte Jade und nickte in Richtung auf Geraldines Leiche.

»Wen rufen wir an?«, fragte Misty. »Ich meine, rufen wir erst die Polizei an oder einen Krankenwagen oder was? Weiß das irgendjemand?«

»Als Erstes rufst du die Polizei«, sagte Jade. »Sie müssen Nachforschungen anstellen, bevor der Leichnam entfernt wird. Siehst du denn nie fern?«

»Du weißt doch, dass ich das tue«, sagte Misty.

»Bestimmt geben sie mir die Schuld«, befürchtete ich. »Vielleicht wollen sie mich ins Gefängnis stecken.«

»Das ist doch albern, Cat. Bleib ganz ruhig«, riet Star mir.

Sie schaute Jade an, Jade schaute Misty an. Dann starrten alle mich an.

»Wichtiger ist doch, was mit Cat passieren wird«, überlegte Star.

»Hat deine Mutter irgendwelche nahen Verwandten?«, fragte Jade.
Ich schüttelte den Kopf.
»Es gibt einige Cousins, aber die leben, glaube ich, an der Ostküste.«
»Die werden sich nichts aus dir machen«, meinte Star. »Für die ist sie doch eine Fremde.«
»Die Familie ihres Adoptivvaters kann sie nicht anrufen, so viel ist sicher«, sagte Misty.
Jade nickte.
»Also, was passiert jetzt mit ihr?«, fragte Star. Sie unterhielten sich fast so, als wäre ich gar nicht anwesend.
»Sie ist noch nicht achtzehn«, stellte Jade mit ihrem offiziellen Erwachsenengesicht fest. »Wenn es keine Familienangehörigen gibt, die sie aufnehmen, kommt sie in Pflegeobhut.«
»Was bedeutet das?«, fragte Misty, bevor ich es tun konnte.
»Das bedeutet, der Staat bestellt einen amtlichen Vormund für sie, und sie lebt dann bei einer Pflegefamilie, bis sie achtzehn ist.«
»Du meinst, sie muss bei völlig Fremden leben?«, fragte Misty verblüfft.
»Nein«, widersprach Star sarkastisch. »Sie werden sie erst einander vorstellen. Natürlich völlig Fremde. Was denkst du denn?«
»Oh«, sagte Misty und drehte sich zu mir. »Arme Cat.«
»Wenn sie achtzehn wird, wird sie über das Treuhandvermögen verfügen können und steht auf eigenen Füßen«, fügte Jade hinzu, um den Schlag abzumildern.
»Das hilft uns jetzt viel«, murmelte Star. »Schließlich dauert das noch ein Jahr.«
Misty nickte und schaute zu Geraldine. Als sie sich wieder mir zuwandte, funkelten ihre Augen.

»Wer ist die engste Freundin deiner Mutter, ich meine, deiner Schwester?«, fragte sie.

»Sie hat keine engen Freunde«, sagte ich. »Sie hat niemanden, den ich Freund nennen würde. Sie wird nie zu jemandem eingeladen und lädt auch niemanden hierher ein. Niemand ruft sie je an. Sie hat wirklich niemanden.«

»Hatte«, erinnerte Jade uns. »Hatte. Sie ist tot.«

»Außerdem«, warf Star ein, »nur weil Leute möglicherweise mit ihrer Schwester befreundet waren, heißt das ja noch lange nicht, dass sie bereit wären, die Verantwortung für Cat zu übernehmen.«

»Ich weiß, aber was wäre, wenn …«, begann Misty mit rollenden Augen, während sie zum Sofa ging, »wir niemandem davon erzählen?«

»Hm?«, machte Star. »Wenn wir niemandem wovon erzählten?«

»Von … ihr«, sagte sie und nickte in Richtung auf Geraldines Leiche. »Nach dem, was Cat sagt, wird niemand sie vermissen.«

Star sah Jade und mich an, bevor sie Misty antwortete.

»Du meinst, ihren Tod geheim halten?«

»Ja, genau. Wenn niemand weiß, dass sie tot ist, muss Cat auch nicht zu einer Pflegefamilie, stimmt's?«

»Aber … sie ist tot!«, rief Star. »Wie willst du das geheim halten? Willst du sie ans Fenster setzen? Misty, du siehst zu viel fern.«

»Nein, nicht sie zur Schau stellen. Eine von uns könnte in ihrer Kleidung hin und wieder herumspazieren, damit die Nachbarn nicht misstrauisch werden. Wenn nötig, können wir vielleicht eine Perücke besorgen, die wie ihr Haar aussieht. Ich wette, Jades Mutter könnte uns eine besorgen.«

»Ach, und was erzähle ich ihr? Ich brauche eine Perücke, um eine tote Frau darzustellen?«, fragte Jade.

»Nein, du kannst doch sagen, es sei für eine Aufführung oder so was. Sie würde das doch nicht kontrollieren, oder?«
»Nein, aber –«
»Ja, das könnten wir machen«, rief Misty, die immer aufgeregter wurde. »Hört zu, hört doch nur einen Augenblick zu«, bat sie. »Wir melden es nicht der Polizei, und dadurch helfen wir Cat. Wir können abwechselnd bei ihr bleiben«, sagte sie und schaute sich um. »Also, dieses Haus könnte doch das Hauptquartier der WMEs werden!«
Star schaute Jade an, die den Kopf schüttelte.
»Was ist denn mit Geld, du Dummkopf?«, fragte sie.
Misty schaute mich an.
»Geraldine hielt all ihre Konten auf dem neuesten Stand. Ich weiß, wo ihre Bücher sind. Ich weiß, dass wir eine Menge Geld in Wertpapieren, Pfandanleihen, Termingeldern und so etwas haben. Sie redete manchmal laut, wenn sie arbeitete«, erklärte ich, »und hielt mir Vorträge darüber, dass man sich selbst um sein Geld kümmern müsste. Sie beschäftigte nicht einmal einen Steuerberater. Die Steuererklärung erledigte sie selbst. Sie sagte, das hätte sie alles von ihrem Vater gelernt.«
»Das betraf Geraldine, aber nicht dich«, gab Jade zu bedenken.
»Nein«, widersprach ich. »Ich weiß eine Menge darüber. Außerdem kann ich ihre Unterschrift nachmachen.«
»Fälschen?« Star schaute die anderen an. »Woher weißt du, dass du das kannst?«
»Ich habe das schon ein paar Mal gemacht, wenn ich zu viel Angst hatte, ihr etwas aus der Schule zu zeigen. Niemand hat diese Unterschriften je angezweifelt. Ich hatte sie stundenlang geübt, bis ich sie richtig hinbekam. Viele der Leute, die sich um ihre Bankgeschäfte und Invest-

ments kümmern, haben sie nie gesehen«, erklärte ich und wischte mir die Tränen aus den Augen. »Sie telefonierte mit ihnen und hielt brieflich Kontakt mit ihnen. Sie hasste es, diese Leute in ihren Büros aufzusuchen. Dazu musste sie sich ordentlich herrichten, ihre so genannte Ausgehkleidung anziehen und Geld für Benzin verschwenden.«

»Jetzt muss sie es nicht mehr ausgeben«, konstatierte Star.

»Ja, aber Cat. Ich weiß nicht«, überlegte Jade. »Was ist mit deiner Schule, wenn nach den Ferien der Unterricht wieder anfängt? Werden sie sich nicht wundern, wo sie steckt?«

Ich zuckte die Achseln.

»Sie ging ganz am Anfang mit mir dorthin, aber danach nie wieder. Sie bestellen keine Eltern zu sich. Entweder schicken sie Briefe, oder manchmal rufen sie auch an, aber nicht oft. Sie sind dafür, alle Probleme selbst zu regeln und nicht die Eltern damit zu belasten.«

»Na bitte«, rief Misty.

»Ich weiß nicht«, wiederholte Jade.

»Was weißt du nicht? Es ist eine gute Idee, oder? Also? Stimmt's nicht?«

Jade überlegte. Star beobachtete und wartete ab. Dann drehte Jade sich um und schaute auf Geraldine herab.

»Was ist mit ihr?«

»Wir beerdigen sie«, sagte Misty und hob dabei die Arme, als sei diese Antwort offensichtlich.

»Beerdigen sie? Wir? Wie? Wo?«

Misty drehte sich zu mir um.

»Was ist mit eurem Garten?«, schlug sie vor.

»Meinem Garten?«

»Ja. Kommt da jemals einer hin?«

»Nein. Das Grundstück ist von einer Mauer umgeben, und wir haben keinen Gärtner mehr. Sie hielt das für eine unnötige Ausgabe«, erläuterte ich.
»Gut«, stellte Misty fest. »Also ist der Garten perfekt.«
»Perfekt? Du willst sie hinaustragen und dort beerdigen?«, fragte Jade ungläubig.
»Also, nicht ich allein. Star?«
»Ich denke, wir könnten es tun«, überlegte Star. Sie machte eine Pause und drehte sich abrupt zu mir um. »Hast du eine Bibel?«
»Ja, genau dort«, sagte ich und deutete auf den Ecktisch neben dem Sofa. »Sie las oft darin.«
»Was hat eine Bibel denn damit zu tun?«, fragte Jade mit erhobener Stimme.
»Ich bin auf genug Beerdigungen gewesen, um zu wissen, was man sagen muss. Du liest einen Psalm. Hatte sie einen Lieblingspsalm?«
»Ich glaube nicht«, antwortete ich.
»Ihr seid alle verrückt«, warf Jade uns vor. »Das können wir nicht machen. Wir können sie nicht einfach begraben.«
»Warum nicht?«, wollte Misty wissen.
»Wir können es, wenn Cat eine Schaufel hat«, sagte Star. »Hast du eine Schaufel?«, fragte sie mich.
»In der Garage«, antwortete ich. »Die Schaufeln hängen an der Wand, an ihrem ordnungsgemäßen Platz.«
»Besorg ein sauberes Bettlaken, das wir als Leichentuch benutzen können«, befahl Star.
»Wartet«, sagte Jade, bevor ich mich rühren konnte. »Das verstößt gegen das Gesetz, wisst ihr. Man kann nicht einfach jemanden ohne Totenschein begraben.«
»Welche Wahl bleibt uns denn?«, fragte Star sie. »Du hast doch selbst gesagt, dass sie weggeschickt würde.

Schau sie dir an, Jade. Willst du, dass sie gezwungen wird, bei Fremden zu leben? Es war schon hart genug für sie, solange sie hier lebte, oder?«

»Vielleicht sollten wir mit Dr. Marlowe sprechen«, schlug Jade vor.

»Was? Du weißt doch, dass es vorbei ist, sobald du ihr davon erzählst«, sagte Star mit einer Kopfbewegung in Richtung Geraldine. »Das ist ein Geheimnis, das wir entweder alle bis zu unserer Todesstunde hier bewahren«, sagte sie und legte dabei die rechte Hand aufs Herz, »oder nicht. Entscheidet euch jetzt, und zwar endgültig.«

»Ich schwöre, dass ich es nie verraten werde«, stimmte Misty bereitwillig zu. »Wenn ihr möchtet, können wir das mit unserem Blut besiegeln.«

Jade lächelte höhnisch.

»So ein albernes Zeug brauchen wir nicht.«

»Das ist auch nicht alberner als das, was wir bei dir zu Hause mit der Kerze gemacht haben«, konterte Misty beleidigt.

»Wir brauchen einfach keine Zeremonie«, sagte Jade. »Wenn wir es versprechen, versprechen wir es. Lasst mich einen Augenblick nachdenken. Das geht mir alles viel zu schnell. Es ist wirklich verrückt.« Sie wandte sich an mich. »Bist du sicher, dass du sonst niemanden angerufen hast?«, fragte sie mich und sah aus, als hoffte sie, ich hätte es getan.

»Nein. Du bist die Einzige, die ich angerufen habe. Wen sollte ich denn sonst anrufen?«

Sie nickte. Die anderen beiden sahen zu, wie sie nachdachte.

»Du möchtest das wirklich?«, vergewisserte Jade sich bei mir.

Ich schaute hinab auf Geraldine. Sie wäre außer sich vor

Wut. Aber dann dachte ich an die Freiheit und daran, dass die Mädchen bei mir waren, dass wir alle zusammen waren, wirklich die Familie bildeten, nach der wir uns so lange gesehnt hatten.

»Ich glaube schon«, sagte ich.

»Prima«, stimmte Misty zu, bevor ich es mir anders überlegte. »Wir fangen besser an. So viel muss genau geplant werden.«

Star und Jade schauten einander an, und Star nickte.

»Also?«, fragte sie sie.

»Sollen wir sie etwa selbst begraben? Die Sachen, die ich gerade trage, sind von Prada«, stöhnte Jade.

»Ja und? Wenn du sie ruinierst, kaufst du dir eben andere«, erwiderte Star. »Wir haben deinen Kleiderschrank gesehen. Vermutlich besitzt du Hunderte von Outfits, die du bis jetzt noch nicht getragen hast.«

»Was tun wir als Erstes?«, fragte Jade zögernd.

»Als Erstes holen wir das Leichentuch und die Schaufel. Die Bibel habe ich hier. Dann findet das Begräbnis statt«, ratterte Star herunter. Sie wandte sich an mich. »Du holst das Betttuch. Ich suche die Schaufel. Gibt es da draußen irgendwelche Lampen?«

»Nein.«

»Dann brauchen wir eine Taschenlampe.«

»Ich setze nur eben frische Batterien ein«, sagte ich.

Jade zog die Augenbrauen hoch.

»Frische Batterien? Wunderbar.« Sie betrachtete mich einen Augenblick eingehend. »Bist du wirklich mit all dem einverstanden?«, fragte sie mich.

Ich vermied es, Geraldine anzuschauen.

»Ich will nicht weggeschickt werden«, sagte ich. »Ich habe die Nase voll von Behörden und Fremden.«

»Ihr geht es gut«, versicherte Misty und legte den Arm

um mich, um mich zu drücken und zu trösten. »Hör auf, sie verrückt zu machen.«
»Das ist kein Spiel, Misty. Ich mache jetzt keine Scherze. Das ist illegal. Wir könnten alle einen Haufen Ärger bekommen. Das ist ernst«, versicherte Jade.
»Ich bin ernst!«, rief Misty.
»Wenn wir es machen wollen, lasst es uns tun, ansonsten fahren wir alle nach Hause«, meinte Star.
»Nein«, entgegnete ich schnell. »Geht nicht nach Hause. Ich weiß nicht, was ich dann tue. Ich laufe weg. Ich –«
»Schon gut, schon gut, wir machen es«, erklärte Jade. Sie holte tief Luft und sagte: »Geh und hol das Bettlaken.«
»Ich helfe dir«, bot sich Misty an und folgte mir nach draußen. »Du solltest dir unten ein Bett zurechtmachen«, schlug sie vor, als ich mich mühsam die Treppe hochquälte. »Zumindest bis dein Knöchel geheilt ist.«
»Geraldine mochte die Vorstellung nicht, dass jemand im Wohnzimmer schlief. Neulich nachts ließ sie mich dort schlafen, aber das war ihre Art, mich zu bestrafen.«
»Du bist jetzt selbst für dich verantwortlich. Sie ist weg. Sie wird dich nie wieder bestrafen«, erklärte Misty fast fröhlich.
Ich blieb stehen und schaute nach unten zum Wohnzimmer.
»Nein, aber wenn sie könnte, würde sie mich ohne Abendessen zu Bett schicken, nur weil ich darüber geredet habe.«
Wir gingen weiter nach oben. Ich beschloss, eines der Laken aus ihrem Bett zu nehmen, nicht aus meinem. Das erschien mir angemessener. Als wir Geraldines Schlafzimmer betraten, schaute Misty sich um und schüttelte missbilligend den Kopf. »Es ist so …«
»Was?«

»Fad«, meinte sie. »Und was ist mit dem anderen Bett? Warum ist es nicht gemacht?«
Geraldines Bett war mit der üblichen Perfektion gemacht, weder auf dem Kissen noch auf der Tagesdecke war ein einziges Fältchen zu entdecken, aber das Bett meines Vaters war abgezogen.
»Dort hat er geschlafen. Vermutlich wollte sie das Gefühl haben, dass er weg war.«
»Das ist hässlich. Sie hätte es doch machen können«, sagte Misty.
Natürlich blitzte alles vor Sauberkeit: Kommoden und Schrank, Tische und Fenster. Alles lag genau an seinem Platz, kein Kleidungsstück lag herum, keine Schublade stand auch nur einen Spaltbreit offen. Die Jalousie war heruntergezogen, die Vorhänge waren geschlossen.
»Nichts deutet darauf hin, dass hier eine Frau schläft«, fuhr Misty fort, als ich das Bettlaken im Badezimmerschrank aufspürte. »Kein Blütenduft, kein Nippes, und diese schlichte weiße Bettwäsche … fast wie im Krankenhaus«, stellte sie fest.
Ich schaute mich um und überlegte, was sie gesagt hatte.
»Ich war nicht sehr oft hier drinnen«, sagte ich. »Sie ließ mich nie helfen, dieses Zimmer sauber zu machen. Selbst als kleines Mädchen durfte ich nicht hier hineinlaufen, wenn ich schlecht geträumt hatte. Die Tür war immer verschlossen.«
»Sieht aus, als hättest du nicht viel verpasst«, sagte sie. »Weißt du, es ist seltsam, ich muss mich ständig daran erinnern, dass sie in Wirklichkeit deine Schwester war, nicht deine Mutter.«
»Ich auch«, bestätigte ich.
»Das glaube ich. Fertig?«
Ich nickte, und wir kehrten ins Wohnzimmer zurück, wo

Star neben Jade auf dem Sofa saß und sich unterhielt. Sie hatte die Schaufel in der Hand.

»Die Taschenlampe hole ich auf dem Weg nach draußen«, sagte ich. »Wir haben eine Hintertür.«

»Das ist gut. Ich möchte nicht, dass irgendjemand uns sieht, wenn wir sie zur Vordertür hinaustragen«, sagte Jade. »Sonst glauben sie noch, wir hätten sie ermordet oder so was.«

»In Ordnung, wir haben das Betttuch. Was machen wir als Nächstes?«, fragte Misty Star, die irgendwie am meisten darüber zu wissen schien, wie man eine Leiche begrub.

»Sie in das Laken einrollen«, erwiderte sie, stand auf und streckte die Hand aus. Ich reichte ihr das Tuch. »Schiebt den Tisch aus dem Weg«, ordnete sie an. Misty und ich erledigten das. Sie breitete das Betttuch neben Geraldine aus.

Ihr Blick war immer noch auf mich gerichtet, fand ich. Ich konnte sie nicht anschauen. Star trat hinter sie und sah uns auffordernd an.

»Na los«, kommandierte sie. »Rollen wir sie hinüber.«

»Igitt«, sagte Jade, stellte sich aber neben sie. Mit abgewandtem Kopf legte sie die Hände auf Geraldines Rücken. Misty kam ihnen rasch zu Hilfe.

»Cat, du hältst das Tuch am Ende hoch, und sobald sie vollständig darauf liegt, reichst du es mir herüber. Okay?«

Mit geschlossenen Augen hob ich das Tuch an und wartete. Meine Finger begannen zu zittern. Ich hörte Geraldine schreien: »Was glaubst du, was jetzt geschehen wird? Hm? Ich werde es dir sagen. Ihr werdet alle riesige Schwierigkeiten bekommen!

Ich habe dir doch gesagt, dass so etwas passieren würde, wenn du mit diesen Mädchen befreundet bist. Sieh dir doch an, wozu sie dich bringen. Wirf sie hinaus. Sofort. Na los, sag ihnen, sie sollen nach Hause gehen.«

Sie rollten sie herüber, und ich öffnete die Augen.

»Das Tuch«, sagte Star.

Ich reichte es ihr schnell an, und sie zog es eng um Geraldine. Dann rollten sie sie noch einmal herum, und Star zog das Tuch noch fester. Bald war Geraldine vollständig bedeckt, selbst ihr Kopf.

»Okay!«, sagte Star. »Wir heben sie jetzt hoch und tragen sie hinaus.«

»Was für ein Glück, dass sie nicht so schwer ist«, sagte Misty, als sie sie anhoben.

»Ich kann einfach nicht glauben, dass ich das tue«, murmelte Jade.

»Setz dich in Bewegung, Cat«, kommandierte Star. Ich führte sie mit klopfendem Herzen hinaus. Rasch entdeckte ich die Taschenlampe und öffnete die Hintertür. Sie waren direkt hinter mir und kämpften mit ihrer unhandlichen Last.

»Du lässt dein Ende herunterfallen«, fauchte Star Jade an.

»Okay, okay«, beschwichtigte sie sie. »Ich bin nicht ausgesprochen daran gewöhnt, Leichen zu transportieren.«

Sie folgten mir nach draußen.

»Wohin?«, fragte Jade Star.

»Weg vom Haus«, sagte Star. »Nach rechts hinüber ist es, glaube ich, am besten. Leuchte bitte dorthin, Cat. Ja, gut«, sagte sie, und wir gingen etwa zehn Meter weit. »Okay, setzt sie ab. Verdammt. Ich habe die Schaufel vergessen. Misty, hol sie«, befahl sie.

»Warum ich?«, fragte sie mit Blick auf das jetzt leere Haus.

»Sieh mal, wenn du Angst hast, alleine wieder dort hineinzugehen, was glaubst du, wie es für Cat sein würde? Du warst doch diejenige, die das so sehr wollte.«

»Okay, okay. Ich habe keine Angst, ich bin nur müde«, erklärte sie. Ich wusste, dass dies gelogen war, sagte aber nichts.

Ich schaute hinab auf den eingerollten Körper und sah mich dann im Garten um. Glücklicherweise war es eine bewölkte Nacht. Jeder, der in unsere Richtung herüberschaute, würde nicht viel sehen.

Misty musste durch das Haus gerannt sein. In weniger als einer Minute kehrte sie zurück und reichte Star die Schaufel.

»Ich fange an«, sagte sie, »aber wir müssen alle etwas graben. Ein Grab muss tief und breit genug sein.«

»Ich habe noch nie gegraben«, beklagte Jade sich.

»Als ob man dazu einen Gehirnchirurgen brauchte«, fauchte Star sie an.

Sie richtete die Spitze der Schaufel nach unten und trat darauf, um sie im Rasen zu versenken. Das Werkzeug fuhr leicht hinein, rührte sich dann aber nicht mehr.

»Felsen«, stellte sie fest. »Der Boden ist vermutlich voll davon.«

»Wir können das nicht«, stöhnte Jade. »Wir sind doch keine Arbeiter.«

»Du hast Recht. Es wird hart. Du könntest dir sogar einen Fingernagel dabei abbrechen«, höhnte Star.

»Sehr witzig.«

»In der Garage ist auch ein Gartenset«, erinnerte ich mich, »eine kleine Schaufel und einer von diesen Greifern, mit denen man Steine aus dem Weg räumt.«

»Misty?«

»O nein, schon wieder ich?«

»Also, wir können wohl schlecht Cat mit ihren Krücken

schicken, oder? Sie kann höchstens die Taschenlampe halten.«

»Was ist denn mit Jade?«

»Wo ist es?«, fragte Jade mich mit einem tiefen Seufzer.

»Es ist auf dem Brett rechts von der Tür«, erklärte ich. »Dort wo alle Gartenwerkzeuge aufbewahrt werden.«

Sie schüttelte den Kopf über Misty und ging zum Haus.

»Wir müssen uns die Arbeit teilen«, rief Misty. »Das ist doch nur fair.«

»Fair«, murmelte Star, während sie grub. »Wir sollen doch bereit sein, für die anderen Dinge zu tun, und uns über so was alles keine Sorgen machen, wisst ihr noch?«

»Ich weiß«, sagte Misty. »Junge, Junge, du kannst wirklich graben«, stellte sie fest.

»Ja, in letzter Zeit mache ich praktisch nichts anderes, als Gräber zu schaufeln«, witzelte Star.

Jade kehrte mit dem Gartenset zurück. Star bat Misty, die kleine Schaufel zu nehmen und um den großen Stein herumzugraben, auf den sie gestoßen war. Jade forderte sie auf, den Greifer zu benutzen. Es dauerte nicht lange, bis alle drei am Grab arbeiteten, die Erde aufrissen und Steine herausholten. Jade beklagte sich darüber, wie schmutzig sie ihr Outfit machte, und Misty sorgte sich um Schwielen an ihren Händen. Star machte sich über beide lustig.

»Das ist doch keine Sache zum Lachen. Wir müssen uns etwas ausdenken, um zu erklären, warum wir so aussehen, falls jemand uns sieht, wenn wir heute Abend nach Hause kommen«, sagte Jade.

In dem Augenblick spürte ich den ersten Regentropfen. Dann noch einen und noch einen.

»O nein«, rief Misty. »Jetzt fängt es wieder an zu regnen.«

»Arbeite schneller«, befahl Star. Das taten sie, aber auch der Regen wurde immer heftiger. Ich beobachtete, wie das zusammengerollte Laken immer durchsichtiger wurde. Ich glaubte in dem nassen Stoff ganz klar Geraldines Gesichtszüge zu erkennen. Es war so, als käme sie heraus, als presste sie ihr Gesicht durch das Tuch, um mich voller Hass und Zorn anzustarren.
»Das ist zu schwierig. Es wird Stunden um Stunden dauern!«, nörgelte Jade. »Wir hätten gar nicht erst anfangen sollen.«
»Tja, aber wir haben nun einmal angefangen«, stellte Star fest, »deshalb müssen wir es jetzt auch zu Ende bringen.«
»Mein Haar«, schluchzte Jade. »Schaut mich bloß an.« Sie wischte sich die Wangen mit dem Ärmel ab und beschmierte dabei ihr Gesicht mit Dreck.
»Oje«, meinte Misty. »Ich ruiniere mir ein T-Shirt und eine Jeans. Lacht nicht. Diese Jeans ist teuer.«
Es dauerte nicht lange, da wurde der Regen zu einem stetigen Nieselregen. Niemand redete viel. Alle murrten vor sich hin und arbeiteten.
»Ist es denn noch nicht tief genug?«, bettelte Jade.
»Nein«, entschied Star. »Willst du sie so in die Erde pflanzen, dass eines Tages ihr Fuß herauskommt?«
»Igitt, wie ekelhaft«, stöhnte Misty. Deshalb buddelte sie schneller, zog Steine heraus und schmiss sie beiseite.
Ich versuchte das Licht ruhig zu halten. Manchmal zitterte meine Hand so stark, dass das Licht flackerte, als käme es aus einer defekten Glühbirne.
»Okay«, meinte Star etwa eine halbe Stunde später. »Ich glaube, es ist tief genug.«
»Gott sei Dank«, rief Jade. Sie traten zurück.
»Vergesst nicht, wir müssen sie wieder mit Erde bede-

cken, sobald sie drin ist«, erinnerte Star sie. »Entspannt euch also nicht zu sehr. Wer hat die Bibel?«, erkundigte sie sich.

»Ich hole sie«, sagte Misty freiwillig, noch bevor sie aufgefordert wurde, sie zu holen.

»Ich sehe nicht ein, warum wir aus der Bibel vorlesen müssen«, maulte Jade. »Wir sind doch keine Geistlichen, und es regnet immer stärker.«

»Das ist nur richtig so«, insistierte Star. »Und du bist bereits viel zu nass, um noch einen Unterschied zu spüren.«

Der Regen ließ etwas nach, aber mittlerweile schien das niemandem mehr aufzufallen. Misty kehrte mit der Bibel zurück, und Star bat mich, die Taschenlampe zu ihr zu bringen.

»Leuchte hierhin«, bat Star mich und blätterte durch die Seiten. »Vergangenen Monat gingen Granny und ich zu Mary Dobsons Beerdigung, und der Prediger las diese Stelle«, sagte sie und hielt die Bibel hoch. Dann begann sie mit sanfter, fast melodischer Stimme:

»Alles hat seine Stunde. Für jedes Geschehen unter dem Himmel gibt es eine bestimmte Zeit: eine Zeit zum Gebären und eine Zeit zum Sterben, eine Zeit zum Pflanzen und eine Zeit zum Abernten der Pflanzen, eine Zeit zum Töten und eine Zeit zum Heilen, eine Zeit zum Niederreißen und eine Zeit zum Bauen, eine Zeit zum Weinen und eine Zeit zum Lachen, eine Zeit für die Klage und eine Zeit für den Tanz; eine Zeit zum Steinewerfen und eine Zeit zum Steinesammeln, eine Zeit zum Umarmen und eine Zeit, die Umarmung zu lösen, eine Zeit zum Suchen und eine Zeit zum Verlieren, eine Zeit zum Behalten und eine Zeit zum Wegwerfen, eine Zeit zum Zerreißen und eine Zeit zum Zusammennähen, eine Zeit zum Schweigen

und eine Zeit zum Reden, eine Zeit zum Lieben und eine zum Hassen, eine Zeit für den Krieg«, sie hob den Kopf, »und eine Zeit für den Frieden.«
»Möge sie in Frieden ruhen«, schloss sie. »Amen.«
»Amen«, sagte Misty.
»Amen«, sagte auch ich.
Jade, die dort mit herunterhängendem Haar, zerlaufenem Make-up und schmutzverschmiertem Gesicht stand, lächelte Star sanft an.
»Das war wunderschön«, sagte sie. »Amen.«
»Okay«, sagte Star und reichte mir die Bibel. »Wollen wir es zu Ende bringen.« Sie ging um Geraldine herum und kniete nieder. Misty kniete sich rasch neben sie. Zögernd gesellte sich Jade zu ihnen, und sie rollten die Frau, die ich fast mein ganzes Leben lang für meine Mutter gehalten hatte. Sie fiel in das behelfsmäßige Grab und verschwand.
»Gut«, sagte Star. »Kommt, lasst uns den Dreck jetzt wieder zurückschaufeln.«
Jade stöhnte und sie fingen an. Fast eine Stunde später klopfte Star die Erde glatt und trat zurück. Sie nahm mir die Taschenlampe ab und ließ den Lichtstrahl über den Rasen gleiten.
»Jeder merkt, dass hier gegraben worden ist. Wir müssen hier neuen Rasen einsäen.«
»Hoffentlich nicht heute Nacht«, bat Jade.
Star lachte.
»Nein, nicht heute Nacht, aber es wäre gut gewesen bei all dem Regen.«
»Ich habe Samen in der Garage«, sagte ich. »Ich werde ihn später ausstreuen.«
»Prima«, sagte Jade schnell.
»Wir werden das morgen überprüfen und entscheiden, was sonst noch getan werden muss«, sagte Jade.

»Können wir endlich reingehen?«, rief Jade. »Mir graut davor, in den Spiegel zu schauen.«
»Dann lass es sein und verschone den Spiegel«, empfahl Star. Misty lachte.
Wir alle steuerten auf die Hintertür zu. Ich erreichte sie als Letzte, hielt inne und schaute in die Dunkelheit.
Wenn sie mich vorher bereits gehasst hat, wird sie mich jetzt noch mehr hassen. Sie wird mich in alle Ewigkeit hassen.
Ich drehte mich um und betrat das Haus. Die Tür fiel hinter mir ins Schloss.
Ich hatte das Gefühl, als sei das einzige Leben, das ich gekannt hatte, vorüber. Star hatte den richtigen Vers aus der Bibel gelesen. Es gab eine Zeit zum Gebären, eine Zeit zum Heilen, eine Zeit zum Lachen und eine Zeit für den Tanz. Endlich war die Zeit zum Lieben angebrochen.
Zumindest hoffte ich das.

KAPITEL SIEBEN

Schrecken in der Nacht

Schaut mich an! Schaut uns alle an!«, rief Jade, als wir drinnen vor dem großen Spiegel im Flur standen.
Wir vier drängten uns zusammen und starrten unser Spiegelbild an. Kleidung und Haare trieften vor Wasser, die Schuhe waren matschbeschmiert, über die Gesichter zogen sich Dreckstreifen.
»So kann ich nicht nach Hause gehen«, stöhnte Jade und fuhr sich mit den Fingern durchs Haar. Als sie den Dreck auf Fingern und Armen sah, stöhnte sie erneut. »Ich sehe ja aus wie der Gärtner!«
»Wir werden uns also baden und duschen, bevor wir nach Hause gehen«, erklärte Star. »Reg dich nicht so auf, sonst bekommst du noch Pickel.«
»Star hat Recht. Und wir können unsere Kleidung doch waschen und trocknen«, schlug Misty vor. »Das können wir doch, oder, Cat?«
»Klar«, sagte ich achselzuckend. »Ich stecke all eure Sachen in die Maschine. Das gehörte immer zu meinen Aufgaben. Der Trockner ist erst kürzlich repariert worden, obwohl Geraldine es vorzog, die Wäsche im Garten auf die Leine zu hängen.« Ich starrte zu Boden. »Wir haben tonnenweise Lehm hereingeschleppt«, stellte ich fest.
Es war seltsam, dass ich immer noch dachte, Geraldine

könnte jedes Wort hören, das in diesem Haus gesprochen wurde, besonders meine Worte, und auch alles sah, was wir taten. Ihre Befehle, Klagen und Kritik blieben an den Wänden zurück und hallten in den Räumen wider; dadurch erinnerten sie mich daran, dass wir sie beerdigen konnten, nicht aber ihren Schatten oder ihre Stimme.

»Hör auf, sie zu sein und uns ein mieses Gefühl zu geben«, befahl Jade. »Sie ist tot.«

»Oh, das wollte ich nicht. Ich …«

»Also, Cat hat Recht. Es ist wirklich eine Sauerei. Wer wird das wegwischen?«, wollte Star wissen. »Ihr Beverlys?«

»Wir werden es aufwischen«, sagte Misty. »Aber als Erstes sollten wir diese Klamotten ausziehen, damit wir nicht noch mehr Schmutz durch das Haus schleppen.«

Sie zog ihr T-Shirt aus, schleuderte die Turnschuhe von den Füßen und begann aus ihrer Jeans zu steigen. Alles ließ sie, direkt wo sie stand, auf einen Haufen fallen.

»Dieses Outfit kann man nicht waschen. Es darf nur chemisch gereinigt werden«, stöhnte Jade. »Es könnte einlaufen oder die Fasson verlieren.«

»Wenn das passiert, brauchst du doch nur eurem Hausmädchen die Schuld zu geben«, schlug Star vor. »Bestimmt hast du das schon mal gemacht.«

»Habe ich nicht!«

»Ich habe einen Pullover und einen Rock, die du dir leihen kannst, wenn du deine Sachen nicht waschen willst«, bot ich ihr an, in der Hoffnung, einen Streit im Keim zu ersticken.

Sie überlegte einen Augenblick. Vermutlich stellte sie sich vor, wie sie in meinen Sachen aussah, und fand diese Aussicht nicht sehr reizvoll. Sie schüttelte den Kopf und begann sich auch auszuziehen.

»Vergiss es. Wasch die Sachen«, entschloss sie sich.
Als auch Star sich entkleidete, ging ich hinaus, um uns allen Handtücher aus der Küche zu holen. Dort drinnen wrang ich meine nasse Kleidung so schnell wie möglich aus.
»Beeil dich mit den Handtüchern, Cat«, brüllte Jade. »Ich brauche ein heißes Bad. Hast du irgendwelche Badeöle oder -salze?«
»Ich glaube, es ist noch etwas von dem übrig, was mein Vater mir geschenkt hatte«, antwortete ich, als ich mit dem Stapel Handtücher zurückkam.
»Also? Auf geht's. Hört ihr nicht, wie meine Zähne klappern? Ich friere!«
In Badetücher eingewickelt sahen wir aus, als wären wir in einer Freizeitanlage auf dem Weg zur Sauna. Über unseren Anblick lachend, vielleicht um sich Erleichterung von all der Anspannung und Nervosität zu verschaffen, folgten sie mir, als ich so schnell wie möglich zur Treppe zurück, die Treppe hinauf, zuerst in mein Zimmer humpelte, wo Star direkt unter die Dusche ging, und dann in Geraldines Zimmer, wo Jade sich ein Bad einließ. Misty fand einen von Geraldines Morgenmänteln und hüllte sich darin ein, bis sie an der Reihe war zu duschen. Ich fand das Badesalz und brachte es Jade.
»Das ist gutes Zeug«, lobte sie, als sie die Aufschrift auf der Schachtel las. »Darin ist ein Pflanzenwirkstoff, der Muskelschmerzen lindern soll, und meine Beine schmerzen. Und schaut euch nur meine Fingernägel an«, winselte sie plötzlich und hielt ihre Hand hoch. »Morgen muss ich direkt als erstes zur Maniküre gehen.«
Ich versuchte einen Augenblick mitfühlend dreinzuschauen, dann ließ ich sie murrend und stöhnend zurück. Während erst Star und dann Misty duschten, kümmerte

ich mich um die Wäsche und stopfte alles in die Waschmaschine. Dann stülpte ich den Plastikbeutel mit dem Reißverschluss so, wie der Arzt es mir gezeigt hatte, über meinen Gips, damit er nicht durchnässt wurde, und duschte ebenfalls. Hinterher versammelten sich Misty, Star und ich in Mutters Badezimmer und saßen um die Badewanne herum, während Jade sich noch immer mit einem Kragen aus Schaum um den Hals einweichen ließ.

»Ich kriege die Kälte nicht aus den Knochen«, klagte sie. »All dieser Dreck …« Sie schüttelte den Kopf und schnitt eine Grimasse, als hätte sie etwas davon im Mund. »Ich glaube, ich habe etwas davon verschluckt.«

»Es wird dich schon nicht umbringen«, versicherte Star.

Jade wischte etwas von dem Seifenwasser weg und schaute sie empört an.

»Du bist es vielleicht gewohnt, dass Dreck und Schmutz an deinem Körper kleben, aber ich nicht.«

»Und was soll das heißen?«

»Das heißt … das heißt, ich hoffe, dass ich nie wieder so etwas tun muss«, sagte sie und ging damit einer Auseinandersetzung aus dem Weg.

Stars Blick wurde sanfter.

»Meine Mutter fuhr zu einer Kur nach Dessert Hot Springs, wo du für ein Schlammbad bezahlen musst«, sagte Misty.

»Wie bitte?« Star lehnte sich zurück, als litte Misty unter einer ansteckenden Krankheit.

»Das soll gut sein für die Haut.«

»Also, das ist etwas anderes«, meinte Jade. »Der Lehm war kalt und voller Steine. Ich spüre es noch immer in meinen Haaren!«

Sie setzte sich auf und verlangte das Shampoo. Ich bat Misty, das Shampoo aus meinem Zimmer zu holen – eine

besondere Kräutermischung, die ich geschenkt bekommen hatte.
»Nur zu, verwöhn sie immer weiter«, murmelte Star.
»Wir müssen uns alle gegenseitig verwöhnen. Das ist eine Regel der WMEs«, teilte Jade ihr mit.
»Oh, ist das so? Du erfindest einfach die Regeln für uns alle?«
»Entschuldigung. Wir werden abstimmen. Alle, die dagegen sind, dass wir einander verwöhnen, sagen nein«, rief Jade. Niemand tat es. Sie lächelte Star an. »Antrag angenommen«, stellte sie fest.
Star hob den Blick zur Decke. Dann schaute sie mich an. Ich starrte zu Boden und versuchte mein Herz davon abzuhalten, jedes Mal zu zittern, wenn mir klar wurde, was wir getan hatten.
»Ist mit dir alles in Ordnung, Cat?«
Ich nickte, dann schaute ich auf und lächelte sie alle an. Noch nie hatte ich mich in meinem Zimmer mit einer Freundin unterhalten. Sie alle hier zu haben, alle zusammen zu sein, einander zu helfen und sich um die andern zu kümmern gab mir das Gefühl, Schwestern zu haben. Klar war mit mir alles in Ordnung. Zumindest im Augenblick.
Nachdem sie aus der Badewanne gestiegen war, redete Jade über eine neue Hautcreme, die ihre Mutter mit nach Hause gebracht hatte. Sie war für den Gebrauch nach Bad oder Dusche entwickelt worden.
»Wasser kann die Haut austrocknen, besonders hartes Wasser. Unsere Körper besitzen natürliches Öl«, dozierte sie, hauptsächlich an mich gerichtet. »Deshalb sollten wir uns nicht nur abtrocknen und es nie dabei bewenden lassen.«
»Ich verwende nie so etwas«, prahlte Star.
»Das solltest du aber, bevor du dich in eine runzelige alte Dörrpflaume verwandelst«, riet Jade ihr.

»Das hast du doch alles frei erfunden.«
»Das habe ich nicht. Wenn du nichts Neues lernen willst, wirst du nie über dich hinauswachsen.«
»Verschone mich«, flehte Star. »So viel Weisheit auf einmal erschöpft mein armes unterprivilegiertes Gehirn.«
Misty lachte. Ich konnte es nicht glauben, aber ich lächelte auch. Eine ganze Zeit lang während wir unsere Haare bürsteten und Jade darüber plapperte, wie sie ihre Augenbrauen mit Wachs in Form brachte, wie man Lidschatten benutzte, um die Augen zu betonen, und welche Lippenstifte am besten zu unserem Teint passten, vergaß ich völlig, was gerade passiert war und was wir gerade getan hatten. Wie in einem Mädchenschlafsaal hatten wir nur seichtes Zeug im Kopf und lebten in einer Zuckerwattewelt, wo Sorgen sich so leicht verflüchtigten wie Seifenblasen und Glitter statt Regen vom Himmel fiel. Wie lange konnte das dauern? Ich hoffte, für immer und ewig.
»Ich stopfe besser die Kleider in den Trockner«, sagte ich, als ich merkte, wie viel Uhr es war.
»Das mache ich schon«, bot Misty sich an. Sie schaute Star an, die über dieses Angebot erfreut zu sein schien.
»Du brauchst doch ewig, um diese Treppe hinauf und wieder hinunter zu gehen. Du solltest dir unten ein Bett zurechtmachen, bis es dir wieder besser geht«, sagte Misty.
Star nickte.
»Gute Idee.«
»Vielleicht morgen«, sagte ich. »Ich komme schon zurecht. Es ist eine kurze Treppe.«
Misty eilte davon, während Jade am Spiegel saß und sich das Haar bürstete. Wie hübsch sie ist, dachte ich. Können alle Hautcremes, Make-ups, Pflanzenshampoos und Friseure der Welt mich je so hübsch machen?
Fast eine Stunde später gingen Misty und Star nach un-

ten, um die Kleidung hochzuholen. Jades Anzug war nicht eingelaufen, sondern hatte, wie sie befürchtet hatte, völlig die Fasson verloren.

»Ich sehe aus, als hätte mir jemand seine abgelegten Kleider geschenkt«, beklagte sie sich und streckte ihre Arme aus, um uns zu zeigen, wie die Ärmel herunterhingen. Ihr Haar saß jedoch genauso perfekt wie bei ihrer Ankunft.

»Hast du heiße Schokolade?«, fragte Misty mich. »Mir ist danach, um meinen Magen zu beruhigen.«

»Mir auch«, sagte Jade.

Als wir alle unten waren, holte ich die Schokolade aus der Speisekammer und schaute hinauf zu der Speichertür. Misty sah, in welche Richtung ich blickte, und verstand sofort.

»Ich hole die Leiter und klettere dort hinauf«, bot sie aufgeregt an.

»Du wirst dich wieder ganz schmutzig machen«, warnte Jade sie. »Kann das nicht warten?«

»Wie schmutzig kann ich schon werden? Außerdem kann Cat nicht hinaufsteigen.« Unterstützung heischend schaute sie Star an.

»Wenn sie das will, lass sie doch«, sagte Star. »Wir brauchen nicht für alles deine Erlaubnis, weißt du.«

»Das habe ich auch nie gesagt«, setzte Jade sich zur Wehr.

Würden diese beiden je aufhören, miteinander zu streiten, fragte ich mich.

»Ich komme sofort wieder«, verkündete Misty und sauste davon.

Ich begann die heiße Schokolade zuzubereiten, als Star mir diese Aufgabe abnahm. »Warum setzt du dich nicht hin und ruhst deinen Knöchel aus«, sagte sie und warf Jade einen Blick zu, die ihre abgebrochenen Fingernägel feilte.

»Mir geht es gut.«
»Ich fühle mich wohler, wenn ich etwas tun kann«, erwiderte Star.
Wir hörten, wie Misty auf dem Weg ins Haus mit der Leiter gegen die Türrahmen knallte. Wieder musste ich daran denken, wie Geraldine jetzt toben würde. Star eilte Misty zu Hilfe, gemeinsam stellten sie die Leiter in der Speisekammer auf. Wenige Augenblicke später war Misty oben und verschwand auf dem Speicher. Ich rief ihr Anweisungen zu, sie fand die Briefe und ließ sie in Jades Arme fallen.
»Willst du noch irgendetwas von den anderen Sachen?«
»Nein, nicht jetzt, danke«, sagte ich. Dennoch blieb sie eine Weile oben, um die Sachen durchzuschauen.
»Ich schaue mir liebend gerne altes Zeug an«, erklärte sie, als sie wieder herunterstieg.
»Willst du die jetzt lesen?«, fragte Jade, als sie mir die Briefe reichte.
»Nicht sofort«, sagte ich.
»Sie sind persönlich. Sie sollte sie lesen, wenn sie allein ist«, erklärte Star verständnisvoll und goss jedem von uns eine Tasse heiße Schokolade ein. Ich dankte Misty, dass sie mir die Briefe geholt hatte. Sie wollte die Leiter wieder wegbringen, aber Star meinte, sie sollte sie stehen lassen und erst ihre heiße Schokolade trinken, bevor sie kalt würde.
»Du wolltest sie doch unbedingt trinken. Die Leiter ist uns doch nicht im Weg«, sagte sie. »Nicht dass sich irgendjemand beschweren würde.«
Wieder einmal musste ich daran denken, wie Geraldine toben würde, wenn man Dinge nicht dorthin zurückstellte, wo sie hingehörten. Ich schaute sogar zur Tür, als rechnete ich damit, dass sie jeden Augenblick herein-

stürmte. Ich hatte das Gefühl, als sei alles, was wir getan hatten, nur ein Traum gewesen.
Die Mädchen waren still, beobachteten mich, nippten an ihrer heißen Schokolade und ließen ihre Blicke von mir zu den anderen wandern.
»Was machen wir jetzt?«, fragte Misty schließlich.
»Nach Hause fahren und gleich morgen früh wiederkommen«, antwortete Star.
»Was ist mit Cat?«, fragte Misty und nickte mir zu. »Wir können sie doch nicht einfach so hier lassen.«
»Du kannst mit mir nach Hause kommen, wenn du möchtest«, schlug Jade vor.
»Oder mit mir«, sagte Misty.
»Mit den Beverlys kann ich nicht konkurrieren, aber du kannst auch in meine bescheidene Hütte kommen«, bot Star an.
Ich schaute von einer zur anderen. Wenn ich mich für eine entschied, würden die anderen sich dann schlecht fühlen? Erwarteten alle, dass ich mich für Jade entschied, weil sie das größte, luxuriöseste Zuhause hatte? Jade sah gewiss so aus, als erwartete sie das. Wenn ich nicht mit ihr nach Hause ging, wäre sie dann schrecklich enttäuscht?
»Ich bin zu müde, um irgendwo hinzugehen«, sagte ich. »Ich komme schon klar.«
»Bist du sicher?«, fragte Misty, die Lippen missbilligend verzogen. Sie schaute sich im Zimmer um, als wollte sie sagen: »Wie kannst du jetzt hier bleiben wollen?«
»Ja«, bestätigte ich. »Ich tue genau das, was ich immer tue, schließe die Tür und gehe schlafen. Ich muss dazu imstande sein, sonst funktioniert das alles noch nicht. Ich kann doch nicht erwarten, dass jede Nacht eine von euch bei mir bleibt.«
Die Mädchen sahen einander an.

»Vielleicht könnte ich heute hier bleiben«, schlug Star vor.
»Nein, bring dich bloß meinetwegen nicht in Schwierigkeiten«, wehrte ich ab.
Jades Lachen klang eher wie ein schriller Schrei.
»Machst du Witze? Hat man Töne? Wir haben gerade ein Grab im Garten geschaufelt und deine tote Schwester hineingelegt«, sagte sie.
»Das ist toll«, fauchte Star und sprang ihr beinahe quer über den Tisch ins Gesicht. »Gib ihr das Gefühl, als sei es einzig und allein ihre Entscheidung gewesen, das zu tun.«
»Das beabsichtigte ich doch gar nicht, aber –«
»Dann fang nicht immer wieder davon an.«
»Das tue ich doch gar nicht! Habe ich es bisher schon ein einziges Mal erwähnt? Ich habe versucht, es zu vergessen. Ich weiß nicht, wie ich diese Nacht schlafen soll.«
»Du weißt wirklich, wie man immer genau das Richtige sagt, was?«, schnauzte Star sie an und rollte die Augen in meine Richtung.
»Tut mir Leid. Ich wollte …«
»Vielleicht sind wir alle einfach müde«, gab Misty zu bedenken.
»Ja, vielleicht«, stimmte Star zu. »In Ordnung. Ich komme morgen so früh wie möglich wieder her.«
»Wir kommen alle so früh wie möglich wieder«, versprach Jade.
»Wir wollen uns jetzt auf einen Terminplan einigen. Ich kann vermutlich die Erlaubnis bekommen, morgen Nacht hier zu schlafen«, glaubte Misty.
»Dann bleibe ich die übernächste Nacht«, sagte Star.
»Okay. Ich nehme die Nacht danach«, bot sich Jade an, offensichtlich froh, dass sie noch nicht so bald hier schlafen würde.

»Dieses Schema werden wir so gut wie möglich beibehalten und Cat zu uns nach Hause einladen, wenn wir nicht hier bleiben können«, entschied Misty.
»Wir werden versuchen, dich nicht zu viel allein zu lassen«, versicherte Jade.
»Du hast Recht, Cat, du musst imstande sein, auch alleine zu bleiben«, sagte Star.
Ich schaute sie alle an, sah ihre Besorgnis, die Angst auf ihren Gesichtern.
»Die Wahrheit ist, dass ich die meiste Zeit sowieso hier alleine gewesen bin«, sagte ich.
Star nickte. Misty wirkte trauriger und Jade erleichtert.
»Wir können anfangen, das Haus sauber zu machen«, schlug Misty vor.
»Nein, ist schon gut. Das erledige ich. Macht euch keine Sorgen. Dann habe ich etwas zu tun und lenke mich dadurch etwas ab«, wehrte ich ab.
»Das ist sehr vernünftig«, bestätigte Jade.
»Das sieht dir ähnlich«, lästerte Star. »Du würdest alles sagen, um dich selbst vor der Arbeit zu drücken«, murmelte sie gerade laut genug, dass alle es hörten. Bevor Jade darauf reagieren konnte, wechselte Misty das Thema.
Es wurde beschlossen, dass wir uns spät am Vormittag treffen und alle Details für die Zukunft planen würden, unsere Zukunft, die Zukunft der WMEs.
Jade schickte nach ihrer Limousine. Sie würde auch Misty und Star nach Hause bringen. Für uns war es ein Glücksfall, dass Jade so reich war und über so viele Kenntnisse verfügte. Bestimmt würde uns das später noch einmal helfen.
Als wir die Limousine eintreffen hörten, setzte mein Herz einen Schlag aus. In wenigen Augenblicken würden alle weg sein, und trotz des tapferen Anscheins, den ich mir

gegeben hatte, versetzte mich der Gedanke, allein zu sein, in panische Angst.
»Ich rufe dich an, sobald ich aufgewacht bin«, versprach Misty.
Sie standen im Flur um mich herum.
»Okay«, sagte ich.
»Wir haben genau das Richtige getan«, beharrte Star. »Jetzt musst du nicht bei fremden Leuten leben.«
Jade wirkte nicht ganz so überzeugt, aber Misty schaffte es, glücklich und aufgeregt auszusehen und mir dadurch das Gefühl zu geben, dass wir alle zusammen ein großes Abenteuer erlebten und vor uns nur Spaß ohne Ende lag. Sie umarmten mich alle und sprachen mir Mut zu.
»Wenn dir danach ist, ruf mich jederzeit an«, bot Jade mir an. »Du hast meine Privatnummer, und ich kann jederzeit die Limousine anfordern. Dann schicke ich einfach den Chauffeur, um dich abzuholen. Okay?«
»Danke«, sagte ich.
Ich stand in der Tür und schaute zu, wie sie hinausgingen und die Limousine bestiegen. Misty rollte ihr Fenster herunter und steckte den Kopf hinaus.
»Geh einfach schlafen«, rief sie. »Denk jetzt nicht daran.«
»Halt den Mund«, hörte ich Star hinter ihr sagen. Bestimmt hatte sie Angst, dass der Fahrer irgendetwas Verdächtiges mitbekam.
Ich beobachtete, wie sie wegfuhren, und blieb noch in der Tür stehen, denn ich hatte Angst, wieder hineinzugehen, Angst, Geraldine würde dort in der Diele stehen, triefend vor Dreck und wutentbrannt, mit wildem zornsprühendem Blick.
»Wie kannst du es wagen, mich zu begraben!«, würde sie schreien und ihre Lippen dann zu dem wohl bekannten kalten Lächeln verziehen. »Als ob du das je könntest.«

Ich zitterte so sehr, dass ich glaubte, die Beine würden unter mir nachgeben, aber schließlich raffte ich den Mut zusammen, wieder hineinzugehen. Ich konnte mich des Gefühls nicht erwehren, dass Geraldine drohend über mir schwebte und mit mir schimpfte, weil ich so einen Dreck gemacht hatte. Rasch ging ich in die Waschküche, füllte einen Eimer mit heißem Wasser und Putzmittel und machte mich daran, den Boden zu wischen. Dann kehrte ich in die Küche zurück und spülte Tassen und Untertassen, die wir benutzt hatten. Schließlich wischte ich mit gesenktem Kopf die Arbeitsflächen und den Tisch ab, schrubbte und scheuerte, als hätte mir jemand befohlen, den Raum zu sterilisieren, voller Angst den Kopf zu heben und in ihr Gesicht, ihre glühenden, hasserfüllten Augen zu schauen.
Nachdem ich die Küche geputzt hatte, brachte ich mühsam die Leiter in die Garage zurück. Auf dem größten Teil des Weges benutzte ich sie wie eine Krücke, um meinen Fuß von dem Gewicht zu entlasten. Als das erledigt war, kehrte ich in die Küche zurück, nahm das Päckchen Briefe und ging nach oben. Ich legte die Briefe auf meinen Schreibtisch, aber merkwürdigerweise brachte ich es nicht über mich, sie schon zu lesen. Stattdessen putzte ich die Badezimmer und sorgte dafür, dass Geraldines picobello in Ordnung war, so wie sie es liebte.
Ich hatte vorgehabt, mich ins Bett zu legen und mit einem weiteren Brief zu beginnen, aber als ich endlich die Badezimmer fertig hatte, war ich völlig erschöpft. Alles tat mir weh, sogar Hals und Schultern und besonders mein Bein, der gebrochene Knöchel pochte.
Ich bereitete mich aufs Schlafengehen vor und schlüpfte sehnsüchtig unter die Decke. Als ich den Kopf auf das Kissen legte, schloss ich die Augen und schlief fast au-

genblicklich ein, aber ich konnte nicht durchschlafen. Meine Augen sprangen plötzlich auf, ich starrte einen Augenblick in die Dunkelheit. Ich glaubte gehört zu haben, wie sich meine Tür öffnete und schloss. War das Teil eines Traums? Oder war ich dadurch aufgeweckt worden?

Ein eisiges Frösteln kroch mir wie Eiswassertropfen vom Genick die Wirbelsäule hinunter. Binnen weniger Augenblicke fühlte sich mein ganzer Körper erstarrt und taub an. Nicht einmal den Kopf konnte ich vom Kissen heben. Ich konnte nur lauschen und abwarten. Die Dielenbretter knarrten. Ich glaubte einen Rock, der sich an einem Bein rieb, zu hören, als jemand von der Tür auf mein Bett zuging. Die Schatten verdunkelten sich. Ich holte tief Luft, schloss die Augen und setzte mich dann mit aller Kraft auf.

»Wer ist da?«, rief ich.

Der Regen, der früher am Abend gefallen war, hatte aufgehört, aber in seinem Gefolge waren ein dunkler Himmel und eine starke Brise zurückgeblieben. Der Wind pfiff durch das Fenster. Ein Vorhang zitterte, dann herrschte nur tiefes finsteres Schweigen. Langsam drehte ich mich um und sah mich in meinem Zimmer um. Meine Augen hatten sich jetzt an die Dunkelheit gewöhnt, die Umrisse erschienen vertraut. Nichts war ungewöhnlich. Trotzdem streckte ich langsam die Hand zur Lampe auf meinem Nachttisch aus und knipste sie an. Ich zwinkerte, als das Licht plötzlich aufflammte, aber die Beleuchtung enthüllte auch, dass ich allein war.

Ich gestattete mir selbst, wieder tief durchzuatmen. Meine Lunge war so angespannt, dass ich eine Weile brauchte, bis ich wieder regelmäßig atmen konnte. Immer noch beklommen, erhob ich mich langsam, packte meine Krücken und lauschte. Das Haus produzierte bei Nacht immer eine Reihe von Geräuschen: Wasserrohre ächzten, Dielenbretter dehnten sich aus oder zogen sich zusammen, der Wind entdeckte jeden noch so winzigen Spalt, durch den er sich wie eine Schlange aus Rauch durch Flure und in Räume winden konnte. Heute Nacht war es nicht so laut, und diese Stille weckte in mir die Vorstellung von einer dunklen Kreatur, die den Atem anhielt und in den Schatten auf mich lauerte.

Alte Gewohnheiten lassen sich nur schwer ablegen. Bevor ich zu Bett ging, hatte ich meine Tür geschlossen, genau wie ich es mein ganzes Leben lang getan hatte. Ich ging darauf zu, öffnete sie und starrte in den schwach beleuchteten Flur. Niemand lauerte dort draußen, kein Geräusch war zu hören, gar nichts. Es war alles nur meine Fantasie. Natürlich machte sie ausgerechnet heute Nacht Überstunden. Dennoch konnte ich nicht anders, ich musste zur nächsten Tür, zu Geraldines Zimmer gehen. Auch diese Tür war geschlossen, genau wie ich sie zurückgelassen hatte. Ich stand draußen und lauschte.

Das ist so albern, so närrisch, dachte ich. Ich ängstige mich wegen nichts. Sie ist weg. Ich bin ganz allein. Ich lege die Hand auf die Klinke, öffne die Tür und sehe, wenn ich das Licht angeschaltet habe, dass sie weg ist, dass alles nur ein Traum war. Die Mädchen waren wirklich hier gewesen, und wir hatten sie beerdigt.

Meine Finger zitterten, als ich die Klinke herunterdrückte und die Tür öffnete. Einen Moment stand ich da und starrte in das dunkle Zimmer. Dann fand ich den Schalter für die Deckenleuchte und drückte ihn. Licht strömte in gespenstischem Weiß von der Decke, flutete über das Bett, die Stühle, die Frisierkommode und den Boden. Das Bett war leer, natürlich war nirgends ein Anzeichen von

irgendjemandem. Wie lächerlich von mir, auch nur nachzuschauen, dachte ich und schüttelte den Kopf, als ich das Licht ausschaltete und die Tür wieder schloss.
Ich stand wieder lauschend da, hörte nichts Ungewöhnliches und ging zurück in mein Zimmer. Als ich über meine Türschwelle trat, blieb ich abrupt stehen. Die Eiseskälte stieg jetzt von meinem nackten Fuß auf, gelangte über mein Bein bis ins Herz. Langsam schaute ich nach unten und sah einen kalten feuchten Schmutzfleck. Einen Augenblick lang konnte ich nicht schlucken. Ich konnte ihn nicht einmal anschauen.
Das ist nur ein Fleck, der mir entgangen ist, als ich vorhin geputzt habe, sagte ich mir. Wir müssen ihn hereingeschleppt haben, und ich habe ihn einfach nicht gesehen. Das ist es. So muss es sein.
Aber wir hatten doch unsere Schuhe und Strümpfe unten ausgezogen, oder, fragte ich mich.
Der Matsch konnte auch von unseren Händen oder Armen getropft sein, erwiderte ich mir, oder vielleicht von meinen Krücken. Wo sollte er sonst hergekommen sein? Hör auf. Hör auf damit!
Ich eilte ins Badezimmer, griff mir ein Handtuch und kehrte zu dem Fleck zurück, den ich rasch wegwischte. Ich sah mich im Zimmer um und suchte nach weiteren Stellen. Anscheinend waren keine da. Ist das nicht seltsam, fragte eine innere Stimme. Nein, widersprach ich, nein, nein. Es ist nur heruntergetropft. Nichts. Hör auf. Hör auf!, schrie ich innerlich. Ich schloss die Augen, schlang die Arme um mich und drückte mich, als wollte ich meine Ängste davon abhalten, meinem zitternden Körper zu entfliehen.
Wir haben sie begraben. Wir haben es wirklich getan, aber war es eine Sünde? Würde ich dafür bestraft werden?

Kann ihr Geist auferstehen und mich immer und ewig heimsuchen?
Ich kämpfte mich auf die Füße, schloss die Tür und kehrte ins Bett zurück. Als ich diesmal den Kopf aufs Kissen legte, lag ich mit offenen Augen da, wartete, lauschte. Ich lag dort, fast bis das erste Tageslicht hereinbrach, bevor meine Lider zuschlugen wie die Tore einer Gruft und mich in Dunkelheit und Schlaf einschlossen.
Das Klingeln des Telefons weckte mich. Es klingelte und klingelte und klingelte. Mit großer Mühe stand ich auf, weil jeder einzelne Muskel meines Hinterteils und meiner Beine schmerzte, und griff nach den Krücken. Das Telefon klingelte immer weiter. Der nächste Anschluss befand sich in Geraldines Zimmer. Ich eilte dorthin. Es klingelte immer weiter. Ich setzte mich auf ihr Bett und hob ab.
»Hallo?«
»Ach, Gott sei Dank, dass du drangegangen bist«, sagte Misty. »Ich fing schon an, wirklich Angst zu bekommen.«
»Ich habe kein Telefon in meinem Zimmer. Sie hat das nie zugelassen.«
»Also werden wir dort einen Anschluss legen lassen«, beschloss Misty und fuhr nach einer ganz kurzen Pause fort: »Wie hast du geschlafen?«
»Ich habe nicht viel geschlafen«, gestand ich.
»Ich auch nicht. Genauso gut hätte ich auch bleiben können. Ich habe mir Sorgen um dich gemacht.«
»Danke«, sagte ich. So etwas hatte noch nie jemand zu mir gesagt.
»In etwa einer Stunde bin ich da. Hat sonst schon jemand angerufen?«
»Ich glaube nicht. Vielleicht haben sie es versucht, und ich habe das Klingeln nicht gehört.«

»Ich werde sie anrufen. Hast du Bagels da? Ich hätte gern einen getoasteten Bagel zum Frühstück.«

»Nein«, erwiderte ich lachend. Wer konnte zu so einer Zeit ans Essen denken? Wer schon außer Misty.

»Ich bringe welche mit. Hast du … ich meine, kannst du nach hinten hinausschauen? Sieht alles in Ordnung aus?«

»Das habe ich noch nicht kontrolliert. Oje«, sagte ich. »Ich habe vergessen, vergangene Nacht zu säen. Besser mache ich das heute und gieße die Erde.«

»Ich werde dir helfen. Warte auf mich«, sagte sie. »Ich stehe jetzt auf und ziehe mich an. Meine Mutter wollte mich zum Lunch nach Santa Monica mitnehmen, aber ich bin da rausgekommen.«

»Vielleicht hättest du das nicht tun sollen.«

»Nein. Ist schon in Ordnung. Sie wollte gar nicht wirklich, dass ich mitkomme. Sie ist gerne mit ihren Freundinnen zusammen und lästert über Männer, und wenn ich dabei bin, kann sie das nicht so gut. Bis bald«, verabschiedete sie sich.

»In Ordnung.«

Ich legte auf und schaute mich im Schlafzimmer um. Nichts war verändert. Trotz meiner Erschöpfung und Nervosität hatte mir Mistys Anruf Mut gemacht. Ich kehrte in mein Zimmer zurück, zog mich an und ging nach unten, um Frühstück zu machen. Es erschien mir so seltsam, dass mein Saft nicht neben meiner Cornflakesschale bereitstand, als ich in die Küche kam. Geraldine war immer vor mir unten. Es hatte sich mir immer noch nicht als eherne Wahrheit eingeprägt, dass sie tot und begraben war. Ständig erwartete ich, dass sie auftauchte und mir meine täglichen Pflichten zudiktierte. Geraldines Litanei aus Klagen und Selbstmitleid lief normalerweise als Begleitmusik zu meinem Frühstück.

»Schlürf die Cornflakes nicht so, Cathy. Pass auf, dass du nicht auf mein frisches Tischtuch kleckerst. Sitz nicht so gebückt beim Essen. Du ruinierst dir noch deine Haltung.«

Diese vertrauten Ermahnungen kreisten wie Bienen in meinem Kopf, summten mir in den Ohren. Sie musste gar nicht hier sein, damit ich sie hörte. Wann würden sie verschwinden? Würden sie es je?

Ich deckte den Frühstückstisch, weil ich damit rechnete, dass die Mädchen alle auf einmal kommen würden. Mehr denn je freute ich mich auf ihre Gesellschaft, ihr Geschwätz, ihr Gelächter. Ich freute mich sogar auf Stars und Jades Wortgefechte.

Als das Telefon klingelte, erstarrte ich und schaute es an. War das Jade? Star? Rief eine von ihnen an, um Bescheid zu sagen, dass sie nicht kommen konnte? Würden die Ausreden anfangen und sie alle mich schließlich im Stich lassen?

»Hallo?«, sagte ich mit zögernder Stimme, nachdem ich den Hörer abgenommen hatte.

»Mrs Carson?«

Einen Augenblick lang brachte ich keinen Ton heraus. Meine Kehle war wie zugeschnürt.

»Hier ist Tom McCormick von der Unified Central Bank.«

»Ja?«, brachte ich mit krächzender Stimme heraus.

»Sie baten mich, Sie zu informieren, sobald die letzte Geldanweisung von Mr Carsons Konto Ihrem Konto gutgeschrieben worden ist. Das wurde gestern erledigt. Möchten Sie, dass von dem Geld etwas auf Ihr Anlagekonto transferiert wird?«

Bei dem Hinweis auf meinen Vater schnürte sich mir die Kehle noch enger zu.

»Mrs Carson?«
»Ja«, sagte ich, weil mir klar wurde, dass meine Mutter das gewollt hätte. »Bitte tun Sie das.«
»Wie viel?«, fragte er.
Ich hatte keine Ahnung, wie viel vom Konto meines Vaters überwiesen worden war.
»Die Hälfte«, antwortete ich.
»Die Hälfte? In Ordnung. Ich erledige das für Sie. Danke, Mrs Carson«, verabschiedete er sich und legte auf.
War das falsch? Hätte ich ihn anweisen sollen, das ganze Geld zu transferieren? Fand er das ungewöhnlich und machte ihn das misstrauisch? Oder war ich diesmal davongekommen – bei diesem ersten Test? Ich legte den Hörer auf und trat zurück. Vielleicht konnte ich Geraldine sein, wenn ich es musste. Vielleicht wäre alles in Ordnung. Ich starrte das Telefon an, rechnete halb damit, dass er noch einmal zurückrief, um sich bestätigen zu lassen, was ich angeordnet hatte, und dann darauf bestand, diesmal mit Geraldine zu sprechen. Mein Herz klopfte in dumpfer Vorahnung.
Stattdessen klingelte die Türglocke, so dass ich zusammenschrak. War das Misty? Was wäre wenn ... Nein. Er würde es nicht wagen zurückzukommen, oder? Die Glocke klingelte immer wieder. Ich konnte mich nicht rühren. Ich hörte ein Klopfen und dann wieder die Klingel. Schließlich machte ich mich auf den Weg zur Haustür, hielt die Luft an und öffnete.
»Endlich!«, rief Misty. Die Arme hatte sie voll gepackt mit zwei großen Lebensmitteltüten. Sie schoss an mir vorbei ins Haus. Ich stand noch dort und schaute auf die Straße hinaus. Alles war ruhig. Niemand schenkte unserem Haus besondere Aufmerksamkeit.
»Jade und Star kommen noch«, rief Misty aus der Küche.

»Die arme Jade hat nicht gut geschlafen und muss jetzt eine Menge Reparaturarbeiten an ihrem Gesicht vornehmen, bevor sie sich nach draußen traut. Star wollte sich erst noch darum kümmern, dass mit ihrem Bruder alles in Ordnung ist, bevor sie geht. Sie nimmt den Bus.«

Misty war dabei, die Tüten auszupacken, als ich die Küche betrat. Dann drehte sie sich um und schaute mich an.

»Oje«, stöhnte sie. »Du siehst aus, als hättest du eine schlimme Nacht hinter dir.«

»Es war ziemlich grauenhaft.« Ich war schockiert darüber, dass ich die Wahrheit zugab.

Ich setzte mich hin und erzählte ihr, dass ich aufgewacht war, Geräusche gehört hatte, dem nachgegangen war und den feuchten Schmutzfleck gefunden hatte. Während ich sprach, riss sie die Augen immer weiter auf. Dann drehte sie sich um und schaute in Richtung Garten. »Bist du heute Morgen schon draußen gewesen, um nachzuschauen, ob … ich meine …«

»Noch nicht«, gestand ich. »Ich habe es einfach nicht fertig gebracht.«

Sie nickte, schluckte heftig und ging dann zur Hintertür. Dort warf sie einen Blick zurück auf mich. Ich hielt die Luft an, sie öffnete die Tür und ging hinaus. Einen Augenblick später kehrte sie zurück.

»Es sieht chaotisch aus«, sagte sie, wirkte jedoch erleichtert. »Allerdings ist sie noch dort, wo wir sie hingetan haben.«

Mit einem Seufzer atmete ich auf, aber ich war mir nicht sicher, ob ich vor Erleichterung oder Bedauern seufzte.

KAPITEL ACHT

Aussäen der Saat

Obwohl Star mit dem Bus kam und unterwegs ein paarmal umsteigen musste, traf sie vor Jade bei mir ein. Aus irgendeinem Grund wirkte Star nicht so müde von der vergangenen Nacht wie wir. Sie goss sich eine Tasse Kaffee ein und biss in einen Kopenhagener, während ich ihr von meiner schwierigen Nacht berichtete.

»Ich habe befürchtet, dass es dir so ergehen würde. Wir müssen eine Weile bei dir bleiben«, meinte sie und schaute auf die Uhr an der Wand. »Ich dachte, wir wären uns alle darüber einig und wüssten, wie wichtig es ist, hier zu sein. Wo steckt denn unsere erlauchte Präsidentin?«, murmelte sie und trank von ihrem Kaffee. »Vielleicht lässt sie sich ja die Nägel maniküren.«

Wenige Minuten später klingelte es an der Tür. Misty ließ Jade herein.

»Tut mir Leid, dass ich so lange gebraucht habe«, trällerte Jade, als sie zur Küchentür hereinschwebte. Sie trug wieder ein Designeroutfit, ihr Haar glänzte und leuchtete, die Nägel waren frisch lackiert.

Star zwinkerte mir zu. Jeder konnte sehen, dass Jade den größten Teil des Vormittages an ihrem Schminktisch zugebracht, sorgfältig ihr Make-up aufgetragen und sich von einem hübschen Mädchen in ein Covergirl verwandelt hatte.

»Aber ich hatte einen entsetzlichen Alptraum vergangene Nacht, und sobald ich heute Morgen in den Spiegel sah, wusste ich, dass ich ohne Make-up das Haus nicht verlassen konnte«, erklärte Jade.
Sie schaute mich an, das Gesicht plötzlich zu einer grauenhaften Grimasse verzerrt.
»Ich träumte, deine Halbschwester hätte sich ausgegraben und wäre in mein Zimmer gekommen. Sie sah aus wie jemand aus dem neuesten Halloweenschocker. Als ich aufwachte, musste ich meine Schreie unterdrücken. Ich war mit den Nerven völlig fertig und hatte das Gefühl, sie wären die Zündschnüre an Dynamitstangen«, plapperte sie atemlos immer weiter. Dann machte sie eine Pause und ließ sich auf einen Stuhl fallen.
»Was für ein Hammer von einem Alptraum«, murmelte Misty.
Jade runzelte die Augenbrauen und schmollte. »Wem sagst du das? Dann machte ich mir Sorgen, dass wir alle verhaftet würden, und ich konnte stundenlang nicht schlafen. Als ich mich heute Morgen im Spiegel sah, fiel ich beinahe in Ohnmacht. Ich hatte doch tatsächlich Tränensäcke unter den Augen! Könnt ihr euch das vorstellen?«
»Du Ärmste«, höhnte Star.
Jade entging der Sarkasmus dieser Bemerkung, sie stand auf, um sich einen Kaffee einzuschütten.
»Meine Kleidung habe ich einfach weggeworfen«, fuhr sie fort. »Kein Schneider könnte das wieder reparieren, und ich hatte keine Lust, es meiner Mutter zu erklären.«
Sie drehte sich um und schaute auf uns am Tisch herunter, als wären wir ihr Privatpublikum.
»Wie geht es euch denn?«
»Nett von dir, uns zu fragen«, bemerkte Star. »Tatsächlich habe ich sehr gut geschlafen.«

»Das hast du nicht, du Lügnerin. Niemand könnte das nach dem, was wir getan haben.« Sie musterte mich einen Augenblick, ihr Blick floss plötzlich über vor Mitgefühl. »Cat, ich wollte dich die ganze Nacht anrufen, aber ich hatte Angst, dich zu erschrecken. Ist mit dir alles in Ordnung?«

»Nein, ist es nicht«, erwiderte Star. »Sie hat eine wirklich miserable Nacht hinter sich gebracht. Man braucht nur einen Blick auf sie zu werfen, um das festzustellen. Wir müssen eine Menge planen, Jade. Falls du lange genug von deiner Wolke des Selbstmitleids herunterkommen kannst, um zuzuhören, heißt das.«

»Junge, Junge, du bist vielleicht in einer Stimmung. Erzähl mir bloß nicht, du hättest gut geschlafen, so schlecht, wie du gelaunt bist.« Sie ließ sich wieder auf ihren Stuhl fallen und seufzte. »Okay, okay, machen wir einen Plan. Übrigens«, sagte sie, bevor irgendjemand anders zu Wort kommen konnte, »meine Eltern treffen sich heute mit ihren Anwälten. Es soll endlich alles zu einem Ende gebracht werden. Vielleicht wird meine Mutter eine Riesenparty veranstalten, um das zu feiern. Wenn sie das tut, könnt ihr euch als eingeladen betrachten«, sagte sie mit einer Handbewegung. An jedem Finger ihrer rechten Hand trug sie neue Ringe und ein wunderschönes Goldarmband.

»Ich werde es ganz oben auf die Liste meiner gesellschaftlichen Verpflichtungen setzen«, sagte Star.

»Glaubst du wirklich, deine Mutter will eine Party geben?«, fragte Misty.

»Ich weiß es nicht. Sie ist imstande dazu, wenn sie das Gefühl hat, gewonnen zu haben.«

»Heute Morgen bekam meine Mutter einen Anruf von der Bank«, sagte ich mit einer so hohlen und emotionslosen Stimme, dass alle Köpfe zu mir herumfuhren. »Einige Gelder wurden von einem Konto meines Vaters angewiesen, vermutlich Teil ihrer Vereinbarung.«

»Was wollte die Bank?«, fragte Star.

»Der Bankangestellte wollte wissen, wie viel davon in ein Anlagekonto investiert werden sollte. Auf diesem Konto bekommt man Zinsen, und meine Mutter achtete immer darauf, dass das passierte«, sagte ich. »Er fragte mich, wie viel ich darauf einzahlen wollte.«

»Er dachte, du wärst sie, als er mit dir redete?«

»Ich glaube schon. Ich sagte ihm, er sollte die Hälfte nehmen, aber vielleicht hätte ich einen höheren Betrag nennen sollen. Das Problem ist nur, dass ich nicht weiß, wie viel überwiesen wurde.«

»Was sagte er darauf?«

»Er wiederholte es nur, dankte mir, und das war's.«

»Gut«, lobte Star mich.

»Das ist nicht gut. Wenn er nun anruft und sie bittet, in die Bank zu kommen, um etwas zu unterschreiben?«, hakte Jade nach.

Alle schwiegen, neue Sorgen warfen uns Falten auf die Stirn. Da erinnerte ich mich an etwas.

»Ich kann ihm sagen, sie sei krank, und ihn bitten, es zur Unterschrift herzuschicken«, sagte ich. »Ich habe einmal gehört, wie sie das machte, und das wurde nicht in Frage gestellt.«

»Das ist in Ordnung, aber ein ernstes Problem taucht auf, wenn etwas notariell beurkundet werden muss«, erklärte Jade. »Du musst persönlich anwesend sein und dich ausweisen.«

»Darüber machen wir uns Sorgen, wenn dieser Fall eintritt«, sagte Star rasch.

»Ich weiß nicht«, meinte Jade kopfschüttelnd. »Das wird

nicht leicht.« Sie nahm sich einen von den Bagels. »Ist das fettfreier Frischkäse?«, erkundigte sie sich bei Misty.

»Nein.«

»Toll«, sagte Star, als sie in ihren Bagel biss.

»Ich mag dieses fettfreie Zeug nicht. Das ist Mist«, erklärte Misty.

»Für dich ist das in Ordnung, aber einige von uns müssen sich Sorgen um ihre Figur machen«, schmollte Jade.

»Warum ist es für mich denn in Ordnung?«, fragte Misty.

»Offensichtlich nimmst du nicht zu. Das hat etwas mit deinem Stoffwechsel zu tun«, fuhr Jade in ihrer üblichen hochnäsigen Manier fort. »Wir sind alle nicht so glücklich wie du.«

Misty wirkte kleinlaut und verletzt.

»Tut mir Leid. Daran habe ich nicht gedacht.«

»Gut«, sagte Star. »Wir werden einen Speiseplan zusammenstellen, der Jade zufrieden stellt, aber im Augenblick sollten wir uns doch einigen der wichtigen Probleme zuwenden, wenn das nicht zu viel Mühe bereitet.«

»Ernährung ist wichtig«, beharrte Jade. »Und Fitnesstraining. Ich werde mich darum kümmern«, bot sie an. »Offensichtlich weiß ich am meisten darüber, daher entscheide ich von jetzt an am besten, was wir im Supermarkt einkaufen.«

»Wovon weißt du eigentlich nicht am besten Bescheid?«, fragte Star, lehnte sich zurück und verschränkte die Arme. Sie kniff die Augen zu kleinen ebenholzschwarzen Perlen zusammen und verzog den Mund zu einer Mischung aus Lächeln und angeekeltem, affektiertem Grinsen.

»Ich versuche nur, unsere Kräfte effizient zu nutzen«, verteidigte Jade sich.

»Ich möchte für die Renovierung verantwortlich sein«,

platzte Misty heraus, bevor Jade die Liste ihrer Fähigkeiten noch weiter ergänzen konnte.
»Renovierung?«, fragte ich. »Wie meinst du das?«
»Das Haus wirkt so düster. Es braucht Farbe, Leben. Es wird doch unser Hauptquartier, stimmt's? Wir sollten die Vorhänge ändern, bessere Lampen anschaffen, vielleicht ein paar Räume streichen. Du hast ja in deinem Zimmer nicht einmal ein Poster, Cat! Wer ist dein Lieblingsschauspieler? Welche Sänger magst du? Solche Sachen.«
»Ach so«, sagte ich. »Ja, gut«, stimmte ich zu, litt aber Höllenqualen. Für Geraldine war es dermaßen wichtig gewesen, dass meine Wände nicht mit Bildern überhäuft wurden, und Poster hasste sie.
»Vielleicht sollten wir gar nichts ändern«, sagte Star, als sie meinen Gesichtsausdruck sah.
»Warum nicht«, fragte Misty erstaunt und hopste auf ihrem Sitz auf und ab.
»Wenn jemand hereinkommt und sieht, wie verändert alles ist, könnte er misstrauisch werden.«
»Sie hat Recht«, gab Jade zu.
»Aber ...«, Misty schaute ganz enttäuscht drein.
»Niemand kommt jemals her«, gestand ich. »Niemandem werden irgendwelche Veränderungen auffallen. Das ist es nicht.« Ich zuckte die Achseln. »Ich kann mich einfach nicht daran gewöhnen, dass Geraldine nicht ständig um mich herum ist, nein sagt und mit mir schimpft, nur weil ich gefragt habe.«
»Natürlich kannst du das nicht«, meinte Star verständnisvoll. Sie wandte sich an Misty. »Wir sollten es langsam angehen lassen.«
»Aber ich hätte gerne einige Veränderungen«, versicherte ich ihnen und lächelte Misty an. »Besonders in meinem Zimmer. Ich habe immer davon geträumt, dass mei-

ne Wände rosa sind statt dieses langweilige Weiß, und die Tagesdecke, die Kissen und die Vorhänge kann ich nicht ausstehen. Du hast Recht. Mein Zimmer hat überhaupt keine Ausstrahlungskraft.«

»Das ist wahr. Wir werden das ändern, und du solltest auch einen Fernseher und ein Telefon in dein Zimmer bekommen«, meinte Misty immer aufgeregter. »Warum gehen wir heute nicht alle zusammen einkaufen? Zuerst gehen wir ins Einkaufscenter und –«

»Immer schön der Reihe nach«, bremste Star mit versteinertem Gesicht. »Besser sollten wir zuerst den Garten fertig machen. Nur für den Fall, dass jemand kommt und herumschnüffelt.«

»Ich werde keine weitere Gartenarbeit machen«, versicherte Jade entschieden. »Ich werde mir doch nicht noch ein Outfit ruinieren.«

»Wer hat dir denn gesagt, du solltest aufgetakelt wie für einen Ball herkommen?«

»Ich habe mich doch nicht aufgetakelt«, protestierte Jade empört. »Das ist doch nur … nur modische Kleidung.«

»Also, können wir denn nicht hinterher ins Einkaufscenter fahren? Ich möchte so gerne anfangen, hier etwas zu verändern«, drängte Misty. »In Ordnung?«

»Ich denke schon«, sagte Star. »Was ist denn mit Geld?«

»Geraldine hat eine Kreditkarte«, sagte ich. »Sie sah nie einen Grund, mehr als eine zu besitzen, und benutzte auch die nur selten. Dabei achtete sie peinlich darauf, dass sie immer bezahlte, bevor man ihr Zinsen berechnen konnte.«

»Perfekt. Sicher kannst du die Karte dann bis zum Limit ausschöpfen«, vermutete Misty.

Ich nickte, obwohl ich eine Heidenangst kriegte, wenn ich auch nur daran dachte, ihre Handtasche zu durchsuchen, um an ihre Brieftasche und die Karte zu gelangen.

»Sie hatte auch immer eine beträchtliche Summe Bargeld im Haus, aber sie ließ mich nie sehen wo. Ich vermute, es ist irgendwo in ihrem Zimmer.«
»Sie vertraute dir nicht?«, fragte Star.
»Nein, das war keine Sache des Vertrauens. Es war …«
»Was?«, fragte Misty ungeduldig.
»Sie schützte ihre Privatsphäre.«
Alle schwiegen einen Augenblick.
»Das hört sich so an, als wäre sie eine Fremde, die dich wie eine Untermieterin behandelte«, meinte Jade.
Ich zuckte die Achseln.
»Bis jetzt habe ich mich noch nie um solche Sachen gekümmert.«
Nachdenklich schwiegen sie wieder. Dann fuhr Star von ihrem Sitz auf.
»Kommt, wir wollen nicht länger unsere Zeit verschwenden. Wo ist der Grassamen? Hast du auch einen Rechen?«
»Ja«, bestätigte ich. Ich stand auf und humpelte in Richtung Garage. Misty folgte mir und half mir, alles in den Garten zu bringen. Jade stand in der Tür und beobachtete uns, während sie gemütlich ihren Kaffee trank.
Der Garten wirkte an der Stelle, die wir umgegraben hatten, kahl, der ausgegrabene Rasen lag in kleinen Klumpen herum. Als Erstes harkte Star den Boden und ebnete ihn so gut wie möglich. Dann säte sie den Grassamen aus, Misty drehte den Gartenschlauch an und besprengte die Fläche. Es fiel mir immer noch schwer zu glauben, dass Geraldine dort beerdigt lag. Viel nahe liegender war es zu glauben, dass sie jeden Moment den Kopf aus einem der oberen Fenster herausstreckte und wissen wollte, was wir denn eigentlich da in ihrem Garten anstellten.

»Wisst ihr, was wir noch machen sollten?«, sagte Star, nachdem sie den Garten betrachtet und nachgedacht hatte. »Wir sollten ein paar Pflanzen und Sträucher kaufen, um diese Stelle besser abzudecken. Für mich sieht sie immer noch wie ein Grab aus.«
»Deshalb müssen wir einkaufen gehen«, bestätigte Misty. »Wir haben doch das Auto.«
»Mit dem Gips kann Cat aber nicht fahren, oder?«
»Ich habe doch auch einen Führerschein«, sagte Misty. »Ich kann fahren.«
Star drehte sich zu mir um, um meine Reaktion zu beobachten. Sollte ich zulassen, dass Misty Geraldines Auto fuhr? Ich warf einen Blick auf das Grab. Wenn sie das gehört hätte, würde sie bestimmt aus der Erde hervorbrechen.
»Also?«, fragte Star. Sie schaute Jade an. »Was denkst du, Präsidentin Jade?«
»Wenn sie einen Führerschein hat, wo ist dann das Problem?«, fragte Jade. »Ich habe auch einen Führerschein, aber ich fahre nicht gerne irgendetwas anderes als einen Sportwagen. Allerdings brauche ich auch ein paar Sachen, und es wird Zeit, dass Cat etwas Modischeres zum Anziehen bekommt, obwohl ich lieber erst an ihrem Haar und ihrem Make-up arbeiten würde. Make-up kann ich ihr sicher von der Firma meiner Mutter mitbringen.«
»Dann ist ja alles klar«, sagte Misty. »Die WMEs machen ihren ersten Ausflug.«
»Cat hat noch nicht gesagt, dass sie damit einverstanden ist«, erinnerte Star sie.
Sie schauten mich an. Ich sah auf die frisch umgegrabene Erde und blickte dann hoch zu dem immer blauer werdenden Himmel. Ich war noch nie mit Freundinnen einkaufen gegangen. Neue Kleider, mein eigener Fern-

seher? Warum nicht? Warum sollte ich nicht endlich frei sein?

»In Ordnung«, erklärte ich mich einverstanden. »Ich hole die Kreditkarte.«

Jade trat zurück, um mich ins Haus zu lassen.

»Soll ich sie für dich holen?«, fragte sie.

»Nein, danke«, lehnte ich ab. »Ist schon in Ordnung.«

Wir planten gerade, so viel in Geraldines Haus zu verändern, und ich brachte es nicht fertig, jemandem zu gestatten, ihre persönlichen Dinge durchzuschauen, ja nicht einmal ihre Handtasche zu holen. Als ich oben in ihr Zimmer kam, zögerte ich noch immer. Ihre Handtasche lag dort, wo sie sie immer hingelegt hatte – auf der Kommode. Es war eine große gestrickte schwarze Handtasche, die früher unserer Mutter gehört hatte. Die Messingschnalle war abgetragen und stumpf, der gestrickte Riemen war verschlissen. Am liebsten trug sie die Tasche über der linken Schulter mit dem Riemen über der Brust, damit sie ihr eher vor dem Bauch als an der Seite hing. Sie erklärte mir, auf diese Weise sei die Gefahr geringer, dass sie gestohlen oder ihr weggerissen würde. Bei ihrer zierlichen Figur wirkte die Tasche viel zu groß, aber Stil war ihre geringste Sorge. Es war eine praktische Handtasche, eine, in die alles hineinpasste, was sie mitnehmen wollte, wann immer sie das Haus verließ.

Langsam näherte ich mich der Kommode. Als kleines Mädchen hegte ich eine natürliche Neugierde für die Sachen meiner Mutter, und einmal hatte ich die Tasche tatsächlich geöffnet, als sie sie im Wohnzimmer liegen gelassen hatte. Bevor ich sie jedoch erkunden konnte, stürzte Geraldine ins Zimmer, als hätte eine unhörbare Alarmsirene in ihrem Kopf sie gewarnt. Sie riss mir die Tasche aus den Händen und schlug mir heftig ins Gesicht. Noch eine ganze Woche

schien meine Wange zu brennen, aber ich glaube, das lag eher am Schock als am tatsächlichen Schlag.
»Kleine Mädchen schnüffeln nicht in den Sachen ihrer Mutter herum«, schrie sie mich an.
Ich wusste nicht einmal, was schnüffeln bedeutete.
»Rühr ja nie wieder meine Sachen an, ohne mich vorher zu fragen, hörst du? Sei nicht so neugierig.«
Erschreckt saß ich da, rieb mir die Wange und spürte, wie mir die Tränen in die Augen stiegen. Sie war dazu imstande, mich noch einmal zu schlagen, weil ich weinte. Das hatte sie schon früher getan. »Die meisten Tränen sind Krokodilstränen«, predigte sie. Wieder hatte ich keine Ahnung, was sie meinte.
Als ich jetzt nach der Handtasche griff, spürte ich, wie sich mein Arm und meine Schultern anspannten, wie mein ganzer Körper sich bereitmachte, zurückzuspringen. Natürlich war das nur meine Einbildung, aber die Messingschnalle schien mir die Fingerspitzen zu verbrennen. Rasch zog ich die Hand zurück. Ich schloss die Augen und redete mir selbst gut zu, dass ich vor so albernen Dingen keine Angst zu haben brauchte. Wie sollte ich den Mädchen so ein Verhalten erklären? Sie würden mich für verrückt halten und gehen wollen.
Ich hielt die Luft an, packte die Handtasche und riss sie auf. Rasch fand ich ihre Brieftasche und nahm sie heraus. Jetzt, da die Tasche einmal offen stand, schaute ich hinein und entdeckte sofort etwas, das genau wie das Briefpapier meiner leiblichen Mutter aussah, auf dem sie mir ihre Briefe geschrieben hatte. Es war ein Blatt, das fest zusammengefaltet war. Mit Daumen und Zeigefinger zupfte ich es heraus, setzte mich auf den Stuhl neben der Kommode und faltete es behutsam auseinander. Es war ein Brief von unserer Mutter. Ich merkte, dass er oft ausein-

ander gefaltet und wieder zusammengelegt worden war, weil er an den Knickstellen leicht eingerissen war. Auch die Wörter schienen verblasst zu sein. Als hätten Geraldines Blicke die Tinte verbraucht.
»Mein Liebling Geraldine«, begann er.

»Ich weiß, wie ungewöhnlich es ist, dass eine Mutter ihrer Tochter so zu Dank verpflichtet ist. Normalerweise schulden viel eher die Kinder ihren Eltern etwas. Die Opfer, die du für mich gebracht hast und noch bringst, lassen mich nur noch tiefere Liebe und Zuneigung für dich empfinden. Mir ist klar, dass es schwierig für dich ist und dass du mich manchmal vielleicht sogar hasst, aber was auch immer du für mich empfindest, ich hoffe, für deine kleine Schwester wirst du immer nur Liebe empfinden und ihr nie die Sünden ihrer Mutter anlasten.
Geraldine, ich bin nicht naiv genug zu glauben, dass du das ausschließlich aus Liebe zu mir oder aus Respekt für deinen Vater und dem Wunsch, ihn zu beschützen, getan hast. Ich weiß, dass du mich auch hasst, weil ich eine Affäre und ein Kind mit dem Mann hatte, den du zu lieben glaubtest, und von dem du vielleicht sogar glaubtest, er liebte dich. Ich weiß, dass du denkst, dies bringt dich ihm näher. Ich las, was du ihm geschrieben hast. Aber ich bin mir sicher, dass dies nur die Schwärmerei einer jungen Frau war. Glaub mir, er wäre sowieso nicht der Richtige für dich gewesen, und dabei rede ich nicht nur von Familienangelegenheiten oder dem Altersunterschied. Ich weiß, dass er dich manchmal so liebevoll anschaute und dich dadurch unbeabsichtigt ermutigte, aber er war eben ein warmherziger und zuvorkommender Mann.
Männer, das wirst du noch erfahren, können solche

albernen Narren sein. Die kleinste Kleinigkeit kann sie erregen und sie in kleine Jungen verwandeln. Ich bin froh, dass du mit Howard zusammen bist. Anscheinend ist er viel klüger, und wenn du die Wahl hast zwischen einem klugen Mann und einem in dich vernarrten Liebhaber, bist du mit dem klugen Mann immer besser beraten. Vernarrte Liebhaber hören auf, vernarrt zu sein, kluge Männer sind immer klug. Ich bin mit deinem Vater besser beraten. Das wird mir jetzt klar. Ich habe das zu spät gelernt. Ich weiß, dass du diese wichtige Wahrheit viel schneller lernen wirst, und du wirst auch eine bessere Frau sein. Wenn du also meiner Tochter jeden Abend einen Gutenachtkuss gibst, denk an mich, die dich küsst, einfach weil du da bist.

In Liebe
Mutter«

Mich jeden Abend küssen? Sie hatte mir nie abends einen Kuss gegeben. Und wer war der Mann, den auch sie liebte, der Mann, der mein Vater war? Hasste sie mich, weil ich nicht ihr Kind von ihm war? Wie konnte meine leibliche Mutter so blind und so närrisch sein, von Geraldine zu erwarten, dass sie mich liebte, wie eine Mutter ihr Kind lieben sollte? Geraldine pflegte immer zu sagen, dass niemand so blind ist wie derjenige, der nichts sehen will. War das hier der Fall?

Warum hatte Geraldine diesen Brief so oft gelesen und ihn immer bei sich getragen? Welche Stelle darin gefiel ihr am besten, fragte ich mich und las ihn noch einmal sorgfältig durch. War es die Dankbarkeit und Liebe unserer Mutter oder die Anspielung auf meinen Vater? Sie trug ihn in ihrer Handtasche mit sich, auf ihrem Herzen. Sie trug ihn wie ein Abzeichen oder Ordensband. War es eine Auszeichnung für Tapferkeit oder war es ihr Verwundetenabzeichen?

Vielleicht wollte sie mich lieben. Vielleicht hasste sie den Teil von sich, der das nicht zuließ. Vielleicht war es schmerzlich für sie, mich anzuschauen, meine Gegenwart, mein Leben, meinen Körper vor sich zu haben und an das erinnert zu werden, was sie verloren hatte, was ihr versagt blieb, was sie an einen großen Verrat erinnerte. Vielleicht war sie schließlich doch an gebrochenem Herzen gestorben.

Ich wollte sie hassen, mich an sie nur als ein Ungeheuer erinnern, aber als ich diesen Brief gelesen hatte, tat sie mir Leid. Warum hatte ich ihn gelesen? Noch aus ihrem Grab heraus schimpfte sie mit mir. Ich konnte sie hören.

»Siehst du, siehst du. Ich habe dir doch gesagt, du sollst nicht daran rühren, sollst nicht herumschnüffeln. Wann wirst du es endlich verstehen, Cathy? Hör auf, die Steine umzudrehen, hör auf, die Vorhänge aufzuziehen, hör auf, Licht in die Dunkelheit zu bringen.

Lass die Wahrheit dort, wo sie hingehört, begraben unter einem Haufen Sünden.«

»Hey«, hörte ich Jade von der Tür sagen. »Ist mit dir alles in Ordnung?«

»Was? Oh, ja«, antwortete ich rasch, griff hastig nach der Brieftasche, faltete den Brief zusammen und stopfte ihn in meine Hosentasche.

»Was ist das?«, fragte sie.

»Nichts«, erwiderte ich schnell.

Ihr Gesicht verfinsterte sich skeptisch.

»Wir müssen einander vertrauen, Cat. Was wir zusammen getan haben, macht das sehr, sehr wichtig«, sagte sie.

»Es ist nur eine lahme Entschuldigung«, sagte ich, »eine Entschuldigung, die meine Mutter Geraldine schrieb. Ich

möchte nicht darüber reden. Die ganze Sache macht mich einfach krank.«
»Okay, aber falls du es möchtest, denke daran, wir sind für dich da.«
»Danke«, sagte ich. Ich legte die Handtasche zurück auf die Kommode und hielt die Brieftasche hoch. »Ich habe sie«, verkündete ich.»Und Geld ist auch drin.«
Sie lächelte.
»Dann machen wir jetzt einen Supereinkaufsbummel«, erklärte sie und griff nach meiner Hand.
An der Tür hielt ich inne.
Obwohl sie tot und begraben war, konnte ich ihre Wünsche nicht missachten. Schlafzimmertüren mussten stets geschlossen sein. Vielleicht schlüpften die Geheimnisse sonst hinaus.
Oder ...
Hinein.

Misty hatte etwa Geraldines Größe, daher musste am Fahrersitz nicht viel verstellt werden. Star saß vorne bei Misty, Jade und ich hatten hinten Platz genommen, wo mehr Platz war für meinen Gips.
»Morgen muss ich ins Krankenhaus«, erinnerte ich sie. »Mein Knöchel soll noch einmal geröngt werden, um sicherzugehen, dass alles in Ordnung ist. Wenn ich nicht erscheine, werden sie anrufen.«
»Dann werden wir dich hinbringen«, sagte Jade. »Wenn jemand fragen sollte, werden wir ihnen erzählen, dass deine Mutter unpässlich ist.«
»Was ja auch stimmt«, lästerte Star.
Misty lachte, wurde danach aber ganz still und sagte schließlich: »Ich kann immer noch nicht glauben, dass wir tatsächlich damit durchgekommen sind.«

»Glaub das nur ja nicht«, warnte Jade sie.
»Hm?«
»Sie hat Recht, Misty. Je mehr du darüber nachdenkst, desto größer wird die Chance, dass du dich verplapperst. Wir werden auf der Stelle eine weitere WME-Regel festlegen«, fuhr Star fort.
»Tata ...«, sang Misty.
»Es ist mein Ernst.«
»Schon gut, schon gut.«
»Jede, die von jetzt an auf ihr wisst schon was anspielt, wird mit einer Buße belegt«, verkündete Star in offiziellem Ton.
»Buße? Du meinst Geld?«
Star überlegte einen Moment und schüttelte dann den Kopf.
»Nein. Die Buße wird eine Strafe sein – wem etwas herausrutscht, der muss alle Arbeiten und Besorgungen für die Gruppe an dem Tag erledigen.« Sie drehte sich zu Jade um, die die Augenbrauen hochzog. »Ich höre nicht, wie du deine Stimme abgibst, Jade.«
»Ja«, stimmte sie ungehalten zu.
Star schaute mich an.
»Ja«, sagte ich achselzuckend.
»Okay, okay«, gab Misty zögernd nach, als könnte sie sich bereits ausmalen, wie sie Millionen von Gängen in den Schuppen oder nach oben erledigte, um dieses oder jenes zu holen.
»Also einstimmig angenommen. Haltet eure großen Klappen oder ...«, stellte Star abschließend fest.
Eine Zeit lang fuhren wir in tödlichem Schweigen weiter.
»Lasst uns bei Fun Time im Einkaufscenter anfangen«, bat Misty. »Die haben fantastisches Zeug: Poster, Sachen zum Aufhängen, schwarze Lampen, alles! Danach besor-

gen wir neue Vorhänge für Cats Zimmer und schauen einmal nach neuem Bettzeug.«
Sie war so aufgeregt, dass ich das Gefühl hatte, es sei bald Weihnachten.
»Das hört sich gut an. Danach gehen wir zu Vogue City und gucken die neuen Kleider an. Cat braucht etwas Anständiges für Partys«, entschied Jade.
»Was für Partys?«, fragte ich.
»Ich werde Partys geben, und wir werden auch im Club Partys veranstalten«, erwiderte sie.
Ich lächelte in mich hinein. Mein Haus war in ihrer Vorstellung zum Club geworden. Würde es das für mich auch je werden?
Misty fuhr bis zum Eingang, damit ich nicht so weit laufen brauchte. Dann parkte sie das Auto, während wir warteten. Wenige Minuten später betraten wir vier das Einkaufscenter. Als wir im Untergeschoss umhergingen, sah ich, dass wir Aufmerksamkeit erregten. Jade und Star waren sich der Blicke, die besonders Männer auf uns warfen, sehr wohl bewusst.
»Wohin schaust du?«, flüsterte Star mir leise zu, als zwei ziemlich gut aussehende junge schwarze Männer in unsere Richtung starrten. Sie warf mir rasch einen Blick zu. »Sieh nicht zu ihnen hin«, warnte sie mich.
»Wie bitte?«
»Richte den Blick immer nach vorne und bewege dich so, dass du sie aus den Augenwinkeln sehen kannst. Auf diese Weise ermutigst du sie nicht, frech zu werden. Wenn sie etwas zu dir sagen, tust du einfach so, als hättest du nichts gehört«, riet Star mir.
»Mich schauen sie sowieso nicht an«, sagte ich.
»Das werden sie«, prophezeite Jade, »wenn ich mit dir fertig bin.«

Dadurch fühlte ich mich ganz glücklich und aufgeregt. Mein Herz flatterte und mein Gesicht wurde warm. Sie und Star verbreiten um sich herum eine Anziehungskraft, als bestünden sie aus Magneten, die bei jedem Schritt alle Blicke auf sich lenkten. Ich hörte, wie Jungen pfiffen. Viele versuchten, unsere Aufmerksamkeit zu erregen. Misty lachte.

Jade lächelte mich an.

»Wir brechen Herzen«, sagte sie voller Stolz.

Ich musste auch lachen, aber bei dem Gedanken, ich könnte irgendeinen Jungen mit so viel Sehnsucht erfüllen, dass er am Boden zerstört wäre, wenn ich ihm keine Aufmerksamkeit schenkte. Normalerweise war das mein Schicksal, nicht das des Jungen. Vielleicht würde jedoch das, was die Mädchen besaßen, auf mich abfärben. Schon jetzt fühlte ich mich einfach dadurch, dass ich mit ihnen zusammen war, wichtiger.

Im ersten Geschäft kaufte Misty Dekorationsartikel, Poster und Bilder im Wert von Hunderten von Dollars. Ich verließ mich ganz auf ihren Geschmack und Rat, wenn es darum ging, etwas auszuwählen. Mir war peinlich, dass ich nicht wusste, wer diese Schauspieler oder jener Sänger waren. Dann suchten wir mein neues Bettzeug und Vorhänge aus.

Danach trieb Jade uns in eine Boutique, wo ich mindestens ein halbes Dutzend verschiedene Röcke und Blusen anprobieren musste. Sie suchte drei aus, die sehr vorteilhaft aussahen, und bestand darauf, dass wir auch noch Schuhe kauften. Schließlich gingen wir zum Mittagessen in ein mexikanisches Restaurant. Es war ein helles, fröhliches Lokal voller Menschen, Geplapper und Musik. Sobald wir in unserer Nische saßen, begann jede sofort zu reden, oder, besser gesagt, alle redeten gleichzeitig. Ich gab mich damit zufrieden, einfach zuzuhören, den Blick von einer zur anderen schweifen zu lassen, den Kopf zu drehen, herumzuwirbeln, um eine Geschichte zu hören und dann eine andere. Ich hatte das Gefühl, ein Schwamm zu sein, der ihre Erfahrungen, ihren Spaß, aufsaugte, der ihre Augenblicke der Aufregung und des Vergnügens noch einmal erlebte.

»Was essen wir heute Abend?«, fragte Misty. »Ich stimme für Pizza.«

»Pizza macht so dick«, sagte Jade mit einem warnenden Blick.

»Können wir nicht morgen anfangen, uns gesund zu ernähren?«, bettelte Misty in unser aller Namen. »Es ist doch unser erstes Abendessen im Clubhaus.«

»Dann sollte es etwas Besonderes sein, nicht nur Pizza«, meinte Star. »Ich werde uns nach Grannys Rezept ein Backhähnchen nach Südstaatenart machen, dazu Kartoffelpüree, frittierte Okraschoten und Erbsen und –«

»Bitte verschone mich«, bat Jade. »Solche Dickmacher. Lasst uns dann wenigstens chinesisch essen. Wir können uns von den gesünderen Gerichten etwas bestellen und bekommen Essen, das Spaß macht, aber nicht reines Gift für unseren Körper ist.«

»Meine Granny kocht doch kein Gift«, fauchte Star. »Sehe ich etwa ungesund aus?«

»Es wird spät sein, bis wir alles zu Hause haben«, sagte ich. »Vielleicht wäre es einfacher, wenn wir uns heute Abend etwas bestellen.«

Alle schauten mich an.

»Jetzt weiß ich, wo Cats wahre Stärke liegt«, verkündete Star.

»Wo denn?«, fragte Misty, bevor ich es konnte.

»Fräulein Kompromiss, die Friedensstifterin. In Ordnung,

heute Abend machen wir das so, aber nächstes Mal essen wir etwas Selbstgekochtes«, stellte sie abschließend fest. Jade wirkte zufrieden und holte ihren Taschenspiegel heraus. Sie schob ihn nach rechts.

»Seht euch die beiden Typen in den Lederjacken in der Nische da hinten an«, flüsterte sie. »Sie haben die ganze Zeit zu uns herübergeschaut, während sie auf einen Platz warteten. Jeden Augenblick wird einer von denen zu uns herüberkommen und uns ansprechen.«

Misty glotzte mit offenem Mund zu ihnen hin.

»Mach das doch nicht so auffällig«, ermahnte Star sie. Auch sie warf ihnen einen Blick zu. »Latinos«, stellte sie abfällig fest. Sie lächelte Jade an. »Das ist weißer Abschaum, Schätzchen.«

»Ich weiß, aber es macht Spaß zu sehen, was sie vorhaben.«

Mein Herz fing an zu klopfen, als einer von ihnen sich tatsächlich erhob und auf uns zukam. Er wirkte wie mindestens Mitte zwanzig.

»Also«, fing er an, »mein Kumpel Carl und ich haben gerade bewundert, wie toll ihr alle klarkommt. Wir dachten, Donnerwetter, eine Gruppe von jungen Frauen, die alles haben, cool, reif, gut aussehend, tolle Repräsentantinnen des schöneren Geschlechts. Wir haben uns gefragt, ob ihr möglicherweise Interesse daran hättet, heute Abend zu einer Party zu kommen. Es wird ganz fantastisch. Wir haben eine Liveband und –«

»Einen Augenblick«, sagte Jade. Sie wühlte in ihrer Handtasche und holte ein kleines ledergebundenes Notizbuch heraus. Ich hielt die Luft an. Sie schien es ernsthaft in Erwägung zu ziehen. Misty saß da mit einem Grinsen auf dem Gesicht, und Star starrte Jade einfach an.

»Oh, tut mir Leid«, sagte sie. »Wir sind heute Abend

schon ausgebucht. Tatsache ist, dass wir für den Rest unseres Lebens bereits ausgebucht sind. Aber danke.«
Er lachte.
»Bist du sicher?«, fragte er noch einmal nach.
»Was ist los mit dir, bist du taub oder blöd?«, fragte Star ihn.
Sein Lächeln schwand dahin. Er schaute zu seinem Freund, der ihn auslachte, worauf sein Gesicht dunkelrot anlief.
»Pech gehabt«, meinte er. »Ihr verpasst etwas.«
Star starrte ihn weiter an, worauf er den Tisch verließ und zu seinem Kumpel zurückkehrte. Dann durchbrach Star die Spannung, indem sie lachte und Jade und Misty ebenfalls.
»Er war niedlich«, gestand Jade.
»Das ist eine Babyratte auch«, sagte Star.
»Woher wisst ihr, wer richtig und wer falsch für euch ist?«, fragte ich.
Sie schauten mich beide an.
»Das wirst du auch wissen«, versprach Star, »sobald wir mit dir fertig sind.«
Sie lachten erneut. Ich lächelte und dachte, ich habe endlich richtige Freundinnen – ironischerweise weil Geraldine gestorben war und mich allein gelassen hatte. War es falsch, dass etwas so Gutes aus etwas so Schlechtem entstand? Ich war zu nervös, um mir darüber Gedanken zu machen, und vielleicht war das der größte Fehler überhaupt.

KAPITEL NEUN

Streng gehütete Familiengeheimnisse

Das Telefon klingelte, als wir das Haus betraten. Ich hielt den Mädchen die Tür offen, damit sie alle Kartons hereinschleppen konnten, aber ich schaffte es trotzdem noch rechtzeitig, ans Telefon zu kommen. Die Mädchen scharten sich um mich, neugierig zu hören, wer anrief. War es wieder die Bank?

»Hallo?«, sagte ich und schaute sie dabei an. Einen Moment später musste ich heftig schlucken und sagte: »Einen Augenblick, Dr. Marlowe.« Ich legte die Hand auf das Mundstück. »Sie möchte mit Geraldine sprechen. Was soll ich tun? Was soll ich ihr sagen?«

»Sag ihr, du solltest von deiner Mutter ausrichten, sie hätte ihr nichts zu sagen«, diktierte Jade. »Na los«, drängte sie, »und lass es glaubwürdig klingen.«

Ich holte Luft und tat, was sie vorgeschlagen hatte.

»Es tut mir Leid, aber sie will nicht ans Telefon kommen, Dr. Marlowe. Sie hat Ihnen nichts zu sagen.«

Das war nicht einmal eine Lüge, dachte ich. Sie hat niemandem mehr etwas zu sagen.

»Sie tut nicht das Richtige, Cathy. Du brauchst deine Anschlusssitzung. Noch zu vieles ist ungeklärt«, beharrte Dr. Marlowe. Sie hörte sich an, als gäbe sie sich erst zufrieden, wenn sie mit Geraldine sprechen konnte.

»Ich werde mit ihr darüber reden, Dr. Marlowe«, versprach ich. »Und Sie so bald wie möglich wieder anrufen.«
»Du weißt, dass ich Recht habe, Cathy. Wir sollten das tun, was für dich am besten ist.« Ich dachte, sie wollte die Unterhaltung beenden, aber in dem Augenblick sagte sie noch etwas. »Ich habe gehört, dass du einen Unfall hattest?«
»Mir geht es gut«, versicherte ich, vielleicht ein bisschen zu rasch, denn es trat ein langes Schweigen ein.
»Hast du von den anderen Mädchen gehört oder sie gesehen?«, fragte sie. Ihr Tonfall legte nahe, dass sie die Antwort bereits kannte.
»Ja, wir stehen in Kontakt zueinander«, gab ich zu.
»Darüber bin ich froh. Ich glaube wirklich, dass ihr einander gut tut. Bitte lass nicht zu viel Zeit vergehen, bis ich von dir höre«, drängte sie.
»Das werde ich nicht, Dr. Marlowe. Vielen Dank für Ihren Anruf«, sagte ich und legte auf.
»Nun?«, fragte Star.
»Ich weiß nicht. Sie hörte sich an, als glaubte sie mir. Ich soll Geraldine davon überzeugen, dass ich noch einmal zu einer Sitzung komme, und bald zurückrufen.«
Jade wirkte nachdenklich.
»Cat könnte noch einmal zu ihr gehen und so tun, als hätte sie ihre Mutter überzeugt. Vielleicht würde das die Sache beenden«, überlegte sie laut.
»Das ist jetzt zu gefährlich«, widersprach Star. »Du weißt doch, wie clever Dr. Marlowe ist. Ein Blick auf Cat genügt und sie weiß alles. Womöglich stellt sie verfängliche Fragen.«
»Vielleicht ruft sie nicht wieder an«, hoffte Misty.
»Wir werden so lange wie möglich Zeit schinden«, stimm-

te Jade zu, aber eine dunkle Wolke der Besorgnis hatte sich über unsere Erregung geschoben und drohte auf unsere Bemühungen, eine Oase der Fantasie in dieser Wüste harter, trauriger Zeiten zu schaffen, Realität zu regnen.

»Jetzt werden wir hier einiges ändern«, verkündete Misty. »Ich lasse mich doch nicht von so etwas deprimieren.« Sie ging das Projekt mit einem für sie charakteristischen Energieausbruch an. Es dauerte nicht lange, und wir alle trugen auf die eine oder andere Weise dazu bei. Star und Jade arrangierten die Möbel im Wohnzimmer neu, während ich neben Misty herhumpelte und ihr half, Bilder und Poster aufzuhängen. Sie stellte auch den neuen CD-Player und die Lautsprecher auf. Während wir arbeiteten, hörten wir uns die neuen CDs an, die wir gekauft hatten, und zum allerersten Mal ertönte Rockmusik in diesem Haus. Immer wenn Jade und Star an Misty und mir im Flur vorbeikamen, sangen und tanzten sie. Nach kurzer Zeit waren wir alle in der Diele, selbst ich mit meinem Gips, sangen, tanzten und wiegten uns im Rhythmus der Musik.

»Ich kann unsere erste Party gar nicht abwarten!«, rief Misty.

»Wen sollen wir denn einladen?«, fragte ich verwundert.

»Wir werden sehr vorsichtig sein und uns große Mühe geben bei der Auswahl«, versprach Jade. »Wir sollten jeden Vorschlag diskutieren und es uns zur Regel machen, dass wir jemanden, der vorgeschlagen wird, einstimmig akzeptieren müssen, okay?«

»Wie sollen wir das denn machen?«, fragte Star. »Ich kenne eure Freunde nicht und ihr kennt meine nicht.«

»Wir werden über sie reden und unser Bestmögliches tun«, blieb Jade fest.

»Wir sollten uns nicht über alles so viel Sorgen machen«,

meinte Misty. »Zur Abwechslung sollten wir uns einfach mal amüsieren.«
»Hm«, grunzte Star. Sie schaute mich an und schüttelte dann den Kopf. »Mach dir keine Sorgen über Dr. Marlowe; mach dir keine Sorgen wegen der Bank. Mach dir keine Sorgen um dies und mach dir keine Sorgen um das. Vielleicht sollten wir uns besser die WOS nennen, die Waisen ohne Sorgen.«
Misty lachte. Star schaute Jade an, und dann lachten die beiden auch. Das tat gut; es war gut, dieses Geräusch in diesen vier Wänden zu hören – auch wenn es bei mir zu Hause so fremd klang, dass es mich immer überraschte, es zu hören.
Wir fuhren mit unserer Arbeit fort. Auf dem Rückweg vom Einkaufscenter hielten wir an einem Baumarkt an, wo Star einige Pflanzen und Büsche aussuchte, um das Grab zu bedecken, während Misty und Jade die Farbe für mein Zimmer aussuchten. Wir kauften auch Rollen, Pinsel und Eimer. Dann hatte Misty den Einfall, auch den Flur zu streichen. Auch an der Beleuchtung des Hauses wollten wir etwas tun. Bei Geraldine brannte überall nur gedämpftes Licht; sie benutzte Glühbirnen mit niedriger Wattzahl, um Energiekosten zu sparen. Misty hätte am liebsten bunte Glühbirnen gekauft, aber Star fand, dann sähe das Haus zu sehr wie ein Bordell aus. Am Ende entschieden wir uns für einen hellen Blauton als Farbe für die Diele, und Misty, die unermüdlich schien, beschloss, damit anzufangen, während Star hinausging, um Geraldines Grab mit den gekauften Blumen und Büschen zu bepflanzen. Bevor der Tag zu Ende ging, wollten wir auch noch meine neuen Vorhänge aufhängen.
Jade wurde als Erste der Arbeit überdrüssig und beklagte sich darüber, dass sie Hunger hätte. Deshalb überlegten

wir, was wir im Chinarestaurant bestellen sollten. Dann rief jede zu Hause an, um Bescheid zu sagen, dass sie zum Abendessen bei mir blieb. Nur Stars Granny war zu Hause, um den Anruf entgegenzunehmen. Jades Mutter war bereits zu einer geschäftlichen Verabredung zum Abendessen aufgebrochen, und Mistys Mutter hatte beim Antwortservice eine Nachricht hinterlassen, dass sie mit einer ihrer Freundinnen ins Kino ginge.

»Ich dachte, du wolltest um Erlaubnis fragen, ob du über Nacht bei ihr bleiben kannst«, erinnerte Star Misty.

»Das wollte ich auch. Das heißt, ich werde es. Ich dachte, es wäre einfacher, wenn ich sie von hier aus frage und nicht zu viele Fragen beantworten muss«, erklärte sie.

»Also, Granny meinte, ich kann zum Abendessen bleiben«, erklärte Star und sah mich dann an, »aber nur, wenn du versprichst, einmal zu uns nach Hause zu kommen, wenn sie für uns gekocht hat. Ich sagte ihr, du würdest kommen, und sie legte es auf morgen Abend fest. Eine Sache zu meiner Granny. Sie lebt nicht in dieser Schickimicki-Welt. Nicht dieses ›Wir treffen uns mal zum Essen‹-Zeug. Wenn du sagst, du kommst, nagelt sie dich darauf fest. Du kannst auch über Nacht bleiben.«

Jade und Misty nickten mit einem Ausdruck in den Augen, der mir verriet, dass sie viel lieber in Grannys Welt als in ihrer eigenen leben würden.

»Hast du irgendwas zu trinken hier?«, fragte Jade plötzlich. Auch der leiseste Hinweis auf etwas Dunkles und Unerfreuliches sollte auf jeden Fall verdrängt werden.

Misty riss die Augen weit auf. Sie sah aus wie ein Clown. Auf den Wangen leuchteten Kleckse blauer Farbe, und unter dem Kinn prangte auch ein Streifen.

»Ja, etwas zu trinken. Das ist eine wirklich gute Idee«, unterstützte sie den Vorschlag.

»Zu trinken? Du meinst Alkohol?«, fragte ich Jade.
»Dass du Milch und Kekse hast, weiß ich«, spöttelte sie.
»Oh, ich glaube, in der Speisekammer sind noch alkoholische Getränke. Ich habe aber keine Ahnung, was es ist. Mein Vater war der Einzige, der so etwas trank.«
Jade ging hin, um nachzuschauen, und berichtete dann, dass wir eine halbe Flasche Wodka und eine fast volle Flasche Gin hatten. Den Wodka hielt sie in der Hand.
»Ich mache uns Screwdriver«, kündigte sie an, »dann entspannen wir uns vor dem Essen.«
Misty ging sich waschen, und ich bestellte unser Abendessen, das ich über die Kreditkarte abrechnen ließ. Durch das Einkaufen, die Arbeit, die Musik und das Gelächter fühlte ich mich besser. Nicht einmal hatte ich im Laufe des Tages Gelegenheit, die vergangene Nacht noch einmal durchzumachen. Solange wir beschäftigt und aufgeregt waren, hackten wir nicht darauf herum, was wir getan hatten und was das bedeutete. Größere Fragen, etwa wie wir das Ganze weiterführen konnten, sobald die Schule wieder angefangen hatte und wir alle in unseren eigenen kleinen Welten beschäftigt waren, kamen gar nicht erst auf. Im Augenblick befanden wir uns alle in einer Achterbahn, und niemand wollte etwas tun oder sagen, das sie zu einem plötzlichen Stillstand brachte.
Nachdem Misty sich Hände und Gesicht gewaschen hatte, versammelten wir uns im umarrangierten Wohnzimmer. Ich musste zugeben, dass es heller und größer wirkte, dadurch dass die Sessel nicht so weit vom Sofa entfernt waren. Wir zogen die Vorhänge ganz auf und ließen das Dämmerlicht herein, das als verschwommenes rosa-gelbes Glühen auf die ansonsten stumpfbraunen Wände fiel. Star und Jade saßen auf dem Sofa, Misty und ich in Sesseln. Als wir alle aufhörten zu arbeiten und uns entspann-

ten, spürten wir, wie sich Erschöpfung breit machte. Wir saßen eine Weile still da und nippten an unseren Drinks. Ich schmeckte den Wodka nicht, aber ich wusste von meiner früheren üblen Erfahrung mit Rum-Cola, dass der Alkohol sich still und heimlich anschleichen konnte.

»Hast du noch weitere Briefe von deiner leiblichen Mutter gelesen?«, fragte Jade mich.

»Nein. Ich war gestern Abend zu müde.«

»Was sagte sie denn in dem ersten Brief, abgesehen von dem Zeug über den Treuhandfonds?«

»Nicht viel«, sagte ich. »Es klang so, als hätte sie ihren Ehemann, Opa Franklin, nicht geliebt. Sie sagte, sie hätte es so arrangiert, dass Geraldine mich adoptierte, damit ich ihr immer nahe war und in der Familie blieb.«

»Schöne Familie«, murmelte Star.

»Sie fand heute einen weiteren Brief in Geraldines Handtasche«, erzählte Jade Star und Misty, die ihre Drinks schlürften und mich voller Interesse betrachteten. »Eine Entschuldigung oder so was, stimmt's?«

»Ja«, bestätigte ich, griff in meine Tasche und zog den Brief heraus. »Sie sagt nicht genau, wer mein leiblicher Vater ist, aber sie deutet an, dass Geraldine ihn liebte und vielleicht wollte, dass er ihr Mann würde.«

»Vermutlich war es jemand, der jünger war als deine leibliche Mutter, wenn auch Geraldine an ihm interessiert war«, schloss Jade.

»Vielleicht«, sagte Star. »Obwohl Geraldine auch in jemandes Großvater verliebt sein konnte, so wie sie dachte.«

»Der Brief weist eher darauf hin, dass mein leiblicher Vater älter war als Geraldine«, sagte ich.

»Glaubst du, der Name deines Vater steht in einem der anderen Briefe?«, fragte Misty.

Ich zuckte die Achseln.

»Wie kannst du bei diesem Thema so ruhig sein? Willst du denn nicht wissen, wer er ist?«, fragte sie.
»Natürlich möchte sie das«, antwortete Jade für mich, »aber nach unseren Erfahrungen bei Dr. Marlowe solltest du wissen, dass man sich nicht kopfüber in so etwas stürzt. Das ist zu traumatisch.«
»Aber vielleicht kann sie, wenn sie es herausfindet, zu ihm gehen, und vielleicht möchte er, dass sie zu ihm zieht und endlich seine Tochter ist«, schwärmte Misty in träumerischem Ton. Tatsächlich hörte es sich eher so an, als wünschte sie sich das selbst.
Star schüttelte den Kopf.
»Du lebst in Wolkenkuckucksheim, oder? Das ist doch das Letzte, was ihr leiblicher Vater sich wünscht. Vermutlich hat er eine eigene Familie und eine Ehefrau, und was meinst du, wie die sich fühlen, wenn sie von Cathy erfahren, hm?«
»Oh«, machte Misty ernüchtert. Dann lächelte sie wieder. »Ja, und? Jetzt sind wir doch hier. Du brauchst sonst niemanden. Dennoch«, fing sie nach einem Augenblick wieder an, »wenn ich nicht wüsste, wer mein leiblicher Vater ist, und ich hätte die Gelegenheit, es herauszufinden, wäre ich sehr aufgeregt und würde alles daransetzen, es zu tun. Ich würde nicht warten.«
»Cat ist nicht du«, sagte Star. »Also halt schon die Klappe.«
Misty wirkte einen Augenblick bedrückt, strahlte dann aber wieder.
»Lasst uns doch über unsere erste Party reden. Wann soll sie stattfinden?«, fragte sie.
»Sie findet gerade statt«, sagte Star.
»Nein, ich meine mit Jungen«, drängte Misty.
Star schaute Jade an.

»Nicht bis wir alles so haben, wie wir es wollen«, stellte Jade fest, als sei das offensichtlich. »Wenn wir so weit sind, werden wir allen, die wir einladen, sagen, dass Cathys Mutter einen Tag verreist ist und wir das Haus für uns haben.«
»Wir sollten nicht zu viele Leute einladen«, warnte Star, »und wir müssen dafür sorgen, dass es nicht klingt wie eine Einladung an alle, sonst kommt jede Menge Pöbel.«
»Am besten laden wir nur Jungen ein. Vier Stück«, schlug Jade vor. »Wer braucht denn noch mehr Konkurrenz – nicht dass ich Angst davor hätte oder so.«
Star lachte und trank noch etwas von ihrem Screwdriver.
»Ich doch nicht! Es ist einfach … nicht klug, diesmal noch andere Mädchen einzuladen«, beharrte Jade.
»Klug? Das gefällt mir. Was meinst du, Cat? Sollen wir nur Jungen einladen?«, neckte sie mich. »Ist das klug?«
»Ich weiß es nicht«, erwiderte ich. »Ihr wisst doch, was mir auf der einzigen Party, zu der ich je ging, passiert ist«, sagte ich und starrte auf meinen Drink.
Sie nickten und sahen dabei gleichzeitig traurig und wütend aus, als sie sich an die Geschichte erinnerten, die ich ihnen in der Gruppentherapiesitzung erzählt hatte. Man hatte mir zu viel Rum-Cola gegeben. Das hatten einige Jungen ausgenutzt und mich begrapscht, während die Mädchen, die ich für meine Freundinnen gehalten hatte, zuschauten und lachten.
»So etwas wird hier nicht passieren«, versicherte Star mir. »Das lassen wir nicht zu.«
»Das stimmt«, bestätigte Jade. »Wir passen immer aufeinander auf.«
Ich lächelte. Jetzt fühlte ich mich tatsächlich sicherer, sogar sicherer als ich mich bei Geraldine gefühlt hatte. Und schließlich ist eine Familie da, um dir ein Gefühl der Si-

cherheit zu geben, um dich wissen zu lassen, dass es Menschen gibt, die sich um dich kümmern und dich beschützen wollen und dich lieben. Wir würden für immer Freundinnen sein, es gab nichts, das ich nicht für sie tun würde, und nichts, das sie nicht für mich tun würden. Nicht nur der Wodka schenkte mir ein warmes und behagliches Gefühl. Es war ihr Lächeln, ihr Lachen, ihre Versprechungen. Wir konnten den Versprechen, die wir einander gaben, leichter glauben als denen unserer Eltern. Weil wir alle Veteraninnen der Enttäuschung waren, wussten wir, wie schmerzlich es sein würde, einander zu enttäuschen. Welche besseren Garantien gab es als diejenigen, die aus wechselseitigem Schmerz und Respekt geboren worden waren?

»Auf die WMEs«, rief Misty und erhob ihr Glas, als könnte sie meine Gedanken lesen. »Eine für alle und alle für eine!«

»Auf die WMEs«, stimmten wir gemeinsam ein und tranken unsere Drinks aus.

Jade begann gerade, uns allen einen weiteren Drink zuzubereiten, als das Essen eintraf. Wir fingen gerade erst an, uns sehr gut zu fühlen und glücklich zu sein. Das Beste würde noch kommen, dachte ich. Meine Freundinnen hatten geholfen, all meine Enttäuschungen für immer und ewig zu begraben.

War ich zu optimistisch? Färbte Misty auf mich ab? Verwandelte ich mich in eine Träumerin? Und wenn ja? Alles war besser als das, was ich vorher gewesen war. Dies war wie eine Wiedergeburt, und jetzt gab es kein Zurück mehr, nie wieder.

Geraldine konnte aus ihrem Grab auferstehen; sie konnte in diesem Haus spuken; sie konnte Schatten in Silhouetten verwandeln und ihre Missbilligung aus den dunkelsten

Ecken zischen. Sie konnte mich aus meinem Kopf heraus anstarren, aus meinen tiefsten finstersten Erinnerungen, aber sie würde mich nicht herumdrehen. Du wolltest immer, dass alle Türen verschlossen waren, Geraldine. Nun, diesmal werde ich sie dir vor der Nase zuknallen.

Vielleicht lag es am Wodka, aber ich fühlte mich stark und tapfer. Ich trank noch einen und sang zusammen mit den Mädchen, wann immer sie ein Lied anstimmten. Wir aßen alles auf und ließcn uns dann auf dic Sofas und Sessel plumpsen, lachten über unseren Appetit und achteten nicht auf die Lautstärke der Musik oder den Krach, den wir veranstalteten. Es war ein so gutes Gefühl, das zu tun, diese Freiheit zu haben, aber ich musste ständig zur Tür schauen und an Geraldine denken. Es war eine Gewohnheit. Sie war noch nicht lange genug weg, um keine Angst mehr vor ihr zu haben.

»Weshalb siehst du so besorgt drein?«, rief Jade. »Hör auf, dich umzuschauen. Sie ist weg. Sie ist eine Topfpflanze«, verkündete sie lachend. Ihre Augen waren glasig. »Ich habe mir ein teures Outfit ruiniert, als ich geholfen habe, sie einzupflanzen.« Jetzt sprach eindeutig der Wodka aus ihr.

Sofort sprang Star auf und zeigte mit dem Finger auf sie.

»Du hast es getan«, beschuldigte sie sie. »Du hast das Unaussprechliche ausgesprochen, und jetzt wirst du mit einer Buße belegt.«

»Was?«

»Habe ich Recht?«, fragte Star uns. »Wir haben diese Regelung im Auto getroffen. Alle haben dafür gestimmt, oder?«

Misty wirkte verängstigt, nickte aber.

»Sie hat Recht, Jade.«

»Was soll ich jetzt tun?«, fuhr Jade Star an. »Auf mein Zimmer gehen?«

Star richtete sich auf und lächelte.
»Du räumst auf, Mädchen. Das ist deine Strafe«, bestimmte sie.
Jade klappte der Mund auf. Sie schaute erst mich, dann Misty an. Keine von uns wagte es, Star zu widersprechen.
»Toll«, sagte Jade, erhob sich und wurde rasch nüchtern. Sie wischte sich über die Wangen, als wollte sie ihr Gesicht aufwecken, und ging dann in die Küche. Wir beobachteten, wie sie hin und her schlenderte und etwas murmelte über Abwaschen und ihre brandneue Maniküre zu ruinieren.
»Die bringen wir wieder auf die Erde herunter«, versicherte Star mit einem arroganten Grinsen. »Wir bringen sie auf die Erde herunter, wo wir anderen auch sind.«

Misty rief zu Hause an, um ihrer Mutter zu sagen, dass sie die Nacht bei mir verbringen wollte. Aber ihre Mutter war immer noch nicht aus dem Kino zurückgekehrt.
»Sie muss hinterher mit ihrer Freundin noch irgendwo hingegangen sein«, meinte sie. »Ich habe ihr eine Nachricht beim Auftragsdienst hinterlassen. So ist das einfacher. Die halbe Zeit unterhalten wir uns sowieso über den Auftragsdienst. Mir käme es seltsam vor, ihn nicht zwischen uns zu haben.« Sie schaute sich um und wandte sich dann an mich. »Wo soll ich schlafen?« Bevor ich irgendetwas vorschlagen konnte, verkündete sie: »Nicht im Zimmer deiner Halbschwester.«
»Ich schlafe auf dem Sofa, und du kannst in meinem Zimmer schlafen«, sagte ich. Nachdenklich wurden ihre Augen dunkel. Sie warf einen Blick die Treppe hoch und schüttelte den Kopf.
»Nein, es ist nicht fair, dein Bett zu nehmen. Ich schlafe auf dem Sofa.«

»Du hast nur Angst, oben zu schlafen«, meinte Jade lachend.
»Für dich ist es einfach, so tapfer zu sein. Du schläfst auch nicht heute Nacht hier. Ich schon.«
»Es wäre leichter für Cat, wenn sie nicht die Treppe hinaufsteigen müsste«, gab Star zu bedenken. »Haben wir ihr das nicht gesagt?«, erinnerte sie Misty mit einem spitzbübischen Lächeln.
Misty wirkte ertappt.
»Wir können beide in meinem Bett schlafen, wenn du damit einverstanden bist«, sagte ich. »Es ist groß genug.«
»Ja«, ergriff sie schnell diese Gelegenheit beim Schopfe. »Natürlich ist es groß genug, und das macht auch mehr Spaß. Wir probieren das neue Bettzeug aus und hängen die neuen Vorhänge auf.«
Jade und Star schauten einander an und lachten.
»Wir werden uns beide besser fühlen«, bekräftigte Misty nickend. »Morgen sollten wir etwas mit dem Zimmer deiner Halbschwester machen, zum Beispiel alles auseinander reißen und ganz neu anfangen. Wir werden jegliche Spur von ihr dort tilgen, genau wie meine Mutter jede Spur meines Vaters in unserem Haus auslöschte, nachdem sie sich getrennt hatten. Und wir werden es streichen – in einer Farbe, die sie nicht ausstehen konnte.«
»Das ist fast jede Farbe außer Weiß«, erklärte ich.
»In Ordnung«, sagte Jade und wurde ernst. »Macht, was ihr wollt, ihr beiden. Ich habe die Limousine bestellt, um Star und mich abzuholen und uns nach Hause zu bringen. Sie wird jeden Moment eintreffen. Morgen früh werden wir uns hier treffen und damit anfangen, unsere erste Party zu planen und so weiter«, sagte sie.
»Vergiss nicht, Cat, du kommst morgen zum Abendessen zu uns und übernachtest bei mir«, erinnerte Star mich.

»Dort müssen wir uns keine Sorgen um Gespenster machen«, neckte sie Misty.
»Hier ist auch kein Gespenst. Hör auf damit«, stöhnte Misty.
Star und Jade lachten.
Als die Limousine eintraf, schauten Misty und ich zu, wie sie abfuhren. Misty sah aus, als wäre sie am liebsten mit ihnen gefahren.
»Du musst wirklich nicht bei mir bleiben«, sagte ich. »Vergangene Nacht bin ich klargekommen. Ich werde auch diese Nacht zurechtkommen.«
»Wir haben es beschlossen und dabei bleibt es«, hielt sie daran fest. »Mir wird es gut gehen und dir auch. Wir können miteinander reden und reden, bis wir in Ohnmacht fallen. Uns wird es schon gut gehen.«
»Ich fürchte, ich habe nichts Nettes anzuziehen für dich«, gestand ich. »Nur Baumwollpyjamas.«
»Das reicht doch, obwohl ich vermutlich darin aussehe, als schwebte ich darin herum. Ich weiß auch nicht, warum ich nicht wachse«, beklagte sie sich. »Ich glaube, meine Hormone sind in Urlaub gefahren, als ich zwölf wurde.«
»Du bist doch perfekt«, widersprach ich lachend. »Du bist ...«
»Wage es ja nicht, ›niedlich‹ zu sagen«, warnte sie mich und drohte mir mit dem rechten Zeigefinger.
Ich riskierte es mit: »Zierlich.« Sie wälzte das Wort in Gedanken hin und her, grinste und seufzte.
»Vermutlich werde ich für den Rest meines Lebens zwanzig Jahre jünger aussehen, als ich bin. Meine Mutter sagt, dass sei ein Segen, den ich erst erkennen könnte, wenn ich dreißig werde. Aber bis dahin ist es ein Fluch. Na los. Lass uns die Vorhänge aufhängen.«
Wir machten das Licht aus und gingen nach oben.

»Vielleicht liest du mir hinterher einen der Briefe deiner Mutter vor«, schlug sie vor. »Falls du sie nicht für zu persönlich hältst.«

»Ich weiß nicht, wie sie sind«, erwiderte ich. Nachdem ich einen Moment nachgedacht hatte, fügte ich hinzu: »Nach all den Dingen, die wir einander bei Dr. Marlowe erzählt haben, und nach dem, was wir einander geschworen haben, ist sowieso nichts mehr zu persönlich.«

Sie blieb auf der Treppe stehen und schaute mich an.

»Genauso empfinde ich das auch«, sagte sie, »es ist nur schön, dich das sagen zu hören. Es ist schön zu wissen, dass du das glaubst.«

»Das tue ich«, bestätigte ich.

Sie wirkte ermutigt und glücklich und sprang die restlichen Stufen ohne ein Anzeichen von Furcht oder Zögern in ihrem Schritt hinauf.

»Wenn Geraldine in diesem Haus herumgeistert, werden wir sie hinausschmeißen«, schwor sie und stieg weiter zu meinem Zimmer hinauf.

Ich beobachtete, wie sie die Treppe erklomm, und mir wurde plötzlich klar, dass zum allerersten Mal eine Freundin bei mir übernachtete. Geraldine hatte das nie gebilligt und auch nicht gestattet, dass ich bei jemand anderem übernachtete. Es konnte gut sein, dass sie von den Toten auferstand, um uns diese Nacht heimzusuchen. Aber sie sollte ruhig kommen. Wir waren auf sie vorbereitet, dachte ich.

Hoffte ich.

Nachdem wir die Vorhänge aufgehängt, das Bettzeug ausgetauscht und uns beide unter die Decke gekuschelt hatten, griff ich nach dem Stapel Briefe und zog den nächsten heraus. Behutsam faltete ich ihn auseinander. Das Papier war vom Alter so brüchig, dass ich vorsichtig sein musste. Schon beim geringsten Druck würde es zerreißen.

»Liebe Cathy«, las ich laut.

»Vermutlich hast du mittlerweile meinen ersten Brief gelesen. Ich hoffe, du hast sie alle gelesen, bevor wir die Gelegenheit bekommen, uns persönlich zu unterhalten. Natürlich werde ich all deine Fragen beantworten. Ich weiß, dass du viele hast. Die hätte ich an deiner Stelle auch.

Ich nehme an, dass die erste Frage, die dir in den Sinn kommt, lautet, warum ich die Schwangerschaft nicht abgebrochen habe. In dem Augenblick, als ich dich zum ersten Mal sah, war ich glücklich, dass ich es nicht getan hatte. Ich kann mir jetzt eine Welt ohne dich gar nicht mehr vorstellen.«

»Das gefällt mir«, platzte Misty heraus. »Erinnerst du dich, wie ich in der Gruppentherapiesitzung im Scherz sagte, meine Eltern hätten versucht, mich umzutauschen, aber es sei zu spät gewesen? Ich habe keinen Zweifel, dass sie kein Kind haben wollten, wenn sie noch einmal vor die Wahl gestellt würden. Zumindest wollte sie dich sogar, als du schon geboren warst«, meinte Misty.

Ich nickte und wandte mich wieder dem Brief zu.

»Beziehungen zwischen Männern und Frauen sind sehr kompliziert, Cathy. Ich weiß, dass du dies selbst auch erfahren wirst. Ich hoffe nur, dass ich immer noch da sein werde, um dir in schwierigeren Zeiten zu helfen, denn ich bin mir nicht sicher, ob Geraldine für die Art Krisen, die ein junges Mädchen möglicherweise durchstehen muss, gut gerüstet ist.«

»Damit hatte sie verdammt Recht!«, rief Misty.

»Wie ich in meinem ersten Brief sagte, glaubten meine Eltern – besonders meine Mutter – wirklich, dass ich lernen würde, Franklin zu lieben, aber Liebe muss aus einem unergründlicheren Ort kommen, einem anderen Ort als dem Gehirn. Man kann nicht jemanden studieren, sich jede seiner Eigenheiten und Gewohnheiten einprägen, um ihm jeden Wunsch zu erfüllen, und das Liebe nennen.

Ob wir es nun uns und anderen gegenüber zugeben wollen oder nicht, wir Frauen brauchen wahre Leidenschaft und Zuneigung in unserem Leben. Wir fühlen uns gerne gut, werden gerne gehätschelt und verwöhnt. Es ist schön zu sehen, wie das Gesicht eines Mannes anfängt zu strahlen, wenn du das Zimmer betrittst. Es ist bewegend zu sehen, dass er bereit ist zu zeigen, wie sehr er dich liebt. Unglücklicherweise war Franklin dazu nie in der Lage. Er ist ein guter Mann, ein moralischer Mann, ein rücksichtsvoller Mann, aber leidenschaftlich ist er nicht. Vielleicht war es falsch von mir, meine Blicke schweifen zu lassen, mein Herz lauter sprechen zu lassen als mein Gewissen und meinen Verstand, aber ich tat es.

Manchmal wiegte ich mich in dem Glauben, Franklin wüsste, was ich tat. Es half mir, das zu denken, mir vorzustellen, dass er es mir sogar verzieh, weil er erkannte, dass mein Geliebter mir etwas bot, das er mir nie geben konnte. Ich sagte mir, Franklin wollte mich nur glücklich sehen und sei bereit wegzuschauen, wenn das mein Glück bedeutete. Vielleicht war das eine närrische Hoffnung oder eine Art, meine Untreue zu rationalisieren, aber ich glaubte das.

Ich möchte, dass du daraus lernst, wie wichtig es ist, dich einem Mann hinzugeben, den du wirklich liebst und der dich in jeder Hinsicht wirklich liebt. Sich mit weniger zufrieden zu geben führt nur zu lebenslangem Unglück, tiefer Frustration und schließlich zu einer Katastrophe in der einen oder anderen Form. Halt dir nur mein Beispiel vor Augen.
Ich war so sorglos bei meiner Affäre, dass ich nicht die angemessenen Vorsichtsmaßnahmen traf. Mittlerweile glaube ich, dass ich das tief im Innersten gar nicht wollte. So entsetzlich oder schockierend sich das auch anhören mag, ich wollte, dass das Kind meines Geliebten in meinem Schoß heranwuchs.
Vielleicht war das meine Art zu beichten, und wenn du ein wirklich moralischer Mensch bist, hast du, selbst wenn du bei einer Sünde nicht erwischt wirst, ein großes Bedürfnis, sie zu beichten. Irgendwann einmal musst du es. Denk daran, Cathy. Mach dir nicht weis, du könntest deinem eigenen Gewissen entkommen. Es hat eine Stimme, die erst mit dir stirbt: Du hörst sie dein Leben lang, wenn du schläfst.«

Ich machte eine Pause, weil sich mir die Kehle zuschnürte, und schaute Misty an, die so still dalag und zuhörte, den Blick auf die Wand gerichtet, das Gesicht erwartungsvoll. Ihr wurde klar, dass ich angehalten hatte, sie drehte sich zu mir um. Einen Augenblick starrten wir einander an.
»Das darfst du nicht einmal denken«, warnte sie mich. »Es ist keine Sünde. Wir haben sie ja nicht umgebracht oder so was. Wir taten, was wir tun mussten, um dich zu beschützen. Welchen Unterschied macht das schon, ob sie auf dem Friedhof ruht oder sonst wo?«
Ich nickte, aber meine Brust war so voll, so schwer von

der Schuld, die hoffentlich eines Tages von mir genommen würde.

»Es ist ein schöner Brief. Ich bin ihrer Meinung, was die Liebe betrifft. Hör nicht auf weiterzulesen. Es geht doch noch weiter, oder?«, fragte sie hoffnungsvoll.

»Ja«, bestätigte ich, schaute wieder auf den Brief und fuhr fort.

»Ich glaube, ich kann genau festlegen, wann du empfangen wurdest. Es war ein regnerischer Freitag. Franklin war geschäftlich außerhalb der Stadt unterwegs, und dein Vater besuchte mich zu Hause. Soll ich dir jetzt sagen, wer er ist? Meine Finger mit dem Füllhalter zittern. Werde ich dadurch Menschen noch mehr Ärger, Schmerzen bereiten? Hast du ein Recht, es zu wissen? Natürlich hast du das. Was infolge dessen passiert, ist allein meine Schuld. Gib nie dir selbst die Schuld für irgendetwas. Dein Vater war Franklins viel jüngerer Bruder Alden. Er war tatsächlich nur fünf Jahre älter als Geraldine. Hört sich das jetzt so an, als hätte ich ihn aus der Wiege gerissen? Ich hoffe nicht. Tatsache ist, dass Alden emotional viel reifer und älter war als seine Gleichaltrigen, obwohl er für seine Eltern und besonders für Franklin eine Enttäuschung darstellte, der übrigens am härtesten mit ihm ins Gericht ging – sogar noch bevor er wusste, dass Alden und ich ein Liebespaar geworden waren. Alden wollte nicht auf eine Geschäftskarriere beschränkt werden. Seine Liebe galt der Musik, dem Komponieren. Er spielte wunderbar Klavier, und viele Abende spielte er allein für mich. Auf dem College studierte er Musik im Hauptfach und gewann viele Preise. Er verdiente sich seinen Unterhalt mit Klavierunterricht, entwickelte aber keinen Ehrgeiz, reich und einflussreich zu sein. Er war ein wunderbarer

Mensch: poetisch, romantisch, vermutlich ein Träumer, und er sah sehr gut aus. Ich hoffe sehr, dass du seine guten Eigenschaften erben wirst, Cathy. Wirklich.
Wenn du diese Briefe zu lesen beginnst, wirst du vermutlich nicht viel von Alden gehört haben. Die Familie war nicht so stolz auf ihn, wie sie es hätte sein sollen, und sie unterließ es, wenn möglich, über ihn zu reden. Als ob sie seine schöpferischen Ambitionen für ein Anzeichen von Verrücktheit hielten. Vielleicht war er ein bisschen verrückt, aber das sind alle kreativen Menschen. Mich bezauberte seine Gleichgültigkeit gegenüber materiellem Reichtum und all den Dingen, die Franklin und seine Familie so hoch schätzten. Er war anregend, so belebend wie eine warme, aber frische Sommerbrise, und er besaß ein Lächeln, das selbst das härteste, eisigste Herz zum Schmelzen bringen konnte, selbst Geraldines.
Er verbrachte viel Zeit mit Geraldine, versuchte sie zum Klavierspiel zu bringen, sie nahm Unterricht bei ihm, aber das tat sie, glaube ich, eher, um in seiner Gesellschaft zu sein, als aus Liebe zur Musik. Vorübergehend machte sie ihre Sache ganz gut, aber sobald sie das mit uns herausfand, hörte sie auf mit dem Unterricht und hat seitdem keine Taste mehr angerührt.
Ich weiß, dass sich Geraldine eher von Alden betrogen fühlte als von mir. Ihre tiefe Liebe und Zuneigung zu ihm verbitterte zu Eifersucht und Hass. Es kam so weit, dass sie nicht mehr mit ihm redete, wenn sie es nicht unbedingt musste, und ihn so weit wie möglich mied. Sie ging nicht einmal zu seiner Beerdigung.
Von seinem Tod wirst du sicher gehört haben, aber nur als eine Familientragödie und nicht als den Tod des Mannes, der dein leiblicher Vater war.
Die Tränen fließen mir so schnell über das Gesicht, dass

ich eine Weile aufhören muss. Ich wollte dir von jener wundervollen Nacht zusammen erzählen, der Nacht, in der du gezeugt wurdest. Das werde ich mir jedoch für den nächsten Brief aufsparen.
Liebe kann manchmal so schmerzlich sein, dass ich Geraldine darum beneide, so hart zu sein. Sie erzählte mir einmal voller Bitterkeit, dass sie niemanden lieben brauchte und dass auch niemand sie lieben brauchte. Ich weiß, dass sie nur aus Wut und Enttäuschung sprach, dass sie nie jemanden getroffen hatte, der sie von Herzen leidenschaftlich liebte, aber es gibt Zeiten, in denen ich mir wünschte, das träfe auch auf mich zu.
Und dann denke ich daran, wie einsam sie sein muss, und fühle mich ihretwegen absolut grauenhaft. Die Wahrheit ist, dass ich jedes Mal, wenn ich sie anschaue, an meine eigene Schuld denke. Ich bin zum Teil verantwortlich für ihr Elend, und all die wundervolle Musik und all die echten Gefühle auf dieser Welt können dieses Schuldgefühl in meinem Herzen nicht auslöschen. Eine Narbe bleibt.
Du bist jetzt die einzige Hoffnung auf Erlösung, die ich habe. Sei wundervoll, sei voller Liebe und Mitgefühl, und höre nie auf zu suchen, bis du jemanden findest, der dein Herz mit so viel Freude erfüllt, dass du ohne ihn an deiner Seite kaum atmen kannst.
Ich lebte gerne in der Gewissheit, dafür verantwortlich zu sein.
So weit für heute, Mutter«

Ich legte den Brief hin und schaute Misty an. Sie wischte sich die Tränen von den Wangen.
»Das war schön«, seufzte sie, setzte sich auf und schaute den Brief an. »Jetzt weißt du also, wer dein Vater ist oder war, sollte ich besser sagen. Was weißt du über ihn?«

»Kaum etwas«, sagte ich. »Geraldine sprach nie über ihn, und soweit ich weiß, gibt es nicht einmal ein Foto von ihm. Ich weiß, wo er begraben liegt; ich weiß auch, dass er bei einem Autounfall ums Leben kam und angeblich dabei betrunken war. Das hatte sie mit Familientragödie gemeint.« Ich machte eine Pause und schüttelte den Kopf.
»Ich weiß nicht einmal, wie er aussah.«
»Wow. Also, morgen werden wir alles nach Bildern absuchen, einverstanden?«, sagte Misty.
»Was? Oh, ja.«
»Vielleicht sind welche in einem der Kartons oben auf dem Speicher«, schlug sie vor.
»Ja, in einer Zigarrenkiste lagen alte Fotos.«
»Ich werde hinaufklettern und alles herunterholen. Es wird Spaß machen, das auszukundschaften«, meinte Misty. Sie überlegte einen Augenblick. »Dieser Teil über Geraldine war seltsam. Bei deiner Mutter klang es so, als sei Geraldine in Alden verliebt gewesen. Aber Alden war doch ihr Onkel. Bestimmt rechnete sie nicht damit, ihren Onkel heiraten zu können. Vermutlich war sie einfach schrecklich enttäuscht darüber, dass er eine Affäre mit ihrer Mutter hatte. Männer können dich in so vieler Hinsicht im Stich lassen«, meinte sie abschließend.
Ich nickte, faltete den Brief sorgfältig zusammen und legte ihn zu den anderen zurück.
»Du willst jetzt keinen mehr lesen?«
»Ich bin müde«, gestand ich.
»Ich auch. Es war aber ein toller Tag, wir hatten viel Spaß, stimmt's?«
»Ja«, bestätigte ich.
Ich streckte die Hand aus, um das Licht auszuschalten.
»Weißt du, du hast die Tür zugemacht, obwohl wir die Einzigen im Haus sind«, bemerkte sie.

»Reine Gewohnheit. Willst du sie aufmachen?«
Sie überlegte einen Augenblick.
»Nein. Ist schon in Ordnung.«
Ich schaltete das Licht aus. Wir lagen beide mit offenen Augen in der Dunkelheit. Als ich ihr einen Blick zuwarf, sah sie aus, als lauschte sie.
»Euer Haus knarrt viel«, stellte sie fest. »Stimmt's?«
»Das ist nur der Wind«, beruhigte ich sie. »Es ist ein altes Haus.«
»Ach so.«
Sie drehte sich um. Von unten drang ein Geräusch, das auch ich nicht erkannte. Ich spürte, wie ihr Körper neben mir sich anspannte.
»Ist das der Wind?«, fragte sie. »Cat?«
»Ich vermute es«, antwortete ich.
»Du vermutest es?«
»Ja«, bestätigte ich. »Es ist nur der Wind.«
»Irgendwie ist es in der Dunkelheit schwieriger, tapfer zu sein«, meinte Misty.
»Möchtest du das Licht anlassen?«
»Wenn du es möchtest«, wich sie aus.
Ich lächelte, stand auf, knipste die Lampe im Badezimmer an und schloss die Tür so weit, dass noch etwas Licht in mein Zimmer fiel.
»Besser?«
»Oh, ja«, sagte sie. »Nacht.«
»Nacht.«
»Deine Mutter«, sagte sie. »Ich meine deine richtige Mutter. Sie hört sich sehr nett an.«
»Ja.«
»Zu dumm, dass du sie jetzt, nachdem du die Wahrheit erfahren hast, nicht mehr treffen kannst, so wie sie es sich gewünscht hatte. Das ist nicht fair. Das Ganze ist nicht

fair«, fügte sie hinzu. Sie griff hinter sich, um mir die Hand zu drücken, und schlief dann ein.

Ich lächelte.

Fair, dachte ich. Was für eine Illusion für uns alle. Aber zumindest habe ich Freunde, dachte ich. Ich bin nicht allein. Ich habe keine Angst vor dem, was kommt.

KAPITEL ZEHN

Geraldines Geheimnis

Sobald Misty und ich einmal eingeschlafen waren, schliefen wir auch die ganze Nacht durch, getröstet von dem Gedanken, dass wir zusammen waren. Ich hatte auch keine Alpträume. Am nächsten Morgen war Misty vor mir auf den Beinen und sprühte wie üblich vor Energie, redete davon zu frühstücken und so schnell wie möglich mit der Umgestaltung des Hauses oder »des Clubs«, wie sie es nannte, weiterzumachen.

Während wir frühstückten, riefen sowohl Star als auch Jade an, um uns mitzuteilen, dass sie so bald wie möglich kämen. Jade hörte sich an, als wäre sie gerade aufgewacht, aber Stars Stimme klang energiegeladen. Als sie eintrafen, hatten Misty und ich schon die halbe Diele gestrichen.

»Wir haben herausgefunden, wer ihr Vater war«, erzählte Misty ihnen fast augenblicklich. »Es stand im nächsten Brief. Der Schwager ihrer Mutter, Alden. Du hattest Recht, Jade. Es war ein jüngerer Mann. Er ist allerdings tot, bei einem Autounfall gestorben, als er unter Alkoholeinwirkung gefahren ist«, platzte sie heraus, fast ohne Luft zu holen.

Sie schauten mich an, warteten auf meine Reaktion. Was sollte ich tun, fragte ich mich, oder was sollte ich empfinden? Ich hatte ihn nie kennen gelernt, konnte mich nicht daran erinnern, ihn je gesehen oder je mit ihm gesprochen zu haben. Wie konnte ich traurig oder enttäuscht oder irgendetwas sein?

»Sobald ich hiermit fertig bin«, versprach Misty, »krabbele ich auf den Speicher. Wir glauben, dort könnten in einem der Kartons Fotos von ihm sein, und ich bringe das andere Zeug herunter, damit Cat, was immer sie will, in ihr Zimmer stellen kann. Endlich.«

»Ich bin froh, dass du all diese Entscheidungen triffst«, fauchte Jade sie an.

»Ich treffe sie nicht. Cat und ich haben gestern Abend darüber geredet, stimmt's, Cat?«

»Ja«, bestätigte ich, aber Jade wirkte immer noch verärgert.

»Wir sollten wichtige Informationen sofort allen mitteilen«, forderte sie.

»Was sollten wir denn deiner Meinung nach tun, dich mitten in der Nacht anrufen?«, fragte Misty und hielt ihren Pinsel hoch wie eine Fackel. Wir hatten auf dem Boden Zeitungen ausgebreitet, um die Tropfen aufzufangen. Das war eine gute Idee, weil wir die ganze Kleidung und auch unsere Gesichter mit Farbe voll gespritzt hatten.

»Natürlich hättest du anrufen sollen. Du weißt doch, wie besorgt und interessiert wir alle waren. Es war ihre Aufgabe, diese Dinge zu finden und darüber zu berichten. Hast du vergessen, was wir bei mir zu Hause geschworen haben?«, tadelte Jade scharf.

»Tut mir Leid. Das ist ja noch schlimmer als in der Schule.«

»Entweder sind wir zusammen oder nicht«, keifte Jade.

Ich sah Star an. Normalerweise sagte sie immer etwas, um einen Konflikt zu schlichten oder Jade in die Schranken zu weisen, aber sie schwieg.

»Zum Teufel mit all diesen Familiengeheimnissen«, sagte Jade. »Sie prasseln wie ein Unwetter auf uns nieder.«
Sie marschierte in Richtung Küche. »Ich mache einen Kaffee«, murmelte sie.
»Was ist los mit ihr? Ist ihr heute Morgen die Wimperntusche verschmiert oder was?«, tuschelte Misty Star zu.
Star trat einen Schritt näher zu uns, um leise mit uns zu sprechen.
»Ihre Eltern sind gestern endlich zu einer Einigung bei ihrer Scheidung gekommen. Ihr Vater hat sich plötzlich dafür entschieden, seinen Kampf um volles Sorgerecht aufzugeben. Er baut ein neues Haus, und er hat jemand Neues kennen gelernt, eine Frau, die eine Tochter in Jades Alter hat und einen Sohn, der aufs College geht. Sie werden bei ihm einziehen. Das kam alles ganz überraschend heraus, obwohl es schon eine ganze Weile so gegangen sein muss«, erklärte Star.
»Oh«, sagte Misty. Ich schaute in Richtung Küche. »Kein Wunder, dass sie diese Bemerkung über Familiengeheimnisse gemacht hat, die auf einen niederprasseln. Aber ich dachte, sie fände es furchtbar, dass sie sich um sie stritten, und wäre froh, wenn alles geregelt ist.«
»Ja und nein«, sagte Star. Sie schaute Misty an. »Es ist schön, wenn beide Eltern sich so um einen bemühen, selbst unter solchen Umständen. Das gab ihr ein Gefühl von Sicherheit. Jetzt ist das vorbei. Ihre Mutter will eine kleine Feier veranstalten«, flüsterte sie weiter, »aber Jade möchte daran nicht teilnehmen.«
»Das kann ich gut verstehen«, sagte Misty. »Ich kann es nicht ausstehen, dass meine Mutter glücklich darüber ist, wenn bei der Scheidung etwas nach ihrem Willen geht.«
Sie starrte einen Augenblick zu Jade hinüber und drehte sich dann zu Star um. »Tut mir Leid, dass wir gestern

Abend nicht angerufen haben, als wir diese Entdeckung machten. Wie gesagt, Cat las einen weiteren Brief und –«

»Das macht mir doch nichts aus, und ich glaube, dass auch sie nicht wirklich darüber sauer ist. Wir machen uns jetzt einfach an die Arbeit. Ich glaube, es ist eine gute Idee, das Schlafzimmer deiner Schwester auseinander zu nehmen und etwas Nettes daraus zu machen«, sagte sie. »So wie wir uns fühlen, wäre es gut, alles auseinander zu reißen«, meinte sie lachend.

Jade kehrte zurück und schaute sich die gestrichenen Wände an.

»Ihr arbeitet schlampig«, kritisierte sie. »Ihr solltet alles überkleben, was ihr nicht anmalen wollt.«

»Hier«, sagte Misty und reichte ihr den Pinsel, »mach es besser, während ich auf den Speicher hinaufkrieche.«

Jade schaute den Pinsel an und trat dann zurück, als sei er das Ekelhafteste, Übelste, das sie je gesehen hatte.

»Da muss ich passen«, sagte sie. »Besonders bei dem, was ich trage.«

»Zieh dir eine Hose von Cat und eins von ihren Sweatshirts an«, schlug Misty vor.

»Kümmere dich um deine Angelegenheit und hör auf, mich herumzukommandieren«, fauchte Jade sie an. Sie starrte die Farbe an und zog voller Ekel eine Grimasse. »Im Augenblick trinke ich gerade Kaffee«, erklärte sie und eilte in die Küche zurück.

Alle lachten, dann übernahm Star die Arbeit von Misty, während diese in der Speisekammer die Leiter aufstellte. Als sie so weit war, rief sie uns. Star half ihr, die Kartons herunterzuholen. Wir trugen alles ins Wohnzimmer.

»Schaut euch diese Puppe an!«, rief Misty und hielt diejenige mit dem zerschmetterten Gesicht hoch. »Jemand hat seinen Frust an ihr ausgelassen.«

»Ich frage mich nur wer«, sagte Jade. Sie sichtete die Kleidungsstücke. »An manchen Sachen hängen noch die Etiketten. Offensichtlich sind sie nie benutzt worden.«

»Sie erklärte mir, sie wollte mir nichts von diesen Sachen geben«, berichtete ich. »Sie sagte, meine Mutter hätte nur versucht, meine Liebe zu erkaufen.«

»Das versuchen sie tatsächlich«, bestätigte Jade mit wütendem Blick, »und meistens lassen wir das auch zu. Mein Vater hat beschlossen, mir ein neues Auto von seinem Geld zu kaufen. Vermutlich fühlt er sich dann besser bei seiner Entscheidung, den Rest seines Lebens mit einer anderen Frau, einer anderen Familie zu verbringen. Vielleicht hatte Geraldine die richtige Idee, dieses Zeug auf den Speicher zu stopfen.«

»Ich glaube nicht, dass es richtig war«, widersprach Misty leise. »Cat hätte diese Sachen vermutlich gebrauchen können.«

Ich setzte mich mit der Zigarrenkiste auf dem Schoß hin, öffnete sie langsam und holte das erste Bild heraus. Es war ein Foto von Geraldine, die am Klavier saß, und einem Mann, der lächelnd neben ihr stand.

»Das muss Alden, mein Vater, sein«, vermutete ich. Alle scharten sich um mich. »Nach dem, was meine Mutter in ihrem Brief schrieb, erteilte er Geraldine Klavierunterricht.«

»Er sieht gut aus«, fand Misty. »Du hast seine Nase und seinen Mund.«

Ich sah mir die anderen Bilder an. Auf den meisten waren Geraldine und mein Vater zu sehen. Eines war zerrissen. Offensichtlich war jemand aus dem Bild herausgerissen worden.

»Ich glaube, wir müssen nicht lange überlegen, wer hier neben ihm gestanden hatte«, sagte Star.

»Warum machst du nicht das Gleiche?«, schlug Jade vor. »Schneidest Geraldine aus einem der besseren Bilder von ihm heraus und steckst das verbleibende Foto in einen hübschen Rahmen?«

»Gute Idee«, stimmte Misty zu.

Ich starrte auf das Gesicht des Mannes, der wahrscheinlich mein Vater war, der Geliebte meiner Mutter. Er sah gut aus, hatte hellbraunes, perfekt gewelltes Haar. Seine Augen funkelten vor Lachen.

»Ein nettes Lächeln«, sagte Jade. »Du solltest mehr lächeln, Cat. Dein Lächeln sieht genauso aus. Arme Cat«, sagte sie und legte mir die Hand auf die Schulter, »du hast deinen Vater gefunden und ihn fast im gleichen Augenblick wieder verloren.« Ich spürte, wie ihr Körper erstarrte, und schaute zu ihr hoch. »Glaub mir«, sagte sie, »so ist es einfacher, Cat. Es ist einfacher, als ihn Jahre später zu verlieren.«

»Du hast deinen Vater doch nicht verloren«, widersprach Misty. »Du wirst auch jetzt noch Zeit mit ihm verbringen, oder?«

»Genau. Erstklassig ausgefüllte Zeit.« Sie verzog den Mund, als hätte sie in einen verfaulten Apfel gebissen. »Ich kenne die Prozedur ganz genau. Ihm stehen bestimmte Tage zur Verfügung, an denen er versuchen wird, eine Woche oder einen Monat hineinzustopfen, während er über die Schulter schaut, um zu sehen, was seine neue Frau und seine neue Familie vorhaben. Danke, aber da wäre ich lieber in Cats Position. Zumindest hat sie den Schmerz hinter sich.«

»Dennoch war es grausam, sie bis jetzt nicht wissen zu lassen, wer ihr Vater war«, beharrte Misty.

Jade zuckte die Achseln. Sie war so verbittert, dass nichts ein Lächeln auf ihr schönes Gesicht zaubern

konnte, ein Gesicht, auf das ein Lächeln gehörte, auf dem es erblühte.
Star nahm mir die Fotos aus der Hand und legte sie in die Zigarrenkiste zurück.
»Schluss jetzt mit den traurigen Erinnerungen. Ich glaube, wir sind alle genau in der richtigen Verfassung, um nach oben zu gehen und uns dieses Zimmer vorzunehmen«, schlug sie vor. »Seid ihr bereit?«
»Ja«, stimmte Jade zu und richtete sich auf.
»Absolut«, versicherte Misty. »Packen wir's an.«
Ich begann den Kopf zu schütteln.
»Jetzt ist es zu spät umzukehren, Cat. Die Ärmel hochgekrempelt und auf geht's«, verkündete Star. Sie verließen das Wohnzimmer. Ich folgte ihnen, ohne zu wissen, was ich als Nächstes zu erwarten hatte, aber mit dem Gefühl, mich in einem Zug zu befinden und dazu verdammt zu sein, den Schienen zu folgen, ganz gleich wohin sie führten.
Die Mädchen begannen, die langweiligen, weißen Vorhänge herunterzureißen und Geraldines Bett abzuziehen. Dann stritten sie darüber, in welcher Farbe sie das Zimmer streichen sollten.
»Es müsste entweder rosa oder hellblau sein«, meinte Misty.
»Wir streichen es schwarz«, schlug Jade plötzlich vor.
»Was?«, staunte Star. »Schwarz? Bist du verrückt? Ein schwarzes Zimmer?«
»Es wird unser Zeremonienraum«, erläuterte Jade und ging im Zimmer umher. »Wir brauchen kein Schlafzimmer. All diese Sperrmüllmöbel schmeißen wir raus und kaufen uns Bilder und andere Dinge.«
»Zum Beispiel?«, erkundigte sich Star.
»Ich habe da so einige Ideen, einige gute Ideen«, meinte

sie nickend. »Vertraut mir.« Sie wandte sich an uns. »Wollt ihr keinen Zeremonienraum? Wir benutzen ihn für unsere besonderen Treffen und für unsere privaten Gespräche. Niemand außer uns darf ihn betreten. Das ist eine Hauptregel der WMEs.«
»Du und deine Verstecke«, bemerkte Star. Jade starrte sie an und wartete, Ungeduld flackerte in ihren Augen auf. »Okay, okay, ich bin einverstanden.«
»Misty?«
»Hört sich … interessant an«, gab Misty zögernd zu.
»Cat?«
»Was machen wir mit den Möbeln?«, fragte ich.
»Die geben wir der Heilsarmee oder sonst jemandem. Das ist unsere geringste Sorge. Wenn wir dieses Haus von Geraldine befreien wollen, sollten wir das richtig machen«, beharrte sie. Während sie sich umschaute, nickte und lächelte sie. »Das ist der perfekte besondere Ort. Lasst uns anfangen. Misty, geh mit Star los und besorge einfache schwarze Farbe, eimerweise, und noch mehr Pinsel und Rollen und Abstreifwannen«, ordnete sie an. »Cat und ich werden die Kommoden und Schränke ausleeren und die Kleidung zusammenpacken, außer den Sachen, die wir vielleicht aus dem einen oder anderen Grund noch brauchen. Du hattest Recht, als du vorschlugst, eine von uns könnte gelegentlich in Geraldines Sachen umherstolzieren.
Also?«, sagte sie, als keine von uns sich rührte. »Müssen wir noch einmal abstimmen, oder was?«
Misty schaute mich an, ich schaute mir Geraldines Schlafzimmer noch einmal an. Schwarz? Alle Möbel verschenken? Es wäre, als hätte sie nie existiert. Ich nickte.
»Sei vorsichtig mit dem Auto«, ermahnte ich sie. Sie lächelte und schaute Star an, die die Augenbrauen hochzog.

»Ich weiß nicht, was du vorhast, Jade, aber besser nichts Unheimliches«, warnte sie sie.
Jade lachte.
»So unheimlich wie das, was wir bereits getan haben, ja?« Sie hörte auf zu lächeln. »Wir müssen unser Vertrauen weiter aufbauen, unsere Verbindung aufbauen. Wir sind besser als die Familien, in die wir hineingeboren wurden. Zusammen besser.«
»Das gefällt mir«, erklärte Misty. »Zusammen besser. Ein neuer Slogan. Ich besorge uns allen T-Shirts mit dieser Aufschrift.«
Jade nickte.
»Genau, Misty, jetzt denkst du wie eine WME. Nun, Miss Star?«, fragte sie.
Star schüttelte den Kopf und lachte.
»Wirst du auch anstreichen helfen, Miss Beverly Hills, oder uns nur beim Arbeiten zuschauen?«
Jade griff nach Geraldines Morgenmantel, der innen an der Schranktür hing. Sie schlüpfte hinein und drehte sich zu uns um.
»Unbedingt«, sagte sie.
»Okay. Also los, Misty, bevor ihr klar wird, was sie versprochen hat.«
Sie eilten hinaus. Jade drehte sich zu mir um. Geraldine hatte diesen Morgenmantel schon so lange – ich konnte mich gar nicht daran erinnern, dass es einmal anders gewesen war. Ich würde nicht im Traum daran denken, ihn anzuziehen, aber Jade hatte keinerlei Grund für Hemmungen.
»Mit der Kommode fangen wir an. Wir wollen schließlich nichts Wertvolles wegwerfen«, sagte Jade. Ich stellte mich neben sie, als sie die oberste Schublade herauszog und Geraldines Kleidungsstücke wie Federn herauszupfte.

Fast augenblicklich ließ sie sie wieder fallen, als seien sie verseucht. Auf dem Boden türmte sich ein Haufen. Als sie die dritte Schublade erreichte, hielt sie inne und drehte sich zu mir um.

»Wow«, staunte sie. »Was haben wir denn hier?«

»Was?«

Langsam zog sie einen mit exquisiter Stickerei verzierten Seiden-BH mit Bügelkörbchen heraus.

»Das muss bei ihrem so gut wie nicht existierenden Busen Wunder gewirkt haben«, meinte Jade und hielt ihn hoch.

Ich schüttelte den Kopf.

»Den hat sie nie getragen«, versicherte ich verblüfft.

Jade warf ihn mir zu.

»Hier ist noch mehr«, sagte sie, griff in die Schublade und zog eine einteilige Korsage aus Samt und Satin heraus. Sie hatte ebenfalls Bügelkörbchen, herausnehmbare Polster und war unten wie ein Stringtanga gearbeitet. Jade hielt sie hoch. Ich schüttelte den Kopf. »Das habe ich entweder bei Victoria Secret oder Frederick's of Hollywood gesehen«, stellte sie fest.

Sie warf es mir zu und zog einen weiteren knappen BH, mehrere Stringtangas und einen schicken Body in einem Ausbrenn-Punktmuster aus Elasthan heraus. Außerdem lagen dort zwei Badeanzüge mit Netzmittelteilen, einer in Hellgrau und einer in Schwarz.

»Ich habe sie nie eines dieser Teile tragen sehen«, wunderte ich mich. »Das verstehe ich nicht. Warum ist das hier? Wie?«

»Vielleicht wollte sie deshalb, dass die Tür immer geschlossen blieb«, sagte Jade und räumte die Schublade leer. »Schließlich hatte sie auch ihre eigenen Fantasien, Cat.«

Jade kniff die Augen zusammen, als sie zum Nachttisch hinüberschaute. Sie warf mir einen Blick zu, marschierte

hinrüber und zog am Griff. Die Schublade rührte sich nicht. »Sie ist abgeschlossen«, stellte sie fest. »Wo könnte der Schlüssel sein?«
»Ich weiß es nicht. Vielleicht in ihrer Handtasche«, sagte ich, holte sie, drehte sie um und leerte den Inhalt auf der kleinen Frisierkommode aus. Dort waren keine Schlüssel, weder von Schubladen noch von Türen.
Jade zuckte die Achseln.
»Was macht uns das jetzt schon aus«, sagte sie und holte einen Metallschuhlöffel aus dem Schrank, den sie in den Spalt der Schublade schob, und versuchte, sie aufzustemmen. Während sie sich damit abmühte, suchte ich Geraldines Schmuckschatulle und einige andere Kästchen nach dem Schlüssel ab. Ich drehte mich gerade um, als Jade stöhnte, dass sie keinen Erfolg hätte. Der Schuhlöffel verbog sich, bevor sie die wohl verschlossene Schublade damit aufstemmen konnte. Frustriert setzte sie sich auf den Boden.
»Ich muss nach unten gehen und einen Hammer und einen Schraubenzieher oder so was holen«, sagte ich. Gerade wollte sie aufstehen, als sie innehielt. Ich sah, wie sich ein Lächeln auf ihrem Gesicht ausbreitete.
»Was ist?«
»Schau mal einer an«, sagte sie und griff unter das Bett.
»Der Schlüssel baumelte an einer Schnur, die an einer Sprungfeder festgebunden ist.«
Sie zog ihn heraus. Die Schnur war so lang, dass sie bis zum Nachttisch reichte, und natürlich passte der Schlüssel ins Schloss. Jade drehte ihn um und schaute dann wieder zu mir. Ich schüttelte den Kopf. All das war eine totale Überraschung für mich.
»Ich habe keine Ahnung, warum sie ihn verschlossen hielt«, sagte ich.

Sie öffnete die Schublade, ich humpelte hinüber, um mit ihr zusammen hineinzuschauen.
»Bilder«, sagte sie und nickte.
»Was ist da drin?«, fragte ich.
»Du weißt es nicht?«
Ich schüttelte den Kopf.
Sie griff in die Schublade und hielt einen Stapel Bücher und Zeitschriften hoch.
»Pornografie«, sagte sie. »Und Sexhandbücher.« Erstaunt zog ich die Augenbrauen hoch, und sie fügte hinzu: »Mit Bildern.«
Entsetzt riss ich die Augen auf. Zu entdecken, dass Geraldine so etwas gelesen hatte, war … so schockierend, dass ich mich fragte, ob ich das Ganze nicht nur träumte.
»Nein.«
»Doch«, sagte sie lächelnd. »Deine kostbare Heilige Geraldine hatte ein geheimes Leben. Während sie nicht gestattete, dass du einen Badeanzug besitzt oder Shorts trägst oder Kleidung, die ihrer Meinung nach zu eng war, entpuppt sie sich hinter verschlossenen Türen als Miss ›Nicht Jugendfrei‹. Was für eine Heuchlerin.«
Jade warf die Bücher und Zeitschriften auf den Haufen mit Kleidung.
»Jetzt überrascht mich nichts mehr«, sagte sie und nahm den Schrank in Angriff.
Ich trat zurück, immer noch verblüfft. Was hatte das alles zu bedeuten?
»Komm rein«, rief Jade.
Ich betrat den Wandschrank. Sie stand in der Ecke. Die meisten Kleidungsstücke hatte sie beiseite geschoben; dahinter verbarg sich wohl versteckt ein kleiner Safe.
»Ich nehme an, die Kombination kennst du nicht«, sagte sie.

»Ich wusste nicht einmal, dass er hier war.«
»Der wird nicht leicht zu öffnen sein«, mutmaßte sie, kniete nieder und suchte rund um den Safe alles ab. Ich kam näher. »Durchsuch die Nachttischschublade. Schau nach Zahlen, die irgendwo aufgeschrieben sind«, ordnete sie an. »Da sie verschlossen war, haben wir vielleicht Glück.«
Langsam holte ich alles aus der Schublade und untersuchte es: eine kleine Taschenlampe, einige rezeptfreie Medikamente gegen Erkältung und Kopfschmerzen, eine Dose mit Hustenbonbons, ein Füllhalter, eine Lesebrille, eine kleine Schere und ein Rückenkratzer, aber keine Papierschnipsel oder Blocks. Auf dem Block neben dem Telefon stand auch nichts. Ich wandte mich wieder dem Inhalt ihrer Handtasche zu und durchsuchte alles sorgfältig.
»Nichts«, teilte ich Jade mit, als sie aus dem Wandschrank auftauchte.
Die Hände in die Hüften gestemmt, stand sie nachdenklich da.
»Wir müssen die Kombination finden«, sagte sie.
»Das wird wie die Suche nach der Nadel im Heuhaufen«, warnte ich.
»Vielleicht. Wir müssen so denken wie sie. Ich habe einmal einen Krimi gesehen, in dem der Detektiv versuchte, der Killer zu werden, in seinen Verstand hineinkroch, ihn aufspürte«, erzählte sie.
Ich lächelte. Das hörte sich eher nach Misty an, aber zumindest hatte die Suche sie angestrengt und ihren traurig-schwermütigen Gesichtsausdruck weggewischt.
»Sie war sich sicher, dass du nie hier hereinkommen würdest. Diese Tür lässt sich nicht einmal abschließen«, sagte sie und nickte in Richtung Schlafzimmertür. »Sobald sie geschlossen war, war sie so gut wie verschlossen. Dennoch schloss sie den Nachttisch ab. Warum? Vielleicht

weil dein Adoptivvater hier schlief«, antwortete sie selbst, genau wie Geraldine es immer getan hatte. »Vermutlich kannte auch er die Kombination zu diesem Safe nicht.«

»Glaubst du, er wusste von dem anderen Zeug?«, fragte ich und nickte zu der Reizwäsche, den Büchern und Zeitschriften. Sie überlegte einen Augenblick und schüttelte dann den Kopf.

»Nein, ich glaube nicht, besonders nach dem, was du uns über die beiden und ihre Beziehung erzählt hast.« Sie schaute sich im Zimmer um und schüttelte den Kopf. »Du hast Recht«, sagte sie. »Wenn sie es irgendwo aufgeschrieben hat, könnte es überall sein, vielleicht sogar in einem anderen Zimmer. Dennoch sollten wir es versuchen«, stellte sie abschließend fest und begann hinter den Möbeln und unter dem Bett zu forschen. Sie zog sogar die Schubladen heraus und schaute dahinter. Ich suchte so viel ich konnte. Nachdem wir eine halbe Stunde lang alles auf den Kopf gestellt hatten, hörten wir beide auf und setzten uns entmutigt auf die Matratze.

»Sie ist bestimmt an irgendeiner ganz offensichtlichen Stelle«, überlegte sie. Sie schaute hoch zur Lampe, dann zu den Fenstern, ließ schließlich den Blick über die Wände gleiten. »Einmal in der Schule, als ich Angst hatte, die Kombination meines Schließfaches zu vergessen, ging ich auf die Mädchentoilette und schrieb die Nummer in winzigen Zahlen an die Wand der ersten Kabine. Lass uns doch einmal die Wände absuchen«, entschied sie und stand auf. Ich übernahm die gegenüberliegende Wand. Wir hingen praktisch mit der Nase darauf.

»Was macht ihr beiden Spinner denn da?«, fragte Star an der Tür.

Wir hatten uns beide so sehr konzentriert, dass keine von

uns gehört hatte, wie sie und Misty hereingekommen und die Treppe heraufgestiegen waren. Beide standen dort mit Beuteln in der Hand und starrten uns an.

»Wir suchen die Kombination des geheimen Safes, den ich im Wandschrank entdeckt habe. Ich dachte, Geraldine hätte sie vielleicht an die Wand gekritzelt.«

»Geheimer Safe?«, fragte Misty.

»Ich entdeckte auch noch ein paar andere Überraschungen«, sagte Jade und nickte in Richtung auf den zweiten Stapel am Boden.

Star kam langsam näher, kniete sich hin und untersuchte die Wäsche. Sie hob die Bücher und Zeitschriften hoch.

»Ist das wirklich, wofür ich es halte?«, fragte sie Jade.

»Nichts anderes«, bestätigte Jade. »Offensichtlich war Geraldine Madame Porno höchstpersönlich. Hinter verschlossenen Türen natürlich.«

»Wow«, sagte Misty staunend. Sie schaute mich an.

»Ich hatte keine Ahnung davon«, sagte ich.

»Wie bist du auf die Idee gekommen, dass sie die Safekombination an die Wand geschrieben hat?«, fragte Star.

Jade erklärte ihre Theorie, und als Nächstes suchten wir zu viert jeden Zentimeter des Zimmers ab auf der Suche nach Zahlen. Nach etwa zwanzig Minuten gaben wir auf. Star erklärte, das sei doch alles Blödsinn.

»Können wir ihn nicht einfach aufbrechen?«, fragte sie.

»Schau es dir selbst an«, forderte Jade sie auf. Das tat sie und kehrte mit schüttelndem Kopf zurück.

»Ohne Dynamit keine Chance«, stellte sie fest. »Hast du irgendeine Ahnung, was da drin ist?«, fragte sie mich.

»Ich wusste ja nicht einmal, dass er dort ist«, sagte ich, »viel weniger habe ich eine Idee, was darin ist.«

»Der einzige Weg herauszufinden, was drin ist«, sagte Jade, »ist, ihn zu öffnen.«

»Tatsächlich? Wieso bin ich nicht darauf gekommen?«, fragte Star Misty. Sie riss die Augen weit auf und schaute von einer zur anderen. »Wenn wir ihn aus dem Fenster auf einen großen Stein fallen lassen, bricht er vielleicht auseinander.«

»Das bezweifle ich«, meinte Jade.

»Also, wir können nicht den ganzen Tag damit zubringen, nach Nummern zu suchen«, erklärte Star. »Wir sollten auch einen Teil der Streicherei erledigen. Vergiss nicht«, erinnerte sie mich, »du kommst heute zum Abendessen und Übernachten zu mir nach Hause.«

Ich lächelte und nickte.

Jade stöhnte frustriert und starrte einen Augenblick auf den Nachttisch. Sie ging die Hustenbonbons und die Medikamente durch und studierte die Etiketten.

»Wo würde sie Zahlen aufbewahren?«, murmelte sie.

»Rühr die Farbe an, Misty«, ordnete Star an. »Wir haben Ihnen Ihre eigene Rolle besorgt, Miss Jade«, sagte sie.

Jade drehte sich nicht um, sondern konzentrierte sich weiter auf den Nachttisch. Dann griff sie zur Taschenlampe und drehte sie in den Händen hin und her.

»Wenn Miss Beverly Hills bereit wäre zu tun, was sie von uns allen anderen erwartet, wäre das prima«, trällerte Star.

Jade schaute sie an und richtete die Taschenlampe auf sie. »Ich beame dich hier raus, wenn du nicht den Mund hältst«, warnte sie sie und knipste die Taschenlampe an, die aber nicht anging. Sie schüttelte sie und warf sie dann aufs Bett. »Du hast Glück, dass sie nicht funktioniert.«

»Geraldine war doch so pingelig darin, alles in Ordnung zu halten. Erinnert euch nur an ihre Besessenheit mit unserer Inventarliste«, erinnerte ich sie.

Jade starrte mich einen Augenblick an, dann lächelte sie

und hob die Taschenlampe wieder auf. Rasch schraubte sie den Deckel ab und schaute hinein. Strahlend hielt sie einen winzigen Papierschnipsel hoch.

»Deshalb funktioniert sie nicht«, sagte sie und faltete den Zettel auseinander. Keine sprach ein Wort, alle warteten gespannt. »Es ist eine Kombination«, verkündete sie. »Clever.«

Sie nickte mir zu, wir folgten ihr in den Wandschrank, wo sie sich vor den Safe kniete und die Nummer auf dem Papierschnipsel eingab. Es klickte. Sie schaute auf. Ich kam näher, sie öffnete die Safetür.

Als Erstes hielt sie ein sehr dickes Bündel Geldscheine hoch, das mit einem Gummiband zusammengehalten wurde.

»Alles Fünfziger«, stellte sie fest, während sie den Stapel durchblätterte. »Das ist ein Haufen Geld … Tausende vermutlich.«

»Gut«, sagte Star. »Ich hatte schon Angst, wir müssten die Mitgliedssätze des Clubs erhöhen.«

Misty lachte. Jade griff in den Safe und holte einen Samtbeutel heraus, den sie auf dem Boden ausleerte. Er war gefüllt mit Ringen, Armbändern, Ohrringen und zwei teuer aussehenden Damenarmbanduhren – alles funkelte vor Diamanten und Rubinen.

»Ich wette, das gehörte deiner Mutter«, vermutete Misty.

»Ja, vermutlich. Geraldine trug nie Ringe, ja sie hasste es sogar, eine Armbanduhr zu tragen. Auch Ohrringe zog sie nie an«, berichtete ich.

»Das alles gehört jetzt dir«, sagte Star.

»Hier sind auch Dokumente«, berichtete Jade, die mit der Suche fortfuhr. Sie öffnete sie und beschrieb, worum es sich handelte. »Besitzurkunde für das Haus, Trauschein, einige Sparguthaben von beachtlicher Höhe.«

»Cat ist also reich«, stellte Star fest. »Jetzt wollen wir uns wieder an die Arbeit machen. Cat und ich müssen in etwa drei Stunden gehen.«
»Wartet«, bat Jade. »Hier hinten ist noch etwas.« Sie streckte die Hand aus und zog einen offiziell wirkenden Umschlag heraus. Sie starrte mich an, dann drehte sie ihn um, öffnete ihn und zog einige Dokumente heraus.
»Nun?«, fragte Star.
»Das sind Adoptionspapiere«, erklärte sie.
»Also, das ist ja keine Überraschung. Wir wissen doch, dass Cat adoptiert wurde, oder?«, meinte Star.
»Stimmt«, sagte ich.
»Das hier ist aber eine Überraschung«, konstatierte Jade. Sie drehte die Papiere zu uns herum. »Es sind nämlich nicht Cats Adoptionspapiere.«
»Hm?«, sagte Star erstaunt.
»Es sind Geraldines. Laut diesem Dokument ist sie nicht einmal deine Halbschwester. Deine Mutter hat sie adoptiert.«
»Was?«
Jade las weiter.
»Sie wurde hier in Kalifornien adoptiert.« Sie schaute zu mir auf. »Das ist offiziell. Sie war gar nicht mit dir verwandt.«
»Gut«, meinte Star sofort. »Sie ist doch besser dran, wenn nicht die geringsten Blutsbande zwischen ihr und dieser Hexe bestehen. Du hast doch damit kein Problem, stimmt's, Cat?«, erkundigte sie sich und legte den Arm um mich.
Ich wusste nicht, was ich sagen sollte. All diese Überraschungen verblüfften mich. Ich hatte das Gefühl, von jeder neuen Entdeckung herumgewirbelt zu werden, bis die ganze Welt auf dem Kopf stand.

»Ich verstehe das nicht. Da muss irgendein Fehler oder eine Verwechslung vorliegen. Jemand hat den falschen Namen in die Papiere eingesetzt. Mein Name müsste dort stehen.«

Star starrte auf die Papiere und reichte sie mir dann.

»Lies es selbst. Es ist gestempelt und signiert, ihr Name und das Datum stehen an einer Reihe von Stellen. Niemand hat irgendwelche Fehler gemacht.«

Ich studierte das Dokument. Es stimmte.

»Sie hat so etwas nicht einmal … angedeutet«, stammelte ich. »Niemand tat das.«

»Und in den Briefen, die du bis jetzt gelesen hast, steht auch nichts, was darauf hindeutet«, fügte Misty hinzu.

Ich sah sie an und nickte.

»Vielleicht kommt das ja noch in den verbleibenden Briefen«, meinte Jade. Sie stand auf. »Jetzt macht es sowieso nicht mehr viel aus«, sagte sie. »Sie ist tot. Du musst die ganze hässliche Vergangenheit hinter dir lassen.«

»Ich habe sowieso nie irgendwelche Ähnlichkeiten zwischen euch feststellen können«, sagte Star.

»Oh, mein Gott«, rief Misty mit weit aufgerissenen Augen. Wir sahen einander an. »Sie hätte Alden heiraten können. Er war überhaupt nicht ihr Onkel. Kein Wunder, dass sie so sauer darüber war.«

»Ja«, sagte ich. »Ja.« Zumindest ergab das für mich jetzt einen Sinn.

»Hier ist das Geld«, sagte Jade und reichte es mir, »und die Juwelen deiner Mutter. Du kannst es jetzt genauso gut mit in dein Zimmer nehmen.« Sie schloss den Safe wieder.

Ich nahm alles und starrte auf die Dokumente, dann verließ ich den Wandschrank und setzte mich auf die nackte Matratze. Alle kamen heraus und standen abwartend vor mir. Ich warf einen Blick auf den Stapel mit Reizwäsche und dann auf sie.

»Ich kannte wohl nie irgendjemanden wirklich. Niemand war, wer er vorgab zu sein. Jeder log.«

»Bei uns war es doch genauso«, gab Jade zu bedenken. »Der einzige Unterschied ist, dass es bei dir jetzt aufgehört hat.« Sie schaute Star und Misty an. »Für uns nicht.«

Alle waren still, für ein paar Augenblicke hing jede ihren eigenen finsteren Gedanken nach. Star war die Erste, die aus dieser Selbstvergessenheit wieder auftauchte, und wie üblich kanalisierte sie ihren Zorn in Energie.

»Wollen wir dieses Zimmer anstreichen, oder sitzen wir hier nur herum und stöhnen und seufzen über unser Schicksal? Ich dachte, wir brauchten sowieso sonst niemanden.«

»Stimmt«, sagte Misty.

Jade nickte.

»Stimmt.«

»Dann wollen wir anfangen, Prinzessin Jade«, schlug Star vor und warf ihr eine Rolle in die Hände.

»Wir brauchen Musik!«, rief Misty und rannte hinaus, um die Stereoanlage anzudrehen. Eine Minute später erbebte das Haus unter den Klängen von Rockmusik. Star wirbelte mit ihrer Rolle in der Luft herum, Misty tänzelte zu ihr hinüber. Die beiden sangen den Song in einer Pantomime mit. Jade und ich brüllten vor Lachen.

Geheimnisse prasseln wie ein Unwetter auf einen nieder, hatte sie gesagt.

Vielleicht hatte Star Recht: Meine Stürme waren vorüber.

Aber vielleicht, vielleicht hatten sie gerade erst begonnen.

KAPITEL ELF

Zur Schau gestellt

Die Welt erschien aufgrund dieser Enthüllung von Familiengeheimnissen und Lügen immer weniger sicher. Der Boden, über den wir schritten, konnte jeden Augenblick so dünn wie Eis werden. Dann würden wir schreiend und weinend einbrechen und hinabsinken, bis wir ganz unten auftrafen und dort einer weiteren hässlichen Wahrheit über uns oder unser Leben ins Auge sehen mussten. Selbst in einer warmherzigen, liebevollen, sicheren Familie kämpfen junge Menschen meines Alters darum, Antworten auf die quälenden Fragen zu finden: »Wer bin ich? Was soll aus mir werden?«

Nachdem alles vorbei ist – die frühe Kindheit, die Kette von Geburtstagen mit Kerzenlicht, Bergen von Geschenken, Stimmen von Verwandten, die singen und dir gute Zukunftsaussichten prophezeien, die Schuljahre, in denen du dich in Bänke verschiedener Größe hineingezwängt hast, auswendig gelernt und rezitiert hast, Referate gehalten und dich vor immer neuen Lehrern produziert hast –, fühlst du dich immer noch unzulänglich, alleine, verletzlich und nackt in einer Welt, die so unnachgiebig und schrecklich fordernd sein kann.

Manchmal klammert man sich an seine Familie wie ein Schiffbrüchiger an einen Rettungsring, aber wenn du in

ihre Augen schaust, siehst du ihre Ungeduld und ihre Erwartung. Du hörst, was sie denken: Du solltest dich mittlerweile freigeschwommen haben, sonst wirst du uns noch alle nach unten ziehen.
Wenn du Glück hast, richtiges Glück hast, findest du jemanden, den du liebst, der auch dich liebt, und Einsamkeit und Furcht schrumpfen dahin. Nach dem, was wir alle erlebt haben, läuft man häufig Gefahr, die falschen Entscheidungen zu treffen, und gerade in dem Augenblick, wenn man sich sicher glaubte und den Rettungsring losließ, wurde man wieder umhergeschleudert und ertrank beinahe.
Was aber, wenn man nie eine liebevolle Familie hatte? Wenn all deine Geburtstage als kleinere Unannehmlichkeiten behandelt und dir all deine Geschenke widerwillig hingeschoben wurden? Wenn all deine Kerzen zu früh ausgeblasen wurden und dir jedes Mal, wenn du nach dem Rettungsring griffst, ein platter Reifen zugeworfen wurde und du dich allein abstrampeln musstest?
Und wenn du gerade die Dunkelheit hinter dir gelassen hattest und endlich Licht und Hoffnung und Zukunftsaussichten vor dir sahst, aber nur ein Prisma aus Lügen vorfandest, das um dich herum wirbelte, dich schwindelig machte und in einem Whirlpool der Erinnerungen herumtrudeln ließ, die, wie du jetzt wusstest, sowieso nur Illusionen waren? In welchen Fluss, welchen Teich sollst du deine Hände tauchen, damit dein Gesicht vor Lächeln strahlt? Wo kannst du die Melodie des Lachens hören? Wo in dir könnten glückliche Momente stecken, die du mit jemandem teilen kannst – selbst wenn du jemanden finden würdest, mit dem du sie teilen kannst?
Woher kennst du den Unterschied zwischen dir selbst und deinem Schatten? Könnte irgendjemand dir einen

Vorwurf daraus machen, dass du jeden – jeden Passanten, jeden Bekannten, jeden Fremden – anhältst und ihm die gleiche Frage stellst? Weißt du, wer ich bin? Weißt du, wo ich das herausfinden kann?
Ich hatte eine Mutter, die nur in einem kleinen Stapel Briefe festgehalten worden ist. Ich hatte einen Vater – jemand, der auf einem alten Foto erstarrt war, ein Gesicht ohne Stimme, eine Hand, die mich nie berührte, Augen, die mich nie sahen, und Ohren, die mich nie hörten. Ich besaß Eltern wie ein verhedderter, verknoteter Haufen Fäden aus Betrug, die sogar einander betrogen.
Meine Freundinnen und ich hatten begonnen, all diese Fäden aufzurollen, und dabei schmerzliche Entdeckungen gemacht. Meine Mutter war nicht meine Mutter. Sie war meine Halbschwester. Meine Halbschwester war nicht meine Halbschwester. Sie war eine völlig Fremde, die überhaupt keine Vergangenheit besaß. Wenn sie nun eines Tages, irgendwann früh in meinem Leben, stehen geblieben wäre, sich zu mir umgedreht und gesagt hätte: »Cathy, es ist Zeit, dass du die Wahrheit erfährst, damit wir in einer stabilen, zuverlässigen Welt leben können, einer Welt ohne dünnes Eis.«
Wenn sie mir das kostbarste Geschenk von allen gemacht hätte? Meinen richtigen Namen, meine Identität, eine Gelegenheit, jemand zu sein und den Unterschied zwischen meinem Schatten und mir selbst kennen zu lernen? Was hielt sie davon ab? Wen bestrafte sie damit? Oder war sie nur so voller Hass, das ihr jeglicher Akt der Liebe unmöglich war?
Durch den Tod gefesselt lag sie jetzt in der kalten dunklen Erde hinter dem Haus wie ein vergrabenes Beweisstück, das leicht all jene überzeugen würde, die geholfen hatten, sie zu schaffen. Es war am besten, nicht an sie zu denken.

Denk nicht an sie, Cathy. Fahr mit der Hand über die Stirn und wisch die Erinnerungen weg wie einen hässlichen Flecken. Stell dir vor, du wärst neugeboren. Zünde neue Kerzen an, Cathy, die Katze. Bring damit Licht in die Dunkelheit.
All das dachte ich, während ich mechanisch neben meinen neuen Schwestern arbeitete. Sie schwatzten und lachten, sangen und kicherten, beschäftigten ständig Augen und Ohren, um ihre eigenen Dämonen fern zu halten. Geraldine pflegte immer zu sagen: »Arbeite hart, damit du nicht über unangenehme Dinge nachdenkst.« Damit hatte sie Recht, obwohl sie sich sicher nie hätte träumen lassen, dass sie für mich einer dieser lästigen Gedanken war.
»Alles klar«, rief Jade und unterbrach meine Träumerei, als sie sich umdrehte und unser Werk betrachtete.
Der ganze Raum, selbst die Decke, war schwarz. Sie, Star und Misty hatten die Möbel hinausgeschafft, nachdem sie die Betten auseinander genommen und die Schubladen aus den Kommoden gezogen hatten. Das Zimmer stand völlig leer. Die ganzen Möbel und Kleidungsstücke lagen im Flur nahe der Treppe.
»Morgen rufe ich die Heilsarmee an«, kündigte Jade an. »Sie können vorbeikommen, um Möbel und Kleidung abzuholen.« Sie schaute mich an. »Gibt es irgendetwas von ihr, das du nicht weggeben möchtest?«
»Nein«, entschied ich, ohne zu zögern.
»Gut.« Sie inspizierte die Tür genauer. »Kann sie irgendwie abgeschlossen werden?«
»Warum?«, fragte ich.
»Dieser Raum wird unser Heiligtum, unser Tempel. Wir wollen nicht, dass irgendjemand hier hereinkommt, nicht einmal durch Zufall«, erklärte sie.
Star schaute sich die Tür ebenfalls an.

»Du musst diese Türklinke durch eine ersetzen, die sich abschließen lässt«, meinte sie.
»Okay. Ich besorge morgen auf dem Weg hierher eine neue Türklinke«, versprach Jade.
»Dann wollen wir jetzt gehen. Es ist schon spät«, sagte Star.
Wir räumten auf, und ich zog mir etwas Netteres an als eine Jeans und ein Sweatshirt. Außerdem packte ich eine kleine Tasche mit Übernachtungssachen. Weil ich noch nie irgendwo anders als zu Hause übernachtet hatte, war ich ängstlich.
Jade bestellte die Limousine und befahl dem Fahrer, uns zu Star zu bringen, nachdem er Misty und sie bereits abgesetzt hatte. Ich zitterte ein wenig, als ich die Haustür abschloss und ging. Jade spürte das wohl am deutlichsten.
»Es wird mit jedem Mal leichter«, flüsterte sie. »Es dauert nicht lange, und du denkst gar nicht mehr an sie.« Sie drückte meine Hand, und wir stiegen alle in die Limousine.
Ich umklammerte meine Übernachtungstasche auf meinem Schoß wie einen Rettungsfallschirm und starrte geradeaus.
»Ich hoffe, ihr beide folgt den WME-Regeln und esst nicht zu viel Fettes«, ermahnte Jade Star.
»Wenn sie bei dir zu Hause ist, bist du für ihr Essen verantwortlich. Dein Büfett war nicht gerade eine Diät zum Abnehmen. Auf jeden Fall bin ich dir dankbar, dass du mir und meiner Granny nicht vorschreibst, was wir zu Abend essen sollen«, erwiderte Star, schaute mich an und schüttelte den Kopf.
»Ich versuche doch nur –«
»Das Leben aller Leute zu regeln?«, trällerte Star.
»Ach, was hat das für einen Zweck? Man kann nur denen

helfen, die sich helfen lassen wollen«, sagte sie zu Misty, die die Augenbrauen hochzog. »Weißt du, dass du nicht alle Farbe abgewaschen hast? Du hast einen schwarzen Streifen auf deiner linken Schläfe. Wie ist da Farbe hingekommen?«

Misty zuckte die Achseln.

»Wenn meine Mutter fragen sollte, erzähle ich ihr, ich hätte geholfen, eine Hundehütte anzustreichen oder so was. Hör auf, dir über alles Sorgen zu machen.«

»So wie es aussieht«, sagte Jade, »bin ich die Einzige, die sich über irgendetwas Sorgen macht. Wann kommt ihr morgen wieder?«, fragte sie Star.

»Mal sehen«, überlegte Star, »nachdem Cat und ich unsere Zehennägel lackiert haben und eine Gesichtsmaske haben machen lassen, nehmen wir den Lunch im Poloclub ein und dann –«

»Schon gut, du Idiotin, sag mir einfach, wann ich kommen soll«, stöhnte Jade.

Star warf mir einen Blick zu, zuckte die Achseln und sagte: »Gegen Mittag, vermute ich.«

Jade traf noch Vereinbarungen, wann sie Misty abholen sollte, dann stiegen beide aus. Als nur noch Star und ich in der Limousine saßen und zu ihr fuhren, wurde ich richtig nervös.

»Wird deine Granny mir viele Fragen stellen?«, wollte ich wissen.

»Vermutlich«, sagte Star. »Versuch sie nicht zu belügen. Sie hat eine Art eingebauten Lügendetektor.«

»Toll. Was mache ich, wenn sie mich nach Geraldine fragt?«

»Erzähl ihr alles außer ihrem glücklichen Dahinscheiden und der darauf folgenden Beerdigung«, wies sie mich an. »Mach dir keine Sorgen. Sie ist nicht neugierig. Sie ist nur besorgt. Gott sei Dank«, fügte sie hinzu und starrte aus dem Fenster. »Ohne sie wüsste ich nicht, was ich tun sollte. Rodney endete vermutlich in irgendeinem Waisenhaus und ich würde eine Bordsteinschwalbe.«

»Das würdest du doch nicht wirklich, oder?«

»Cat, wenn alles, was du besitzt, das ist, was du auf dem Leibe trägst, bleibt dir manchmal keine andere Wahl. Aber vergiss es. Jetzt haben wir doch alles. Wir haben uns.«

»Ja«, bestätigte ich. »Wir haben einander.«

Stars Granny wohnte im Erdgeschoss eines Hauses in Venice Beach. Wegen der Lage im Gebäude besaß die Wohnung einen Hinterausgang zu einem kleinen Stückchen anämischen Rasen, der laut Star häufig mit Müll übersät war.

»Meine Großmutter hat es sich zur Aufgabe gemacht, ihn so sauber wie möglich zu halten. Ein paar Mal habe ich sie dabei erwischt, wie sie alte Reifen wegschleppte. Ich weiß nicht, woher sie die Kraft nimmt; es nützt auch nichts, sie deswegen auszuschimpfen. Sie schüttelt dann nur den Kopf und sagt: ›Was getan werden muss, muss getan werden.‹ So ist Granny«, erklärte Star, als die Limousine am Straßenrand anhielt.

Stars Nachbarschaft wirkte schäbig und heruntergekommen, manche der kleinen Häuser hätten einen neuen Anstrich bitter nötig gehabt, die Bürgersteige waren aufgerissen und geborsten, die Gartentore defekt, die Mauern baufällig, manche Türen hingen an rostigen Angeln. Hin und wieder sah man ein wohl gepflegtes Haus. Zumindest versuchte Stars Granny nicht als Einzige, das Grundstück und das Gebäude in gutem Zustand zu erhalten.

»Granny sagt, wir sind hier zu nahe am Ozean. Die Seeluft frisst alles auf.«

Was für ein Gegensatz zu Jades Anwesen, dachte ich. Star

hatte Recht. Wir stammten alle von verschiedenen Planeten.
Wir stiegen aus und betraten das Gebäude. Jemand hatte mit einem dicken Marker Graffiti an die Wand gekritzelt.
»Oho«, rief Star. »Das ist neu. Morgen früh ist Granny hier draußen und schrubbt es weg. Sag ja nichts darüber«, warnte sie mich und drückte auf die Klingel. »Ich habe meinen Schlüssel vergessen«, erklärte sie.
Einen Augenblick später öffnete uns ihr Bruder Rodney die Tür. Star hatte ihn eine Bohnenstange genannt, und damit hatte sie Recht. Obwohl ungefähr achteinhalb Jahre jünger als sie, war er nur wenige Zentimeter kleiner. Er hatte ihre Nase und Augen, aber was ihm noch an Unschuld und Weichheit verblieben war, blieb wohl versteckt hinter einem vorsichtigen und misstrauischen Blick. Er legte den Kopf schief, um zu rufen: »Es sind nur Star und ihre Freundin.«
»Du sagst als Erstes ›hallo‹, Rodney«, belehrte Star ihn. »Und schrei hier nicht herum, wer es ist. Du stellst Leute vor«, fügte sie mit einer so beißenden Schärfe hinzu, dass er zurückzuckte.
»Tut mir Leid«, entschuldigte er sich. »Hallo.«
»Das ist Cathy.«
Er nickte mir zu, ich sagte hallo, aber kaum laut genug, um es selbst zu hören. Das lockte ein winziges Lächeln auf seine Lippen.
»Hast du dir das Bein gebrochen?«, fragte er.
»Nein, das Fußgelenk.«
»Oh.« Er wirkte enttäuscht. Dann drehte er sich um und schlenderte mit stolz erhobenen Schultern den kurzen Flur entlang. An der Küchentür blieb er stehen.
»Star ist wieder da«, verkündete er und trat beiseite, damit wir hereinkommen konnten.

Granny Anthony wischte sich die Hände an einem Geschirrtuch ab und drehte sich um, um uns zu begrüßen. Das Aroma ihrer Kochkünste stieg mir in die Nase. Trotz des zerschlissenen, abgenutzten Eindrucks der Möbel, des Bodens, der Geräte und selbst der Wände sah ich, wie gut in Ordnung gehalten und sauber ihre Küche war. Sie strahlte uns mit einem breiten Lächeln an.

»Herzlich willkommen, Schätzchen«, begrüßte sie uns.

Stars Großmutter hatte eine glatte Haut mit winzigen Fältchen um die Augen und in den Mundwinkeln. Ihre großen runden Augen strahlten Wärme aus.

Sie war nicht größer als einen Meter dreiundsechzig, trug den Kopf aber stolz erhoben. Ihr rauchgraues Haar war nach hinten gebürstet und ordentlich zu einem Knoten geschürzt.

»Vielen Dank für Ihre Einladung«, sagte ich.

»Hast du Schmerzen?«, fragte sie mich.

»Nein, mir geht es gut.«

»Prima. Fühlt euch wie zu Hause. Wir haben heute Brathähnchen, Kartoffelpüree, Erbsen, Maiskolben und einen Pfirsichkuchen, bei dem Rodney mir geholfen hat.«

»Hab ich nicht«, widersprach Rodney rasch mit verlegenem Blick.

»Du hast die Pfirsiche geschnitten, Liebes«, beharrte sie.

»Das ist doch nichts«, wehrte er ab und warf mir einen Blick zu.

»Ohne sich zu schneiden«, bemerkte Star. »Das ist doch klasse.«

»Oh, er schneidet sich doch nie, Star. Hör auf, ihn zu foppen.«

»Okay, Granny. Komm mit«, forderte sie mich auf. »Ich zeige dir, wo du deine Sachen lassen kannst. Dann komme ich sofort wieder, um den Tisch zu decken, Granny.«

»Schon erledigt«, verkündete Granny. »Rodney hat das getan.«
»Ich habe nicht alles gemacht«, protestierte er. Bei der Hausarbeit zu helfen war ihm offenbar sehr peinlich.
»Danke, Bruder«, sagte Star und wollte ihm mit der Hand durch das Haar fahren, aber er zuckte rasch zurück, und sie lachte.
Ganz gleich, wie sehr sie ihn neckte und ermahnte, man sah ganz deutlich, wie sehr sie einander liebten. Ich war bereits eifersüchtig. Die Wärme zwischen ihnen war spürbar. Ich hieß die Gelegenheit willkommen, mich davon überfluten zu lassen.
Stars Zimmer war sehr klein und überfüllt. Die Möbelstücke standen dicht gedrängt. Man konnte sich ihrem Bett nur von der Seite nähern, weil zwischen der einen Kommode und dem Bettgestell nur so wenig Platz blieb. Rodneys Kinderbett stand an der anderen Wand. Darüber hing ein Poster von Michael Jordan. Das und einige andere Sportbilder bildeten die einzige Dekoration. Selbst seine Träume waren in diesem Zimmer rationiert, dachte ich traurig. Mir kam es auch so vor, als wäre er aus dem Kinderbett bereits herausgewachsen.
»Stell deine Übernachtungstasche einfach auf die Kommode«, wies Star mich an. Sie ging zu ihrem schmalen Schrank und schaute einige Kleidungsstücke durch. »Ich ziehe mir eben dieses Kleid an«, sagte sie und hielt ein braunes Kleid hoch, das bis zur halben Wade reichte. »Granny erwartet das«, flüsterte sie.
»Oh. Vielleicht hätte ich auch etwas Hübscheres anziehen sollen«, dachte ich laut.
»Nein, das ist schon in Ordnung. Warum machst du dich nicht ein bisschen frisch, während ich mich umziehe«, schlug sie vor und deutete zum Badezimmer im Flur.

Einige Minuten später klopfte es an der Tür.
»Kann ich hereinkommen?«, fragte Star.
»Sicher. Ich mache nur mein Haar zurecht«, antwortete ich und öffnete ihr die Tür.
»Entschuldige, dass ich einfach so eindringe«, sagte sie, während sie sich die Hände wusch und dann die Haare zurückband. »Unsere Villa besitzt nur ein Badezimmer.«
»Vielleicht hätte ich etwas von dem neuen Make-up auflegen sollen, das Jade mir mitgebracht hat«, überlegte ich.
»Nicht für Granny. Sie kann es nicht ausstehen, wenn Leute vornehm tun, und das verheimlicht sie auch nicht. Du siehst gut aus«, sagte sie. Sie warf noch einen Blick auf sich selbst, dann gingen wir in das kleine Wohnzimmer, in dem Rodney fernsah. Er warf uns einen Blick zu und schaute dann wieder zum Bildschirm.
»Was hast du den ganzen Tag gemacht, Rodney?«, fragte Star ihn.
»Nichts. Mit Sandy eine Weile auf dem Schulhof Korbwürfe geübt.«
»Ist dieser Cokey auch wieder vorbeigekommen?«
Er zögerte.
»Was ist passiert?«, fragte sie, bevor er Zeit gehabt hätte, sich etwas auszudenken.
»Wieder das Gleiche«, sagte er, ohne sie anzuschauen.
»Dieser Bursche, der etwa in Rodneys Alter ist, arbeitet für einen Drogendealer und versucht seine Freunde zu ködern«, erklärte Star.
»In Rodneys Alter?«
»Ja. Er zeigt ihnen kurz seinen Haufen Geld und führt andere Leute dadurch in Versuchung, stimmt's, Rodney?«
»Weiß nicht«, erwiderte Rodney.
»Aber Rodney ist cleverer als er. Stimmt's, Rodney?«
»Ja«, bestätigte er rasch.

»Weil er weiß, dass ich ihn eigenhändig zur Polizei bringen werde, wenn ich ihn je mit diesem Zeug erwische, stimmt's, Rodney?«
»Ich habe nichts genommen«, fauchte er sie an, dann sah er weiter fern.
»Ich hoffe nicht«, murmelte sie. »Ich hoffe nicht«, flüsterte sie mir zu.
Wir gingen in die Küche, um nachzuschauen, ob wir etwas tun konnten.
»Alles ist fast fertig«, sagte Granny Anthony. »Ich hoffe, du hast einen guten Appetit, Kind«, sagte sie zu mir.
»Ich habe nicht viel zu Mittag gegessen«, gestand ich.
»Oh? Warum denn nicht?«, erkundigte sie sich.
»Ich war heute so beschäftigt. Wir renovieren einen Teil des Hauses. Selbst«, fügte ich hinzu. »Manchmal, wenn man so sehr beschäftigt ist, vergisst man zu essen.«
Granny lachte.
»Genauso ist es. Okay, Star, du nimmst die Schüssel mit dem Kartoffelpüree.«
»Kann ich auch helfen?«
»Nein, nein. Du hast mit diesen Krücken genug zu tun. Rodney Fisher«, rief sie.
Schnell steckte er den Kopf zur Tür herein.
»Wir brauchen hier deine Hilfe, Kind.«
Er eilte seiner Großmutter zu Hilfe und trug mit ihr und Star das Abendessen auf.
Alles war so köstlich, wie der Duft es bereits verheißen hatte. Ich konnte gar nicht fassen, wie köstlich das Hähnchen schmeckte. Als ich noch mehr angeboten bekam, konnte ich nicht widerstehen. Ich schaute Star an, die wusste, dass ich an Jade und ihre Pläne, uns gesund zu ernähren, dachte.
»Mach dir deshalb keine Sorgen«, murmelte sie.

»Wie geht es deiner Mama denn jetzt?«, fragte Granny Anthony. »Hat sich der Trubel etwas gelegt?«
»Ja«, antwortete ich und hoffte, dass meine Stimme nicht zitterte.
»Ihr Mädchen habt es alle schwer gehabt nach dem, was Star mir erzählt, aber sie sagt, alles kommt wieder in Ordnung. Wenn du jung bist, kannst du eine Menge auf deinen Schultern tragen, wenn du willst. Denk daran, Kind, nach jedem Unwetter strahlt der Himmel wieder blau, und manchmal leuchtet sogar ein wunderschöner Regenbogen. Richte die Augen nach vorne, und nichts wird dir zu schwer erscheinen.«
»Wo ist denn dein Regenbogen, Granny?«, fragte Star scharf.
Granny Anthony tätschelte ihre Hand.
»Er wird kommen, Kind. Er wird kommen.«
»Weihnachten auch.«
»Jetzt rede nicht so entmutigendes Zeug, Star. Die Hälfte der Zeit machen wir uns unsere dunklen Wolken selbst und wundern uns dann, warum uns so viel Regen auf den Kopf fällt. Arbeitet deine Mutter, Cathy?«
»Nein, Madam.«
»Aber ihr seid versorgt?«
»Ja, Madam«, erwiderte ich. »Im Augenblick schon.«
»Damit ist die halbe Schlacht geschlagen, die halbe Schlacht. Rodney, du wischst dir doch nicht die Hände an der Hose ab, oder?«
»Nein, Granny«, versicherte er mit weit aufgerissenen Augen.
»Oder an meinem guten Tischtuch?«
Er schüttelte den Kopf.
»Aber du wischst sie dir doch irgendwo ab, und deine Serviette ist noch zusammengefaltet.«

»Ich wische sie mir an gar nichts ab, Granny«, protestierte er.
»Er leckt sich die Finger trocken«, kam Star zu seiner Rettung. »Dank deiner Kochkünste.«
»Oh, das ist doch nur eine einfache Mahlzeit«, wehrte sie ab und lehnte sich zurück. »Als ich viel jünger war, gab ich einige richtige Feinschmeckerdiners. Damals lebte mein Mann noch, und wir hatten viele Gäste. Bankette haben wir veranstaltet, richtige Festmähler.«
»Für mich ist das ein Festmahl«, erklärte ich, und sie lächelte. Dann wurde sie ernst.
»Ist deine Mutter eine gute Köchin?«, fragte sie.
»Sie hat noch nie irgendwelche Feinschmeckergerichte gekocht«, erwiderte ich und umspielte dabei die Wahrheit.
»Selbst als dein Daddy noch da war?«, hakte sie nach.
»Cathy redet nicht gerne über diese Zeit, Granny«, griff Star ein.
»Ja. Ja, sicher. Ich verstehe. Eine Schande ist es. Ihr Kinder habt alle kein richtiges Familienleben. Es ist eine Schande.«
»Wir werden es überleben«, murmelte Star.
»Sicher werdet ihr das. Warum auch nicht? Noch ein bisschen Kartoffelpüree, Schätzchen?«, fragte sie mich.
»Oh, nein. Ich bin voll gestopft wie ein Truthahn«, antwortete ich, und sie lachte.
»Wie ich sehe, ist sie viel mit dir zusammen gewesen«, stellte Granny an Star gewandt fest.
»Ich wünschte, ich hätte heute Nacht bessere Schlafquartiere für euch alle. Rodney schläft heute Nacht auf der Couch.«
»Ja?«, sagte er.
»Ich finde es furchtbar, jemanden hinauszuschmeißen«, sagte ich.

»Rodney wird nicht hinausgeschmissen. Er schläft gerne auf der Couch. Manchmal schläft er abends dort ein, und ich bringe es dann nicht übers Herz, ihn zu wecken«, verriet Granny.
Alle lachten, nur Rodney wandte sich verlegen ab.
Es war ein wunderbares Gefühl, bei ihnen zu sein, das fantastische Essen zu genießen, ihre Liebe und Wärme zu spüren. Als wir vorgefahren waren, hatte Star mir Leid getan, ich hatte mich sogar für sie geschämt, aber jetzt empfand ich eher Mitleid für mich selbst und auch für Misty und Jade.
»Dieses Haus ist nichts im Vergleich zu einigen der Häuser, in denen ich als junges Mädchen geschlafen habe«, erzählte Granny und beschrieb, was sie erlebt hatte, als sie vor vielen Jahren mit ihren Eltern gereist war. So lebhaft und farbig schilderte sie, dass ich fast spüren konnte, wie sie die Ereignisse noch einmal erlebte.
Wir amüsierten uns großartig. Ich ließ alles, was in den vergangenen Tagen passiert war, hinter mir. Nicht einmal dachte ich an Geraldine, an die Briefe und die Entdeckungen. Wenn ich hier bei ihnen einziehen könnte, würde ich es sofort tun, selbst wenn ich jede Nacht auf der Couch schlafen müsste.
Wir brüllten vor Lachen, als Granny uns einen ihrer Cousins beschrieb, dessen Vater Bestattungsunternehmer war und der tatsächlich einmal in einem Sarg ein Nickerchen machte. Sein Vater führte einige Kunden herein; als diese in den Sarg schauten und er die Augen öffnete, brach ein Tumult aus.
Mir tat der Bauch weh vor Lachen. Rodney strömten die Tränen über das Gesicht, und Star strahlte vor Glück. Plötzlich klopfte es laut an der Tür. Alle hielten inne. Granny schaute Star an.

»Wer kann das sein?«, fragte sie.
»Ich werde nachschauen«, sagte Rodney und packte die Gelegenheit beim Schopfe, seine aufkeimende Männlichkeit zu beweisen, bevor ein anderer aufstehen konnte. Wir alle warteten, während er zur Tür ging und sie öffnete.
»Allmächtiger Gott!«, hörte ich eine Frau rufen. »Bist du das? Bist du aber gewachsen!«
»Oh, nein«, stöhnte Star, schaute erst Granny und dann mich an. »Sie ist es.«
»Wer?«, fragte ich.
»Meine Mutter«, antwortete sie, und wir alle schauten voller böser Vorahnungen zur Tür.
Ich hatte keine Frau erwartet, die so gut aussah oder eine so tolle Figur hatte. Ihr Haar war erst kürzlich geschnitten und gelegt worden, das Kostüm wirkte auf den ersten Blick neu und teuer. Bei genauerer Betrachtung sah ich die Flecken auf dem Stoff. Sie trug dazu passende hochhackige Pumps mit Blockabsätzen, die verschlissen und abgetreten waren.
Stars Mutter trug einen kleinen Koffer, der aussah, als sei er aus einem Flugzeug geworfen worden.
»Schau mal einer an. Gerade rechtzeitig zum Abendessen«, erklärte sie.
Sowohl Granny als auch Star starrten sie einfach an.
»Will mich denn nicht jemand begrüßen und mir sagen, wie glücklich er ist, mich zu sehen?«
»Wir wussten nicht, dass du kommst«, sagte Granny mit grimmig heruntergezogenen Mundwinkeln. »Wir sind überrascht.«
»Das wusste ich bis gestern auch noch nicht.« Sie lachte. »Was für eine Reise.«
»Wir dachten, du seist mit Aarons Cousin Lamar zusam-

men. Wo ist er?«, wollte Star wissen. Es war das Erste, was sie zu ihrer Mutter sagte – kein Hallo, kein Lächeln, nichts.
»Ich weiß es nicht, und es ist mir auch egal. Dieser Idiot ist ein Verlierer, und ich investiere keine Zeit mehr in Verlierer. Ich verhungere, Mama«, sagte sie, um das Thema zu wechseln, und kam rasch zum Tisch. »Holst du mir keinen Teller?«, fragte sie Star. Star warf mir einen Blick zu und erhob sich dann zögernd.
»Wer bist du?«, fragte sie mich.
»Das ist meine Freundin«, antwortete Star aus der Küchentür.
»Das habe ich schon vermutet.«
»Ich heiße Cathy«, sagte ich.
»Was ist mit dir passiert?«, fragte sie und zeigte auf mein Bein.
»Ich bin schwer gestürzt und habe mir den Knöchel gebrochen. Ist nicht so schlimm«, sagte ich.
»Hmm. Wahrscheinlich hat dir meine Tochter alle möglichen üblen Sachen über mich erzählt«, vermutete sie und warf einen Blick in Richtung Küchentür.
»Bist du auf Dauer wieder zurück?«, erkundigte sich Granny und wechselte das Thema.
»Natürlich bin ich zurück, Mama. Ich bin doch hier, oder?« Sie zog eine Grimasse und sah aus, als würde sie anfangen zu weinen. »Ich habe eine ziemlich schlimme Zeit hinter mir.«
»Soso«, sagte Granny nickend und kniff ihre runden Augen ein wenig zusammen.
»Das habe ich wirklich. Ich versuchte mein Bestes, um ein Heim für meine Kinder zu schaffen und sie nachkommen zu lassen, aber die Leute haben mich belogen. Versprechungen wurden gemacht und schon wenige Minu-

ten später nicht gehalten. Aber trotzdem habe ich es versucht.«

Star kehrte mit einem Teller zurück, ihre Mutter bediente sich.

»Danke, Schätzchen. Du siehst gut aus. Eure Granny hat sich wohl gut um euch beide gekümmert.«

»Besser als du«, stellte Star mürrisch fest.

»Also bitte«, empörte sich ihre Mutter und lehnte sich zurück, »fällst über mich her, wenn ich fix und fertig bin.«

»Du warst immer fix und fertig, Mama.«

»Hörst du das und auch noch vor ihrer Freundin. Redest du etwa so mit deiner Mama?«, fragte sie mich.

»Lass sie in Ruhe«, befahl Star.

»Was tue ich ihr denn?« Sie starrte mich an, worauf ich den Blick senkte.

»Ich fange mit dem Abwasch an«, erklärte Star abrupt und fing an, den Tisch abzuräumen.

»Du könntest warten, bis ich fertig bin«, sagte ihre Mutter.

»Lass es stehen, Star, Schätzchen. Geh mit deiner Freundin. Deine Mama und ich haben einiges aufzuholen. Rodney, du darfst aufstehen. Geh mit den Mädchen fernsehen«, ordnete Granny an.

»Komm mit«, forderte Star mich auf, und wir gingen in ihr Zimmer. Sobald sie die Tür geschlossen hatte, entschuldigte sie sich. »Ich hatte ja keine Ahnung, dass sie so hereinplatzen würde.«

»Ist schon in Ordnung.«

»Das Problem ist, dass sie hier bei uns schlafen wird.«

»Oh«, sagte ich. »Dann fahre ich wohl besser nach Hause.«

Sie überlegte einen Augenblick.

»Wir werden beide gehen. Wenn ich mit ihr in diesem Zimmer allein gelassen werde, weiß ich nicht, was ich tue. Vielleicht erschlage ich sie mitten in der Nacht.« Wütend stieß sie diese Worte hervor, sah aber traurig aus.
»All das tut mir Leid.«
»Ist schon in Ordnung. Ich fand es ganz toll bei deiner Großmutter«, sagte ich.
Sie nickte.
»Hast du Geld für ein Taxi dabei?«
»Ja.«
»In Ordnung. Ich rufe uns eins. Ich möchte Granny nicht gerne mit dem schmutzigen Geschirr zurücklassen, deshalb versuche ich noch, ihr beim Abwaschen zu helfen«, sagte sie. »Möchtest du noch einen Moment hier bleiben, oder gehst du zu Rodney ins Wohnzimmer?«
»Ich warte hier, aber ich würde auch gerne helfen.«
»Das wird sie nicht zulassen. Du bist unser Gast«, erklärte Star und schlüpfte hinaus.
Ich saß auf ihrem Bett und schaute mich in dem kleinen dunklen Zimmer um. Wie hart musste das für sie sein. Kein Wunder, dass sie ständig so wütend zu sein schien. Das wäre ich wohl auch. Sie war nicht lange fort.
»Ich habe uns ein Taxi gerufen«, sagte sie. »Mama hat absolut nichts dagegen, dass sie das Zimmer für sich hat. Am besten gehen wir jetzt.«
»Was ist mit Rodney?«
»Für ihn ist es in Ordnung, im Wohnzimmer zu schlafen. So wie es aussieht, wird das zu seinem Schlafzimmer. Ich hege keine allzu großen Hoffnungen, dass meine Mutter es schafft, einen anständigen Job und eine Wohnung für uns zu finden. Aber ich bin zu wütend, um jetzt über all das nachzudenken. Lass uns erst mal hier verschwinden.«
»Ist deine Großmutter verstimmt?«

»Mit ihr ist alles in Ordnung. Mama hat immer noch Angst vor ihr«, sagte Star und lächelte. »Misty wird glücklich sein. Du und ich kehren zurück, um bei dem Gespenst zu schlafen. Wir werden sie und Jade anrufen, wenn wir bei dir zu Hause sind«, schlug sie vor. »Tut mir Leid, dass es so gekommen ist.«

»Kein Problem«, beruhigte ich sie. »Mach dir keine Sorgen um mich.«

Als wir das Zimmer verließen, sah ich, dass Stars Mutter kleinlaut und zerknirscht wirkte. Granny Anthony hatte sie in aller Ruhe ins Gebet genommen und mit ihr wegen ihres Lebensstils geschimpft, stellte ich mir vor.

»Es tut mir Leid, dass du zu einem Psychodoktor gehen musstest«, sagte ihre Mutter zu Star, als wir auftauchten. »Mama hat mir gerade davon erzählt.«

»Mir tut es nicht Leid«, erwiderte Star. »Zumindest habe ich gelernt, wie ich mit dir fertig werden kann.«

»Ich hatte gehofft, wir könnten wieder Freunde werden, Schätzchen«, meinte ihre Mutter.

»Wann waren wir je Freunde, Mama? Ich war doch nur eine Last für dich.«

»Nun, ich habe mich geändert. Ich bin jetzt eine andere. Du wirst sehn.«

»Genau«, sagte Star. Sie küsste Granny.

»Es war ein wundervolles Essen, Mrs Anthony. Noch einmal vielen Dank«, sagte ich.

»Es war mir ein Vergnügen, Schätzchen. Sei vorsichtig dort draußen, hörst du?«

»Ja, Madam.«

Ich blieb an der Wohnzimmertür stehen, um Rodney auf Wiedersehen zu sagen. Plötzlich sah er so alt aus, wie er war. Der schockierende Auftritt seiner Mutter hatte ihn wieder in einen kleinen Jungen verwandelt.

»Geh ihr heute Abend einfach aus dem Weg«, riet Star ihm, »und hilf Granny.«
Er nickte und schaute zum Fernseher, aber ich glaube nicht, dass er irgendetwas hörte oder sah. Seine Augen waren glasig und voller Angst.
Das Taxi wartete draußen. Star führte mich schnell dorthin, und wir gaben dem Fahrer meine Adresse.
»Je schneller ich von ihr wegkomme, desto besser fühle ich mich«, murmelte Star.
Wenige Minuten später hatten wir die Gegend verlassen, aber was sie hinter sich zu lassen versuchte, hielt sie immer noch umschlungen, machte sie hart und schweigsam. Binnen Sekunden konnten all die Erinnerungen und Schmerzen wieder auferstehen. Nichts konnte verhindern, dass sie über sie hinwegfluteten und sie zurückließen als jemand, der in einem Meer von Alpträumen ertrinkt.
Auf dem ganzen Weg zu mir nach Hause murmelte sie vor sich hin, sprach von ihrer Mutter, durchlebte noch einmal einige der Ereignisse, die sie in unserer Gruppentherapiesitzung enthüllt hatte. Ich saß schweigend da und wartete darauf, dass ihr Ausbruch abebbte. Kurz bevor wir das Haus erreichten, hörte sie auf zu reden und presste die Stirn gegen die Scheibe.
»Es tut mir Leid, Star«, sagte ich und berührte sie am Arm. Sie griff nach hinten, um meine Hand zu nehmen.
Als wir ankamen, war das Haus stockdunkel. Ich hatte vergessen, selbst im Flur ein Licht anzulassen. Das ganze Haus stank nach der Farbe, die wir benutzt hatten. Wir hätten ein Fenster auflassen sollen.
»Ich brauche etwas Kaltes zu trinken«, verkündete Star, als ich das Licht im Flur andrehte. »Dann rufen wir Jade und Misty an und erzählen ihnen, dass wir hier sind.«
»Okay.«

Ich folgte ihr den Flur entlang in die Küche. Sobald ich dort das Licht andrehte, erstarrten wir beide in unserer Bewegung und stierten geradeaus. Die Hintertür stand weit offen. Holzsplitter auf dem Boden bewiesen, dass sie aufgebrochen worden war. Star drehte sich zu mir um und schüttelte den Kopf.

»Das kann nicht sein. Nein«, protestierte sie entschieden.

Mein Herz klopfte so heftig, dass ich glaubte, meine Brust würde zerspringen. Ich konnte nicht sprechen. Meine Kehle war zugeschnürt, ich stand wie angewurzelt da.

Star bewegte sich als Erste, langsam, warf einen Blick zurück zu mir, griff dann zur Tür und öffnete sie noch weiter.

»Hol die Taschenlampe«, befahl sie. »Cat, nun komm schon.«

Ich glaube, ich fiepte wie eine Maus.

»Cat!«

So schnell ich konnte, humpelte ich zur Schublade, packte die Taschenlampe und warf sie ihr zu. Star packte sie rasch, richtete den Lichtstrahl nach draußen und ließ ihn über Geraldines Grab gleiten. Ich tastete mich zentimeterweise an sie heran, stützte mich auf meine Krücken und starrte hinaus. Nichts hatte sich verändert. Ich glaube, wir atmeten beide erleichtert auf.

»Eine Minute lang glaubte ich schon, wir befänden uns in einem Stephen-King-Film«, sagte Star und wandte sich daraufhin der Tür mit größerer Aufmerksamkeit zu. Sie ließ die Finger über die Angel gleiten. »Wer auch immer das getan hat, hat sie ohne jede Rücksicht aufgestemmt. Bei dir ist eingebrochen worden, Mädchen.«

»Was haben sie mitgenommen?«, fragte ich mich verwundert.

Wir schauten einander an und dachten beide an den Safe.

»Jade hat ihn wieder verschlossen, aber das Geld und die Juwelen haben wir herausgenommen«, erinnerte ich sie. »Und ich habe es in meinem Portemonnaie mit zu dir nach Hause genommen. Nur die Dokumente sind im Safe geblieben.«

Star ging voran durch das Haus, die Treppe hinauf, in Geraldines früheres Zimmer. An der Tür des Wandschranks blieben wir stehen. Ich zog an der Kette, um die Beleuchtung anzuschalten. Wir keuchten beide.

Der Safe war weg.

»Wer auch immer es war, er konnte ihn nicht öffnen und beschloss, ihn mitzunehmen und ihn vielleicht anderswo aufzusprengen«, dachte Star laut.

»Er war schwer.«

»Ja, aber nicht so schwer.« Sie schaute sich in dem leeren Zimmer mit den frisch gestrichenen schwarzen Wänden um. »Was konnten sie sonst noch mitnehmen?«

»Ich weiß es nicht. Es gibt nicht viel, das etwas wert ist«, sagte ich.

Dennoch gingen wir auch in mein Zimmer, um zu kontrollieren, ob etwas gestohlen worden war. Diesmal keuchte ich laut, als ich die Tür öffnete. Mein Zimmer war völlig verwüstet: Die Kommodenschubladen waren herausgerissen und ausgeleert, meine neue Tagesdecke heruntergerissen und zu Boden geschmissen, die Matratze von den Sprungfedern gezogen, der Schrank geöffnet und die Kleidung herausgeworfen worden.

»Wer würde ein Bett so auseinander nehmen? Kein Einbrecher, den ich kenne«, bemerkte Star. Sie starrte mich mit weit aufgerissenen Augen an, während ihr ein beängstigender Gedanke kam. Dann nickte sie. Es war, als könnte sie Gedanken lesen. »Glaubst du, er war es?«

Ich konnte nicht anders, Tränen strömten mir aus den

Augen – kalte Tränen, Tränen der Furcht, nicht des Kummers.

»Er muss vorbeigekommen sein, gesehen haben, dass das Haus dunkel war, und versucht haben, hereinzukommen. Geraldine hatte die Schlösser ausgewechselt, nachdem sie ihn hinausgeschmissen hatte, weil sie Angst hatte, er könnte noch einen Extraschlüssel besitzen.«

»Also brach er hinten ein und kam vermutlich hier herauf, weil er von dem Geld wusste«, fuhr Star fort. »Als er den Safe nicht öffnen konnte, nahm er ihn einfach mit.« Sie schaute sich in meinem Zimmer um. »Warum hat er dein Zimmer auseinander genommen? Was hat er gesucht?«, fragte sie.

Ich begann den Kopf zu schütteln, hielt dann aber inne und wandte den Blick schuldbewusst ab.

»Was?«, rief sie. »Verdammt noch mal, Mädchen, du kannst doch jetzt, nach all dem, nichts mehr vor mir geheim halten!«

Ich nickte und rang nach Luft. Sie wartete ungeduldig.

»Erinnerst du dich, dass ich euch von der Reise erzählte, bei der er mich mitnahm nach Santa Barbara?«

»Ja, sicher«, sagte sie. »Und?«

»Ich habe mich geschämt, euch von den Bildern zu erzählen. Es war auch so schon schwer genug, über all das zu reden. Ich dachte, es sei nicht nötig, alle Einzelheiten zu erwähnen.«

»Welche Bilder?«

»Von mir. Er ließ mich posieren. Er hatte eine von diesen Sofortbildkameras. Die Fotos wollte er nicht bei sich behalten oder irgendwo aufbewahren, wo er glaubte, dass Geraldine sie finden könnte. Deshalb sollte ich sie in meinem Zimmer verstecken und ihm versprechen, dass er sie jederzeit haben konnte, wenn er sie anschauen wollte.

Er sagte mir, es seien wunderschöne Fotos, er war stolz auf sie.«
Ich schüttelte so heftig den Kopf, dass mir die Tränen von den Wangen flogen.
»Okay, okay, werd nicht sauer auf mich«, bat Star. »Wo sind sie? Hat er sie gefunden?«, fragte sie und schaute sich im Zimmer um.
»Ich weiß es nicht«, sagte ich. »Sie sind im Badezimmer in dem Schränkchen unter dem Waschbecken. Geraldine machte mein Zimmer immer sauber, wenn ich zur Schule gegangen war, aber ich kannte eine Stelle, wo sie nie nachschauen würde, etwas, das sie nie anrühren würde«, sagte ich und marschierte ins Badezimmer.
Die Türen des Schränkchens standen offen.
»Hat er sie gefunden?«, fragte Star, als sie hinter mich trat.
Ich lehnte die Krücken gegen das Schränkchen, bückte mich, griff hinein und holte eine Schachtel mit Binden heraus.
Star lächelte.
»Darin würde Geraldine nie nachschauen, hm?«
Ich schüttelte den Kopf und zog die Binden heraus. Zwischen der dritten und der vierten lagen die Bilder. Ich hielt sie hoch und lächelte.
»Geschieht ihm recht, dass er nicht wie eine Frau denkt«, sagte sie. Ihr Lächeln verflog jedoch rasch. »Jetzt nichts wie weg mit ihnen. Zerreiß sie und spül sie in der Toilette herunter, wo sie hingehören.«
»Ja«, sagte ich und tat genau, was sie gesagt hatte. »Ich glaube, selbst als Geraldine ihn hinausgeschmissen hatte, hatte ich immer noch Angst und tat so, als gäbe es diese Fotos gar nicht«, sagte ich, während ich sie zerfetzte.
»Er muss wirklich krank sein, um hierher zu kommen und

nur wegen dieser Bilder alles auf den Kopf zu stellen.« Sie überlegte einen Augenblick. »Vielleicht hatte er Angst, sie könnten als Beweis gegen ihn benutzt werden. Vermutlich wird Jade uns das erzählen.«

»Müssen wir den anderen davon erzählen?«

»Nicht, wenn du es nicht möchtest«, sagte Star, »aber, Cat, ich glaube allmählich wirklich, wir sollten einander vertrauen. Völlig«, fügte sie hinzu.

»Ja, du hast Recht«, gab ich zu. »Es ist gut, mit dem Lügen aufzuhören, zumindest untereinander.«

Ich stand auf und schaute mich im Zimmer um.

»Ich fange besser an aufzuräumen. Wir müssen diese Nacht hier schlafen«, sagte ich.

Star lachte.

»Ich werde die Mädchen anrufen, und dann schauen wir mal, was wir mit der Hintertür machen können.«

Sie wollte hinausgehen.

»Star?«

»Ja?«

»Glaubst du, er kommt zurück?«, fragte ich. »Ich meine, er wird sich wundern, warum Geraldines Zimmer schwarz gestrichen ist, warum all ihre Möbel unten im Flur stehen.«

Sie überlegte einen Augenblick und nickte dann.

»Ja. Er wird wiederkommen«, sagte sie. »Wir müssen darüber reden und entscheiden, was zu tun ist. Aber im Augenblick«, sagte sie und schaute mich an, »wird er mit niemandem darüber reden. Schließlich durfte er gar nicht herkommen. Er ist eingebrochen und hat den Safe gestohlen. Bestimmt ist er selbst ganz verwirrt und weiß nicht, was er tun soll. Im Augenblick ist das gut für uns.«

»Ja, aber ich mache mir Sorgen über die Zeit danach«, sagte ich. »Ich meine, wir können doch jetzt nicht die Polizei alarmieren oder so etwas, stimmt's?«

Sie nickte, sagte aber auch nichts Ermutigendes. Dann ging sie hinaus, und ich wandte mich wieder meinem Zimmer zu.
Was für eine Raserei, was für ein Wahnsinn trieb einen dazu, das zu tun, fragte ich mich.
Und wann würde er zurückkommen?

KAPITEL ZWÖLF

Brautjungfern

Star ließ Jade und Misty herein und führte sie schnell durch das Haus zur Hintertür. Dann stürmten sie die Treppe herauf in mein Zimmer. Ich hatte das meiste bereits wieder aufgeräumt und arbeitete gerade am Bett.

»Was ging hier vor?«, fragte Jade. »Warum hat er dieses Zimmer auseinander genommen?«

Ich sah Star an und erklärte dann, was es mit den Bildern auf sich hatte.

»Jetzt sind sie in der Toilette«, berichtete ich.

»Gut, aber warum ist er eingebrochen?«

»Möglicherweise hat er das Haus beobachtet und gesehen, wie ich mit Star gegangen bin«, vermutete ich. »Wir hätten nicht alles dunkel lassen sollen. Als niemand die Tür öffnete und er drinnen kein Licht sah, beschloss er einzubrechen, wahrscheinlich um an das Geld zu kommen.«

»Star sagt, er nahm den Safe mit?«

»Er ist weg«, bestätigte ich. »Vermutlich nahm er ihn mit, weil er ihn nicht öffnen konnte.«

»Entweder das, oder der Safe marschierte von selbst hinaus«, spottete Star.

»Was für ein Glück, dass du das Geld und den Schmuck herausgenommen hast. Du hast es doch noch, oder?«, fragte Jade rasch.

»Ja, ich habe es mitgenommen, als ich zu Star zum Essen fuhr, und es ist immer noch in meinem Portemonnaie.«

Misty fiel als Erster auf, dass wir vorzeitig von Star zurückgekommen waren.

»Ich dachte, ihr wolltet dort übernachten. Weshalb seid ihr zurückgekommen?«, fragte sie.

»Meine Mutter«, erwiderte Star und beschrieb den dramatischen Auftritt ihrer Mutter, mit dem sie in ihr Leben zurückgekehrt war. »Es ist wohl eher so, dass ich davonlaufe als einfach wieder hierher zurückkomme.«

»Wow«, rief Jade und ließ sich auf mein noch nicht gemachtes Bett fallen. »All das, als alles gerade so gut lief.«

»Was sollen wir tun? Ihr Vater hat doch alles gesehen«, stöhnte Misty.

»Nicht alles«, erinnerte Jade sie.

»Wie kannst du dir da so sicher sein?«

»Wenn er irgendetwas wüsste, hätte er doch längst die Polizei gerufen, oder nicht?«

»Aber das Haus, was wir getan haben«, sagte Misty. »Er könnte es jemandem erzählen.«

»Er kann nicht einfach losrennen und sich darüber beklagen, was wir im Haus getan haben. Er durfte nicht hier sein, außerdem ist er eingebrochen und hat den Safe gestohlen«, stellte Jade fest. Sie schaute mich an. »Stimmt's?«

»Ja«, bestätigte ich. »Das war Hauptbestandteil der Vereinbarung: Er durfte nie wieder auch nur in die Nähe des Hauses kommen.«

»Aber er hat es getan und könnte es wieder tun«, erinnerte Star uns.

»Oder anrufen und nach Geraldine fragen«, schlug Misty vor. »Er muss sich doch wundern, was hier los ist.«

»Ja und? Wir lassen Cat ganz einfach sagen, es sei Geraldines Idee gewesen, den Raum so zu streichen, wenn er fragt.«

»Ihn schwarz streichen?«, gab Star mit skeptischer Grimasse zu bedenken.

»Geraldine ist doch sonderbar, oder?«, sagte Jade.

»War sonderbar«, korrigierte Misty sie.

»War. Er wird es glauben. Ihm bleibt gar keine andere Wahl«, beharrte Jade.

»Und wenn er verlangt, mit ihr zu sprechen?«, fragte Star.

»Weswegen? Um ihr zu gestehen, dass er eingebrochen ist? Ihren Safe gestohlen hat? Nein, ich glaube, er wird auf Distanz bleiben und vielleicht einfach aufgeben«, meinte Jade. Ihre Stimme hatte einen Unterton von Hoffnung, klang fast wie ein Gebet.

Wir schwiegen alle. Ich warf Star einen Blick zu, die auf meinem Schreibtischstuhl saß und zu Boden starrte. Ich war so beschäftigt mit meinen Problemen, dass ich ihre ganz vergessen hatte. »Was wirst du tun, jetzt da deine Mutter zurückgekehrt ist?«, fragte ich sie.

»Was kann ich tun? Morgen früh gehe ich nach Hause zurück und sehe, was sie vorhat. Wenn sie es irgendwie vermeiden kann, wird sie nicht die Verantwortung für ihre Kinder übernehmen. Das wette und das hoffe ich. Lieber würde ich mit Rodney auf der Straße leben.«

»Deine Granny wäre doch sowieso nicht damit einverstanden, dass deine Mutter bei ihr einzieht, oder?«, meinte Jade.

»Welche andere Wahl bleibt ihr denn?«, fragte Star achselzuckend. »Rodney und ich sind rein rechtlich gesehen immer noch ihre Kinder. Du spielst doch immer die Anwältin, Jade. Du weißt doch alles darüber.«

»Lasst es uns doch einfach abwarten«, schlug Misty vor. »Die meisten Probleme lösen sich irgendwie von selbst.«

Star schüttelte den Kopf und schaute sie an.
»Bist du sicher, dass in deinem Kopf nicht lauter Seifenblasen statt eines Gehirns sind, Misty?«
»Ich versuche nur, mich nicht unterkriegen zu lassen«, wehrte Misty sich vehement.
»Tja, für euch Beverlys ist das im Augenblick ja nicht schwierig.«
»Ist es wohl. Du hast ja keine Ahnung«, beschuldigte Misty sie.
»Ich weiß, dass du ein behagliches warmes Heim hast, in dem du heute Nacht schlafen kannst«, murrte Star, »und du kannst deine Eltern dazu bewegen, dir praktisch alles zu geben, was du haben möchtest. Genau wie Prinzessin Jade, die von Daddy ein neues Auto bekommt.«
»Aber ich habe euch doch gesagt, er kann sich das Auto sonst wo hinstecken«, protestierte Jade.
»Ja, aber nehmen wirst du es trotzdem«, stellte Star trocken fest. Jade stritt das nicht ab.
»Du weißt aber nicht alles, Star. Du weißt einfach nicht alles, bloß weil du in der Therapiesitzung ein paar Sachen gehört hast«, insistierte Misty, deren Augen vor Tränen glänzten.
»Ich weiß genug«, beharrte Star.
»Nein, tust du nicht!«, schrie Misty. Ihre Hände waren zu kleinen Fäusten geballt, mit denen sie sich auf die Schenkel schlug. »Dein Daddy heiratet diesen Samstag Ariel Dummkopf, und er möchte, dass ich zu der Hochzeit komme. Meine Mutter ist außer sich darüber und will nicht, dass ich gehe. Ich hätte Lust, mich in zwei Stücke zu reißen, eines auf die Hochzeit zu schicken und das andere … zum Teufel!«
Wir starrten sie alle nur an, zu geschockt, um irgendetwas zu sagen.

Mit raschen Handbewegungen wischte sie sich die Tränen von den Wangen.
»Wisst ihr, diesen Monat sollte ihr zwanzigster Hochzeitstag sein. Sie wollten ihr Ehegelöbnis erneuern. Wir wollten doch für immer und ewig eine glückliche kleine Familie sein. Nun, Daddy wird sein Gelübde ablegen, nur mit einer neuen Braut.«
»Das tut mir Leid«, sagte Star leise.
»Verdammt, verdammt, verdammt«, leierte Jade. Sie schaute zur Decke. »Eins nach dem anderen! Wann hört das denn endlich auf?«
»Überhaupt nicht«, sagte Star. »Kapierst du das denn nicht? Es hört erst auf, wenn wir ihnen den Rücken kehren und weggehen … für immer.«
Misty schnüffelte und nickte.
»Kommt, wir machen uns einen Kaffee und denken nach«, erklärte Jade. »Wir müssen Wege finden, wie wir einander helfen können, sonst …«
»Sonst was?«, fragte Star.
»Sonst«, sagte sie und schaute mich an, »wäre es sinnlos gewesen, Geraldine zu begraben.«
Mit gesenkten Köpfen marschierten wir schweigend die Treppe hinunter in die Küche, dabei bildete ich mit meinem Humpeln das Schlusslicht. Als ich anfing, Kaffee zu kochen, schritt Star ein.
»Setz dich, Cat. Ich mache das. Die Beverlys erwarten ja, bedient zu werden.« Es war schwer zu sagen, ob es ihr damit ernst war oder ob sie nur versuchte, unsere Stimmung aufzuheitern.
»Du weißt, es tut mir Leid, dass deine Mutter wieder so bei euch hereingeplatzt ist, Star, aber es an uns auszulassen, hilft auch nicht«, sagte Jade.
»Ja, danke für Ihren Rat, Dr. Marlowe«, erwiderte Star

mit einem Lächeln, welches uns bewies, dass sie gar nicht sauer auf uns war.

Ich warf einen Blick quer über den Tisch zu Misty, deren Augen blutunterlaufen waren. Sie starrte an die Wand, als hörte und sähe sie nichts. Schaut uns bloß an, dachte ich, wir zerbröseln. Was hat uns nur auf die Idee gebracht, wir könnten einander helfen? Geraldine hatte Recht. Kranke Menschen können anderen Kranken nicht helfen.

Eine Zeit lang sprach niemand. Das Schweigen lastete schwer. Dann fuhr Misty aus ihrer Benommenheit hoch und sah mich scharf an.

»Als wir oben in deinem Zimmer waren, habe ich die Briefe gar nicht bemerkt«, sagte sie. »Ich kann mich erinnern, dass du sie auf der Kommode liegen hattest.«

Star und Jade richteten ihre Blicke auf mich, während ich nachdachte und dann den Kopf schüttelte.

»Ich habe sie auch nicht gesehen. Er muss sie mitgenommen haben.«

»Warum sollte er sie denn mitnehmen?«, fragte Jade mit vor Ekel herabgezogenen Mundwinkeln. »Wie krank ist er eigentlich?«

»Krank genug«, sagte Star. »Ich gehe nach oben und sehe nach.«

»Ich helfe dir«, sagte Misty und stand auf.

Die beiden gingen hinaus, Jade holte die Kaffeetassen und nahm die Milch aus dem Kühlschrank. Sie versuchte mich abzulenken, indem sie einige der neuen Kleidungsstücke beschrieb, die ihre Mutter in Erwartung ihrer großen Feier gekauft hatte. Sie redete mit nervöser Energie, erinnerte mich an unsere Gruppentherapiesitzungen, besonders daran, wie sie gegen Ende ihren Selbstmordversuch mit Schlaftabletten beschrieb. Dann goss sie uns beiden eine Tasse Kaffee ein. Wir hörten, wie Misty und Star die Treppe herunterkamen. Ein Blick genügte, um mir zu verraten, dass sie die Briefe nicht gefunden hatten.

»Vielleicht macht ihn das an, das private Zeug anderer Leute zu lesen«, meinte Star.

»Vielleicht wusste er das alles selbst nicht«, schlug Misty vor. Sie sah mich an.

»Ich weiß nicht, was er wusste. Mir gegenüber hat er nie irgendetwas erwähnt.«

»Wir können jetzt nichts daran ändern. Deshalb wollen wir uns lieber auf das konzentrieren, was wir tun können«, sagte Jade entschieden. Sie goss Star und Misty ihren Kaffee ein und setzte sich hin.

»So? Was können wir denn tun?«, fragte Misty.

»Mit unseren Plänen weitermachen. Morgen früh werde ich einige Sachen für unseren privaten Raum besorgen. Wenn du möchtest, hole ich dich zuerst ab«, bot sie Misty an.

»Okay.«

»Wir müssen hier noch eine ganze Menge herrichten. Morgen werde ich hier übernachten«, teilte sie mir mit. Sie sah Misty an. »Was sagtest du, wann dein Vater wieder heiratet?«

»Diesen Samstag, und es ist eine Trauung in der Kirche mit vielen Gästen!«

»Wir gehen alle mit dir«, beschloss Jade.

»Das wollt ihr tun?«

»Warum nicht? Star?«

»Finde ich gut, aber ich habe nichts Schickes zum Anziehen.«

»Ich habe genau das richtige Kleid für dich«, sagte Jade. »Ich bringe es mit hierher. Cat braucht auch etwas Schönes. Morgen Nachmittag lasse ich uns von der Limousine zu Camelot's auf dem Sunset fahren, und dort kaufen wir ihr etwas Außergewöhnliches.«

»Das ist nett, danke«, sagte Misty, und ihr Gesicht strahlte wieder mit der gewohnten Lebhaftigkeit.

»Ich arbeite besser noch etwas an Geraldines Grab«, sagte Star. »Ein Glück, dass er nachts hierher kam. Es könnten auch noch andere Besucher auftauchen. Es sieht immer noch zu sehr danach aus, was es ist. Ich werde mich morgen früh darum kümmern, bevor ich nach Hause fahre.« Sie trank einen Schluck Kaffee. »Wenn ich später am Tag nicht wiederkomme, wartet nicht auf mich.«

»Können wir irgendetwas für dich tun? Vielleicht sollten wir alle zu dir nach Hause kommen«, überlegte Jade.

»Nein, das würde Granny nur nervös machen. Sie hätte dann Angst, meine Mutter könnte etwas Peinliches tun oder sagen. Wir werden sehen«, sagte sie.

Ein langes, tiefes Schweigen folgte. Während wir unseren Kaffee tranken, schauten wir uns über die Tassen hinweg an. Wir alle spürten die Spannung im Raum. Wie zerbrechlich unser Selbstvertrauen doch war. Bei mir arbeitete der Zweifel wie eine Tür zur Dunkelheit, aus der Geraldine auftauchen würde, das Gesicht zu einem höhnischen Lächeln verzogen, die Augen wie zwei glühende Kerzenflammen. Ihr Hass und ihre Wut sprangen wie ein Blitz von den Spitzen ihrer toten Finger, wirbelten umher, erstreckten sich durch die Erde bis ins Haus hinein, um in Zimmern und Fluren zu knistern und Funken zu sprühen und mich daran zu erinnern, dass sie nicht weit entfernt war. Sie war nie weit entfernt.

»Ist mit dir alles in Ordnung?«, fragte Jade mich. »Cat?«

»Was? Oh, ja«, sagte ich.

»Was machen wir mit der Hintertür?«, fragte sie und nickte in Richtung Tür.

Star begutachtete sie und ging dann in die Garage, um sich Werkzeug zu holen. Wir alle sahen ihr bei der Arbeit zu.

»Einer von Mamas Freunden hat unsere Tür einmal aufgebrochen«, erzählte sie. Sie richtete das Schloss zumindest so weit, dass man die Tür schließen konnte.«

»Das sieht nicht besonders sicher aus«, meinte Jade.

»Seien wir ehrlich«, sagte Star, »wenn jemand hereinkommen will, schafft er es auf jeden Fall.«

»Ihr habt kein Alarmsystem?«, fragte Jade mich.

»Nein. Geraldine wollte das nie.«

»Vielleicht war sie zu böse, um Angst zu haben«, murmelte Jade.

»Oder zu dumm«, sagte Star.

Jade und Misty blieben noch eine Stunde, redeten über unsere zukünftigen Pläne, malten sich Reisen und große Partys aus und ließen ihrer Fantasie freien Lauf, um die Angst und Furcht zu vertreiben, die wir alle empfanden. Als sie gegangen waren, richteten Star und ich das Schlafzimmer weiter her und beschlossen dann, sofort schlafen zu gehen, ohne noch fernzusehen. Du merkst erst, wie sehr du emotional erschöpft bist, wenn du aufhörst, dich zu bewegen, und den Kopf auf das Kissen sinken lässt. Dann fühlst du dich, als könntest du nie wieder aufstehen.

»Du glaubst doch nicht, er kommt diese Nacht wieder zurück, oder, Star?«, flüsterte ich, als wir beide im Bett lagen.

»Nein. Er muss völlig verwirrt sein. Ich wette, ihm ist die Kinnlade heruntergefallen, als er all die Möbel im Flur sah und dann in Geraldines Zimmer schaute und entdeckte, was wir getan haben. Diese Jade, das ist mir vielleicht eine. Wer weiß, was sie morgen dort vorhat, aber eins ist sicher, es wird kein neues modisches Beverly-Hills-Dekor sein. Jade und ihre geheimen Orte.«

»Die brauchen wir doch alle«, sagte ich.

Star schwieg einen Augenblick.

»Ja, vermutlich«, gab sie zu. »Das Problem ist nur, ständig platzt einer herein und ruiniert alles.«

»Vielleicht wird das diesmal nicht passieren«, hoffte ich.

»Vielleicht.« Sie sprach ohne jede Zuversicht.

»Nacht«, sagte ich.

»Tut mir Leid, dass du nicht bei mir schlafen konntest, Cat. Vielleicht ein anderes Mal«, erwiderte sie.

»Sicher. Es kommen auch wieder andere Zeiten.«

Sie sagte nicht ja.

Die Zukunft war ein größeres Geheimnis als je zuvor trotz unserer optimistischen Träume.

Am Morgen ging Star hinaus, um das Grab zu rechen und dafür zu sorgen, dass diese Stelle immer weniger wie ein Stück Friedhof aussah. Wir riefen ihr ein Taxi, ich gab ihr das Geld, um nach Hause zu fahren, und auch genug, um am Nachmittag mit dem Taxi wiederzukommen.

»Ich werde versuchen zu kommen«, versprach sie.

Jetzt, da mein Vater zurückgekommen war, getan hatte, was er getan hatte, mitgenommen hatte, was er mitgenommen hatte, hatte ich mehr Angst als je zuvor, allein zu sein, aber ich versuchte es nicht zu zeigen. Dennoch stand ich fast die ganze Zeit vorne am Fenster und wartete darauf, dass Jade und Misty zurückkamen. Es war ein teilweise bewölkter Tag. Jedes Mal, wenn die Sonne versuchte, die Dinge heller und wärmer zu machen, trieb eine Wolke herbei und bedeckte die Sonne. Die Trübseligkeit dieses Tages verstärkte das Gefühl, allein zu sein, noch. Als die große Limousine endlich auftauchte, atmete ich vor Erleichterung tief auf und ließ Jade und Misty

schnell herein. Die Arme hatten sie voll gepackt mit Paketen. Der Chauffeur folgte ihnen mit einem ziemlich großen ovalen Spiegel.
»Den können Sie direkt hier hinstellen, danke«, befahl Jade ihm. Er setzte ihn direkt neben der Tür ab. Sobald er zum Auto zurückgekehrt war, drehte sich Jade zu mir um.
»Alles in Ordnung?«, fragte sie. »Keine weiteren Besucher?«
»Niemand. Alles war ruhig. Star will versuchen, spät am Nachmittag wiederzukommen.«
»Gut.«
Jades Chauffeur kam mit einem zusammengerollten Teppich wieder und legte ihn neben den Spiegel.
»Kommt, wir machen uns an die Arbeit«, forderte Jade Misty auf, als er weg war. Sie trugen alles die Treppe hinauf an unseren geheimen Ort. Ich folgte ihnen.
»Was habt ihr beide gekauft?«
»Du wirst schon sehen«, sagte Misty lächelnd.
Sie gingen wieder nach unten, um den Teppich und dann den Spiegel zu holen. Als Erstes rollten sie den Teppich aus und legten ihn mitten auf den Boden. Es war ein dicht gewobener Wollteppich mit roten und schwarzen Streifen. Jade platzierte den Spiegel niedrig an die Wand zur Rechten, damit wir uns sehen konnten, wenn wir auf dem Teppich saßen. Danach packte sie zwei Messingkandelaber aus und stellte sie an die entgegengesetzten Enden des Raumes. Misty bestückte sie mit großen schwarzen Kerzen.
Jade hatte auch CDs gekauft mit New-Age-Meditationsmusik, wie sie es nannte. Während sie arbeiteten, spielte sie eine. Es gab Poster und Bilder mit fremdartigen ätherischen Szenen, manche mit Wolken und Wasser, manche mit Sternen und Lichtstrahlen. Sie hatten Weihrauch

mitgebracht und Windspiele, die Jade über der Tür aufhängte. Misty setzte die neue Türklinke in die Tür ein und gab mir den Schlüssel.
»Wir werden noch mehr zum Dekorieren kaufen«, kündigte Jade an, nachdem sie die Bilder an die Wand gehängt hatte. »Ich wollte nicht, dass es zu lange dauert. Nun?«, fragte sie und betrachtete alles, »wie findest du es bis jetzt?«
»Es ist so anders«, staunte ich und schaute auf den Teppich und die Kerzen in dem kahlen schwarzen Raum. Selbst die Fenster hatten sie angestrichen.
»Warte, bis Star das alles sieht«, sagte Misty. »Ich bekomme davon ein gruseliges Gefühl, aber es gefällt mir.«
»Es muss meditativ, spirituell sein«, erklärte Jade.
»Warum mussten wir auch die Fenster anstreichen?«, erkundigte ich mich.
»Wir wollen die laute, lärmende, verdorbene Welt draußen lassen, wenn wir uns hier drinnen versammeln.«
»Woher weißt du das alles?«, fragte ich sie.
»Meine Mutter schwärmte eine Weile dafür. Sie nahm an einer dieser Meditationsgruppen teil, kurz nachdem sie und mein Vater ihren Scheidungskrieg begonnen hatten. Anscheinend half es ihr auch, aber dann verlangte die Organisation immer größere Spenden, und schließlich fand sie heraus, dass ihr spiritueller Führer mit dem Geld erstklassige Immobilien in Westwood aufkaufte, deshalb verließ sie die Organisation. Aber mir gefiel die Musik, und ich las die Pamphlete und zog wohl mehr heraus als sie. Hier drinnen brauchen wir keine Angst haben, einander unsere tiefsten Gefühle zu enthüllen. Das macht diesen Ort heilig, also denk daran, ihn immer verschlossen zu halten, damit niemand anders seinen Fuß hineinsetzt. Okay?«
»Ja«, versprach ich. Vielleicht würde es funktionieren.

Vielleicht hätten wir dann einen ganz besonderen Ort, einen wirklichen Fluchtpunkt.
Wir hörten das Telefon klingeln, und ich griff zum Hörer. Das Telefon stand auf dem Boden. Es war der Arzt aus dem Krankenhaus, der sich darüber wunderte, warum ich nicht zum Röntgen erschienen war. Er wollte mit Geraldine sprechen.
»Oh, tut mir Leid. Sie ist nicht da, aber ich komme sofort«, sagte ich.
»Es ist wichtig, dass wir den Heilungsprozess kontrollieren«, betonte er. »Ich dachte, deine Mutter hätte das begriffen.«
»Das hat sie auch, aber sie ist krank«, sagte ich und benutzte die erstbeste Entschuldigung, die mir in den Sinn kam. Nachdem ich aufgelegt hatte, erzählte ich Jade und Misty von dem vergessenen Termin.
»Mach dir deshalb keine Sorgen. Wir fahren einfach hin.«
»Ich fahre«, erklärte Misty, und wir gingen nach unten. Jade dachte daran, Star anzurufen und ihr Bescheid zu sagen, wo wir steckten, falls sie kam. Sie hörte einen Moment zu und legte dann auf.
»Sie hörte sich nicht besonders glücklich an. Sie sagte, es sei alles in Ordnung, aber sie kommt erst zum Abendessen. Rodney war völlig verstört. Ihre Mutter nahm ihn mit, angeblich zum Einkaufen, aber sie landeten dann in einer Bar.«
»Vielleicht säuft sie sich zu Tode und löst so das Problem«, murmelte Misty.
Jade und ich starrten einander an und dachten wohl beide das Gleiche. Es war wirklich traurig. Das Glück und sogar die Sicherheit von Star und ihrem Bruder hingen davon ab, dass ihre Mutter aus ihrem Leben verschwand.

Wir stiegen ins Auto und fuhren zum Krankenhaus. Es dauerte beinahe zwei Stunden, bis die Röntgenaufnahmen gemacht worden waren und der Arzt sie angeschaut hatte. Offensichtlich war er besorgt, dass Geraldine nicht dort war. Ich sagte ihm, sie hätte Fieber.

»Aber du hattest mir doch gesagt, sie sei nicht zu Hause«, erinnerte er mich.

»Sie ist zum Arzt gegangen, der ihr etwas verschrieben hat und ihr geraten hat, im Bett zu bleiben«, sagte er.

Er wirkte immer noch verärgert und misstrauisch, sagte aber, der Fuß heile gut.

»Ich möchte, dass du nächste Woche wiederkommst. Sorge dafür, dass deine Mutter mich am Tag vorher anruft«, trug er mir auf und schrieb mir seinen Namen und die Telefonnummer auf. Ich dankte ihm, und wir gingen.

»Was soll ich denn nächste Woche tun?«

»Er erinnert sich bestimmt nicht an ihre Stimme. Ich werde anrufen und so tun, als sei ich Geraldine«, sagte Jade. »Das haut prima hin. Am wichtigsten ist, dass dein Knöchel gut heilt. Jetzt fahren wir aber zu Camelot's und besorgen etwas für die Hochzeit von Mistys Vater. Einkaufen ist die beste Methode, um Sorgen loszuwerden.«

»Typisch für eine Beverly«, spottete Misty. Sie überlegte einen Augenblick, lächelte dann und sagte: »Komisch, aber wenn Star nicht dabei ist, habe ich das Gefühl, sagen zu müssen, was sie sagen würde.«

»Wir werden alle Teile des anderen«, erklärte Jade. »Wollen wir hoffen, dass es nur die guten Teile sind.«

Alle lachten. Ich hatte schon Angst, wir würden keinen Grund zum Lachen finden, aber wir verbrachten einen tollen Nachmittag. Misty und ich hatten keine Ahnung, dass Camelot's eine extravagante Boutique war, die so genannte »mythische Kleider« verkaufte. Das Geschäft war weihrauchgeschwängert, die Musik nicht unähnlich der CDs, die Jade für unseren besonderen Raum gekauft hatte.

Das erste Kleid, das ich auf Jades dringenden Wunsch anziehen musste, war ein Abendkleid aus Stretchsamt. Es war mit einer Goldmetallicborte verziert und hatte spitz zulaufende Ärmel. Auf mich wirkte es wie ein Kostüm, aber das war noch nichts im Vergleich zu dem, wie ich in dem Göttinnenkleid aus Crêpe de Chine mit einem Gürtel aus Goldmetallkordeln aussah. Danach zog ich das Elfenkleid aus blasslavendelfarbenem Seidenchiffon an, ein Rock mit separatem Oberteil, das an den Schultern geknotet war. Sowohl Jade als auch Misty entschieden, dass ich es kaufen sollte. Ich konnte beim Anblick meines Spiegelbildes nicht aufhören zu lachen und musste daran denken, wie wütend Geraldine geworden wäre, wenn sie mich darin gesehen hätte.

»Du bist wirklich ein hübsches Mädchen, Cat«, sagte Jade, nachdem sie zu mir gekommen, den Arm um meine Schultern und ihren Kopf gegen meinen gelegt hatte. Wir schauten uns beide im Spiegel an. »Bald brichst du noch mehr Herzen als ich«, flüsterte sie.

Konnte ich das? Konnte ich das wirklich, fragte ich mich, als ich in den Spiegel starrte.

»Lass uns das Göttinnenkleid für Star kaufen«, entschied Jade. »Lasst uns alle hier etwas kaufen. Ich nehme das Samtkleid. Misty?«

»Prima. Sie passen alle vollkommen für Daddys neue Hochzeit.«

Sie überlegte und wählte eine Tunika aus gecrinkelter Seide mit V-Ausschnitt und einem Seidenrock in einem grünlichen Blau. Man stelle sich nur den Anblick von uns vieren vor, wenn wir die Kirche betraten. Aber bestimmt hoffte Misty, dass wir eine Szene verursachen und dem Brautpaar im entscheidenden Moment die Schau stehlen würden.

Am Ende hatten wir etwas mehr als tausend Dollar ausgegeben.

Geraldine dreht sich bestimmt im Grabe herum, dachte ich und rechnete halb damit, die Erde aufgewühlt vorzufinden, als wir nach Hause zurückkehrten. Auf dem Heimweg fuhren wir bei Misty vorbei, um ihre Klarinette abzuholen. Sie wollte nach dem Essen für uns spielen. Wir waren fest entschlossen, uns zu amüsieren und alle dunklen Ereignisse zu verdrängen.

Zu meiner Überraschung gefiel Star das Kleid außerordentlich, als wir es ihr zeigten, nachdem sie eingetroffen war. Wir zogen alle unsere neuen Kleider an und stolzierten im Haus herum.

»Die perfekte Kleidung für die erste Sitzung an unserem speziellen Platz«, verkündete Jade und führte uns die Treppe hinauf, wo wir die Kerzen anzünden, die Musik anstellen, uns auf den Teppich setzen, an den Händen halten und den Geist des anderen berühren mussten.

»Wenn Dr. Marlowe uns so sehen könnte«, spottete Star, und wir alle lachten. Unser Gelächter war wie Musik, Musik, die jeden Sturm übertönt.

Jade gab uns unsere erste Meditationsstunde, und ob es nun Einbildung war oder nicht, ich spürte tatsächlich, wie die Anspannung aus meinem Körper wich. Hinterher halfen wir alle mit, eine tolle Nudelmahlzeit zuzubereiten mit einem Salat aus Spinat und Ziegenkäse als Vorspeise. Jade hatte von zu Hause Wein mitgebracht. Wir saßen um den Tisch herum, redeten und hatten Spaß aneinander.

Jade beharrte darauf, dass unsere mythische Kleidung uns alle in Göttinnen verwandelt hatte, und wir beschrieben alle die magischen Kräfte, die wir am liebsten besitzen würden. Misty wäre am liebsten unsichtbar und würde hinter wem auch immer herspionieren können. Star wollte fliegen. Jade wollte Männer in liebeshungrige Sklaven verwandeln. Ich wünschte mir, in einem Schloss leben zu können, dessen Mauern alle Krankheiten und alles Unglück fern hielten.

»Das wird dieses Haus für uns sein«, erklärte Jade.

Als die Mahlzeit beendet war, legte Misty eine CD auf, und wir wuschen zur Musik ab. Nachdem wir fertig waren, gingen wir ins Wohnzimmer, um uns zu entspannen, und Misty spielte für uns auf der Klarinette.

Die Melodien aus Mistys Klarinette waren ebenso meditativ wie Jades New-Age-CDs. Jade, Star und ich schlossen die Augen und ließen uns treiben. Ich hatte das Gefühl, als schwebte ich auf einer Wolke.

Als Misty aufhörte zu spielen, saß sie im Lotussitz vor uns. Einige Augenblicke lang sprach niemand. »Ich bin froh, dass ihr am Samstag alle bei mir sein werdet«, sagte sie. »Ich kann mir einfach nicht vorstellen, dass mein Vater mit einer anderen verheiratet wird, dort vorne steht und einer anderen verspricht, sie für immer und ewig zu lieben. Ich habe das Gefühl ... als existierte ich gar nicht mehr, als hätte er seine Vergangenheit und alles und jeden darin einfach ausradiert, selbst mich.«

Star griff nach Mistys Hand und dann nach Jades. Ich hielt Jade und Misty an den Händen. So saßen wir da, verbunden. Nichts weiter musste gesagt werden.

Einen Augenblick später standen wir alle auf.

»Morgen«, beschloss Jade, »werden wir hier im Haus weitermachen, damit es zu unserem Partyhaus wird. Vielleicht brauchen wir dramatischeres Licht oder sogar ein paar neue Möbelstücke, mehr Bilder und vieles andere!«

»Zurück in die Geschäfte«, verkündete Misty und hielt ihre Hand hoch, als hätte sie ein Schwert gezückt.
»Beverlys glauben, Shopping löse jedes Problem«, murmelte Star.
Misty, Jade und ich schauten einander an und brüllten dann vor Lachen.
»Was ist?«, fragte Star.
»Das sagtest du bereits«, teilte ich ihr mit.
»Hm? Was denn?«
»Durch Misty«, sagte Jade, und wir lachten erneut, nur noch lauter.
»Ihr seid alle verrückt«, meinte Star. Sie überlegte einen Moment und fügte dann hinzu: »Gott sei Dank.«

Der Rest der Woche ging rasch vorüber. Jade blieb in dieser Nacht bei mir, und Misty kehrte am folgenden Abend zurück. Am nächsten Tag kam die Heilsarmee und nahm Geraldines Möbel und Kleidung mit. Das half sehr, mir das Gefühl zu geben, dass sie endgültig weg war.
Jeden Abend meditierten wir und hatten unseren Spaß beim Kochen und Reden. Star hatte das Gefühl, Rodney zuliebe jeden Abend zu Hause bleiben zu müssen. Sie erzählte uns, ihre Mutter hätte einen Job als Kellnerin in einer Bar am Strand und käme schon wieder sehr spät nach Hause. Weil sie Rodney weckte, wenn sie nach Hause kam und über die Möbel stolperte, überzeugte Granny sie, im Wohnzimmer zu schlafen und Rodney in sein Bett zurückkehren zu lassen.
Am Samstag, dem Hochzeitstag von Mistys Vater, ließ Jade uns von ihrer Limousine abholen. Misty erzählte, ihre Mutter sei wütend, weil wir eine so große Sache daraus machten und uns sogar neue Kleider gekauft hatten. Sie hatte keine Ahnung, was wir anderen trugen, sonst hätte

sie womöglich ihre Meinung geändert. In dem Augenblick, als wir vier die Kirche betraten, fuhren die Köpfe der gesamten Hochzeitsgesellschaft herum. Jade trug einen Zauberstab, der mit Batterien arbeitete, die ein Licht am Ende aufleuchten ließen. Sie hatte Misty ein mit Ziermünzen überladenes Stirnband mitgebracht und Star Kostümjuwelen gegeben. Mir hatte sie einen riesigen rubinroten Glasanhänger an einer dicken Silberkette um den Hals gehängt.

Mistys Vater schaute verwirrt drein, als wir den Mittelgang hinuntermarschierten und vorne Platz nahmen. Ganz bestimmt hatte Misty ihm nicht erzählt, dass sie uns mitbrachte. Auf unseren dramatischen Auftritt folgte eine Woge des Raunens unter den Gästen. Die Freunde ihres Vaters und Ariels Familie und Freunde wussten nicht, ob sie lachen oder empört aufschreien sollten. Wir konnten das an ihren Gesichtern ablesen, aber wir schauten oder lächelten niemanden an.

Jade hatte uns, bevor wir eingetroffen waren, genaue Anweisungen erteilt.

»Schaut niemanden an. Richtet den Blick nach vorne auf Braut und Bräutigam, und schaut sehr ernst drein. Wir sind dort, um für Misty einen Zauber zu sprechen.«

»Was für einen Zauberspruch?«, fragte Star. »Über was für verrückte Dinge redest du eigentlich?«

»Einen Zauberspruch, um sie vor weiterem Unglück zu schützen«, erwiderte Jade.

»Mir gefällt das«, rief Misty. Das Fantasieren bewahrte sie davor, Traurigkeit und Schmerz in ihr Herz zu lassen.

»Und wie sollen wir diesen Zauber bewirken?«, fragte Star.

»Sobald der Geistliche beginnt, hebe ich meinen Zauberstab und bewege ihn nach rechts und dann nach links.

Wenn ich das tue, bewegen sich alle Schulter an Schulter ebenso, verstanden?«

»Wo hast du nur all dieses Zeug her?«, fragte Star.

»Eine Traumvision, die ich vergangene Nacht hatte«, erklärte Jade.

»Mir gefällt das«, wiederholte Misty.

Mein Herz klopfte, weil ich nicht glauben konnte, dass Jade dies durchziehen würde, aber das tat sie und machte sogar die Glühbirne dabei an. Auch wir anderen taten, worum sie gebeten hatte. Dann senkte sie den Zauberstab. Der Geistliche hatte eine Pause gemacht, um uns zu beobachten, auch Mistys Vater und Ariel hatten sich umgedreht. Mistys Vater hörte auf zu lächeln, aber er wandte sich wieder dem Geistlichen zu und die Hochzeitszeremonie wurde vollzogen.

Sobald er konnte, kam ihr Vater auf uns zu.

»Was soll das, Misty? Wer sind diese Mädchen? Warum seid ihr alle in so einem Aufzug gekommen? Und was habt ihr gemacht? Ariel ist außer sich. Hat deine Mutter dir das in den Kopf gesetzt?«

»Nein, Daddy. Das sind meine Freundinnen, und wir wollten deine neue Ehe segnen, damit sie nicht zerbricht wie deine erste Ehe und alle unglücklich macht«, rezitierte Misty, als läse sie aus einem Märchenbuch vor.

Er wurde so rot, dass ich damit rechnete, Dampf aus seinen Ohren qualmen zu sehen. »Ich dachte, du würdest reifer darauf reagieren, Misty. Ich bin enttäuscht.«

»Ich auch, Daddy«, sagte sie. »Es sieht so aus, als würde unser Zauber nicht funktionieren.«

»Okay. Ich verstehe, was du vorhast. Wir werden später darüber reden«, teilte er ihr mit, schenkte uns ein unechtes, kaltes Lächeln und ging, um seine anderen Gäste zu begrüßen.

»Ich glaube, dein Vater schätzt uns nicht besonders, Misty«, erklärte Jade. »Wir sparen uns den Hochzeitsempfang einfach und gehen stattdessen in den Kit Kat Rave Club am Melrose tanzen.«
»Gute Idee«, bestätigte Misty. Sie schaute ihrem Vater noch einen Moment hinterher, während sich ihre Augen mit Tränen füllten. Dann marschierte sie vor uns her den Gang entlang. Wir folgten ihr. Jade neigte ihren Zauberstab in Richtung auf die Leute wie ein segnender Bischof. Wenn sie die Birne anschaltete, zuckten die Leute entweder zurück oder keuchten. Ich eilte so schnell ich konnte hinter ihnen her, eifrig darauf bedacht, aus der Kirche zu verschwinden.
In der Limousine gestand Jade, dass sie zu Hause eine Flasche Wodka und Orangensaft hatte mitgehen lassen.
»Ein bisschen hiervon bringt uns in die richtige Verfassung«, kündigte sie an.
»Es funktioniert nicht immer so«, gab Star zu bedenken. Wir wussten, dass sie damit ihre Mutter meinte.
»Bei uns wird es das, weil wir nicht übertreiben, Star. Wir müssen uns unbedingt amüsieren«, fügte sie betont hinzu und nickte leicht zu Misty hin, die klein und sehr traurig wirkte, als sie beobachtete, wie die Hochzeitsgesellschaft aus der Kirche kam.
Stars Augen verdunkelten sich verständnisvoll, und Jade bereitete die Drinks zu. Sie drehte auch die Musik an, so dass wir uns alle richtig glücklich fühlten, als wir am Tanzclub eintrafen. Ich hatte noch nie so etwas wie diesen Club besucht, aber anscheinend waren wir nicht anders gekleidet als die meisten anderen Mädchen dort. Alle sahen aus, als trügen sie Kostüme.
Sobald wir ankamen, tauchten alle ein in die Musik und die Lichter. Alle schienen sich in Ekstase gearbeitet zu

haben. Ich spürte das, selbst während ich am Tisch saß und zuschaute. Jade brachte mich dazu, mit meinen Krücken aufzustehen und mit dem gesunden Bein zu tun, was möglich war. Alle um uns herum fanden das amüsant. Es war, als seien wir in den Ozean gesprungen und würden in einer Woge hysterischen Vergnügens aufs Meer hinaus getragen. Bald schrien und lachten wir alle. Manchmal tanzte ich mit einem fremden Jungen, manchmal mit einem der Mädchen. So ging es uns allen, aber wir lernten niemanden wirklich kennen. Die Musik war zu laut, um sich zu unterhalten. Wir tanzten eine Stunde lang, ohne aufzuhören, bis Jade entschied, dass sie Durst hatte. Wir kehrten an unseren Tisch zurück und bestellten alkoholfreie Getränke.

»Wie gefällt dir der Hochzeitsempfang deines Vaters?«, rief Jade Misty zu. Das war die einzige Möglichkeit, sich verständlich zu machen, selbst wenn man nicht auf der Tanzfläche war.

»Mir gefällt das. Ich kann es gar nicht erwarten, dass sie die Torte anschneiden!«

Jade lachte. Star und ich stimmten ein, aber ich hatte nicht das Gefühl, als lachten wir wirklich. Es war mehr wie weinen. Wir schlürften unsere Drinks, die Musik strömte über uns hinweg, die Lichter wirbelten in bunten Farben über die Menge, aber dieser alte, hartnäckige und entschlossene Dämon Depression fand seinen Weg an unseren Tisch und warf seinen Schatten darüber. Ich konnte es an allen Gesichtern ablesen und spürte es an meinem eigenen.

»Ich muss nach Hause gehen«, rief Star in Jades Ohr. »Ich möchte Granny heute Abend helfen.«

Jade nickte, zahlte die Rechnung und führte uns hinaus zu der wartenden Limousine.

Selbst im Auto weit weg von der Musik dröhnte es mir in den Ohren.
»Ich glaube, ich werde taub«, stöhnte ich.
Alle lachten mich aus.
»Du warst wohl zum ersten Mal in einer Disco«, vermutete Jade.
Ich nickte.
»Normalerweise nehme ich Ohrstöpsel mit«, verriet sie mir.
Misty lehnte sich mit geschlossenen Augen gegen Jade. Jade legte den Arm um sie und schaute Star und mich an.
»Mädchen«, sagte sie, »es wird Zeit, dass wir aufhören, unsere toten Familien zu betrauern. Wir sollten nur noch daran denken, es uns gut gehen zu lassen. Morgen bei unserem Treffen wollen wir einige Kandidaten für unsere erste Party präsentieren.«
Misty wurde munter.
»Wirklich?«, fragte sie.
»Ich glaube, wir sind fast so weit«, meinte Jade. »Star?«
»Genau«, stimmte sie zu. »Aber denkt daran, was Jade gesagt hat. Wir laden keine anderen Mädchen ein. Wir sind klug.«
»Schon gut, hör auf, mich zu foppen«, bat Jade.
»Wieso Prinzessin Jade, du willst mir doch nicht weismachen, dass du doch sensibel bist«, sagte Star. »Sag ja nicht, dass du irgendwelche Schwächen eingestehst.«
Jades Gesichtsausdruck wurde finster und ernst.
»Das habe ich bereits getan, Star. Wir alle haben das.«
Sie hob ihren Spielzeugzauberstab.
»Jetzt ist es an der Zeit, das alles wegzuwünschen«, sagte sie.
Alle beobachteten, wie sie mit dem Zauberstab wedelte,

als versuchte sie uns zu hypnotisieren. Star fing an zu lachen, aber Misty setzte sich plötzlich auf.

»Ich glaube, es hat funktioniert«, rief sie und lächelte, als sei sie wirklich von etwas Magischem berührt worden.

»Ich auch«, stimmte Jade zu. Sie sah Star an.

»Ich habe es genau gespürt«, bestätigte sie. Alle wandten sich mir zu.

»Ja«, sagte ich. »Es ist ein neuer Anfang.«

Wir waren alle still. Ich starrte aus dem Fenster auf die Straßen der Stadt, während wir durch die Dunkelheit unserer quälenden Gedanken den Weg zu den Verheißungen der Zukunft suchten.

KAPITEL DREIZEHN

Neuanfänge

David Kellerman«, begann Jade.
Sie zeigte uns ein Bild von sich selbst, zwei anderen Mädchen aus ihrer Schule und drei Jungen unten am Santa-Monica-Pier in der Nähe des Karussells. Wir saßen alle zusammen im Wohnzimmer zu einem weiteren unserer WME-Treffen, wie wir sie jetzt nannten. Dieses Treffen war einberufen worden, um unsere erste Party zu organisieren.
»Das ist David«, sagte sie und deutete auf den großen, dunkelhaarigen, schlanken, gut aussehenden Jungen, der auf dem Bild hinter ihr stand. Sie blieb vor jeder von uns einen Moment mit dem Bild stehen, wirkte sehr stolz und zufrieden und erwartete offensichtlich, dass wir sofort ähnlich darauf reagierten.
Star warf mir einen Blick zu und hob den Blick zur Decke.
»Ja, und?«, sagte sie.
»Davids Vater ist einer der Besitzer des Ascot Theaters, was für uns Freikarten und gute Plätze bei Rockkonzerten bedeutet. Er wohnt in Woodside Village direkt neben Century City. Dort würden wir vermutlich auch wohnen, wenn wir nicht lebten, wo wir jetzt unser Haus haben.«
»Du willst einen Jungen auf unsere Party einladen, damit

du Freikarten zu Rockkonzerten bekommst?«, hakte Star nach.
»Nein, du Dummchen. Ich kann mir die Karten leisten, und vermutlich kriegte ich auch ziemlich gute Plätze.«
»Also?«
»Nun, er sieht gut aus, oder?«
»Zeig mir noch einmal das Foto«, erwiderte Star und krallte schnell und wild mit den Fingern nach ihr.
Ich schaute Misty an, die ihr Lächeln mit der Hand verdeckte. Wir wussten beide, dass Star Jade aufzog. Trotzdem musterte sie das Bild, als dächte sie tatsächlich über Davids Aussehen nach. Sie zuckte die Achseln und gab Jade das Bild zurück.
»Seine Augen stehen zu dicht zusammen. Granny sagt, man soll nie einem Mann vertrauen, dessen Augen eng zusammenstehen.«
»Also, bitte«, rief Jade. »Seine Augen stehen nicht zu dicht zusammen, das ist ein Ammenmärchen, Aberglauben.«
»Lass Aberglauben nicht außer Acht. Darin steckt eine Menge Weisheit«, beharrte Star und drohte Jade mit dem Finger.
Jade schaute uns an.
»Was denkt ihr beide denn?«
»Was kannst du uns sonst noch über ihn erzählen?«, fragte Misty.
»Ja, was noch?«, wollte auch Star wissen. Sie lehnte sich zurück, die Arme unter der Brust verschränkt und die Lippen fest zusammengepresst, als säße sie wirklich in einer Jury zu Gericht über die Zukunft von Jades Romanzen.
»Er hat schon ewig eine Schwäche für mich«, erzählte Jade. »Bis jetzt war ich höflich, aber unverbindlich.«
»Du meinst, du hast ihn hingehalten.«

»Nein«, widersprach Jade, »das habe ich nicht.«
»Warum bist du dann nie mit ihm ausgegangen? Bist du sicher, dass du nicht nur mit ihm gespielt hast?«, fragte Star und schüttelte missbilligend den Kopf.
»Nein, ich habe nicht mit ihm gespielt. Das tue ich … kaum«, fügte sie mit einem schüchternen Lächeln hinzu. Sie wirkte wieder ernst. »Ich fand, er war nicht kultiviert genug für mich, aber er ist reifer geworden und im Laufe der Zeit auch ganz hübsch, trotz allem was du denkst.«
»Ich habe doch nicht behauptet, er sei hässlich«, gab Star nach.
»Der entscheidende Punkt ist, er wird eine Einladung von mir zu schätzen wissen und uns respektieren, außerdem weiß er sich auf einer Party zu benehmen«, fuhr sie fort. »Ich habe ernsthaft darüber nachgedacht, mit ihm auszugehen, und dies ist die beste Gelegenheit festzustellen, ob aus ihm und mir etwas wird. Ihr könnt darüber lachen, aber ich finde, er ist ein ausgezeichneter Kandidat und daher meine Wahl. Nun?«
Star zuckte die Achseln.
»Ich habe keine Einwände«, sagte Misty.
»Cat?«
»Er ist wohl in Ordnung«, sagte ich und warf Star einen Blick zu.
»Okay«, stimmte sie zu.
»Danke«, sagte Jade und setzte sich hin. »Nun? Wer kommt als Nächste dran?«
»Ich dachte daran, Chris Wells zu fragen«, verkündete Misty, »aber ich habe kein Bild von ihm.«
»Beschreib ihn einfach«, forderte Jade sie auf.
»Er ist nur ein bisschen größer als ich, niedlich und schüchtern, mit langem blondem Haar, das er sich immer aus den Augen streicht. Dunkelblaue Augen übrigens. Ich

bin schon lange in ihn verknallt, aber ich hatte immer das Gefühl, er betrachtet mich wie eine Fünfjährige oder so.«
»Weshalb willst du ihn dann einladen?«, fragte Star.
»Also, in der letzten Zeit ist es anders gewesen«, enthüllte Misty mit einem vielsagenden Lächeln. »Er wohnt bei uns in der Nähe und hat bei mindestens zwei Gelegenheiten angehalten, als ich draußen war. Einmal war ich gerade dabei, das Auto zu waschen, und einmal las ich eine Zeitschrift. Er redete eine Menge, stand da und sah mir zu. Außerdem schaut er mich jetzt ganz anders an. Ihr wisst doch, dass ein Junge manchmal so einen Gesichtsausdruck hat, dass du das Gefühl hast, nackt zu sein? Manchmal ist das so. Ich glaube, er war nur so weit davon entfernt, mich zu einem Rendezvous einzuladen«, sagte sie und hielt Daumen und Zeigefinger hoch.
»Und warum hat er nicht gefragt«, erkundigte Star sich misstrauisch.
»Wie gesagt, er ist sehr schüchtern«, wiederholte Misty. »Was mir gefällt«, fügte sie rasch hinzu. »Zu viele Jungen glauben, sie könnten dir sagen, was sie wollen, selbst wenn du ihnen noch völlig fremd bist. Chris ist … der sensible Typ«, entschied sie nach einem Augenblick.
»Vielleicht ist er so schüchtern und sensibel, dass du ihn vergraulst, wenn du ihn einlädst«, sagte Star.
»Vielleicht auch nicht«, rief Jade dazwischen. »Hat er nette Freunde?«
»Ja, seine Freunde sind in Ordnung«, sagte Misty. »Meine Mutter mag seine Familie, falls das irgendetwas zu sagen hat.«
»Snobs«, murmelte Star.
»Wir versuchen nur, uns zu vergewissern, und das mit aller erforderlichen Sorgfalt«, verteidigte Jade sich.
»Wir tun was?«, fragte Star.

»Kontrollieren ihren Hintergrund, damit wir nicht die falschen Leute einladen«, erklärte Jade. »Veranstalten wir nicht deshalb dieses Treffen?«
»Entschuldige bitte, das habe ich ganz vergessen.« Sie wandte sich an Misty. »Kennst du seine Blutgruppe?«, fragte sie.
»Wie bitte?«
»Wir sollten uns auch eine Urinprobe besorgen«, fuhr sie fort.
»Sehr witzig«, meinte Jade. »Wen willst du denn einladen, Superstar?«
Star lachte und warf mir einen spitzbübischen Blick zu, bevor sie sich zurücklehnte.
»Erinnert ihr euch daran, dass ich euch von Lilly Porters Cousin Larry erzählt habe?«, fragte Star.
»Nein«, sagte Jade.
»Ist es über deinen Kopf hinweggegangen oder unter deiner Nase?«, fragte Star sie mit funkelnden Augen.
»Ich habe es vergessen, klar? Wir haben in den letzten Tagen nicht gerade gefaulenzt«, rief sie mit erhobener Stimme.
»Ich erinnere mich«, sagte ich. »Er ist in der Armee, stimmt's?«
»Das stimmt, Cat. Gut. Wie kommt es, dass du dich daran erinnern kannst bei allem, was vorgefallen ist?«, fragte sie mit einem Seitenblick auf Jade. »Du musst wohl außer an deine Maniküre noch an etwas anderes denken.«
»Das ist nicht fair«, protestierte Jade.
»Schon gut, tut mir Leid. Auf jeden Fall kommt er Dienstag nach Hause, ich werde ihn treffen, und ich hatte mir überlegt, wenn er so ist, wie er aussieht, lade ich ihn ein.«
»Das hört sich gut an«, sagte Misty. »Er ist bestimmt reif, wenn er in der Army ist und so.«

»Oh, er ist kein grüner Junge mehr«, versicherte Star lächelnd. »Er ist zwanzig.«
»Zwanzig? Dann bekommt er ja schon bald Rente«, witzelte Jade, die die Gelegenheit ergriff, es Star heimzuzahlen. »Warum gehst du mit einem so alten Mann aus?«
Star starrte sie einen Moment an und fing dann an zu lächeln.
»Okay, eins zu null für dich«, gab sie zu.
Ihre Aufmerksamkeit wandte sich mir zu.
»Wen möchtest du einladen, Cat?«, fragte Jade.
»Ich kenne niemanden«, antwortete ich.
»Gibt es denn niemanden, den du kennen lernen möchtest?«, fragte Misty.
Ich schüttelte den Kopf.
»Ich kenne niemanden gut genug, um ihn zu einer Party einzuladen. Ich meine, es gibt Jungen, die ich gerne kennen lernen würde, aber ich habe nie auch nur zwei Worte mit einem von ihnen gesprochen.«
Alle schwiegen.
»In dem Fall würde ich vorschlagen, David zu bitten, seinen Cousin Stuart mitzubringen«, sagte Jade. »Sie sind ziemlich oft zusammen; Stuart sieht auch gut aus und ist sehr höflich.«
»Ein Blind Date?«
»Cat würde es nichts ausmachen, oder, Cat?«, fragte Jade mich.
»Ich will doch nicht allen anderen die Party ruinieren«, sagte ich.
»Das wirst du nicht. Ich weiß, dass Stuart nicht so häufig ausgeht und dass er mit niemandem geht. Er ist genau der Richtige für dich«, beharrte Jade.
»Wer bist du? Cupido?«, fragte Star.
»Es ist unsere erste Party. Wenn sie nicht miteinander

klarkommen, bedeutet das nicht das Ende der Welt.« Sie wandte sich wieder mir zu. »Stuart ist etwa so groß wie David mit dunklerem braunem Haar. Er sieht ein bisschen aus wie Christian Slater und ist sehr intelligent, ein Eins-plus-Schüler.«

»Dann hält er mich sicher für dumm«, wandte ich ein.

»Nein, bestimmt nicht. Warum sollte er? Du bist doch nicht schlecht in der Schule«, widersprach Jade.

»Dieses Jahr war ich nicht gut. Wie ihr wisst, habe ich ziemlich viel Unterricht versäumt.«

»Du suchst doch keinen Job, Cat. Du triffst dich nur mit einem verwöhnten, reichen Burschen mit Grips«, sagte Star. »Das wird doch kein Vorsprechen oder so was.«

»Hör nicht auf sie. Stuart ist nicht verwöhnt«, widersprach Jade. Sie warf Star einen scharfen Blick zu. »Du kennst ihn ja nicht einmal.«

»Er ist reich, er ist verwöhnt«, beharrte Star. »Aber es ist schon in Ordnung. Ist schon gut«, sagte sie und hielt die Hände hoch. »Ich gewöhne mich allmählich an verwöhnte Leute.«

»Mir tut dieser Larry Leid«, meinte Jade kopfschüttelnd. »Wenn er dich getroffen hat, wird er sich wünschen, wieder im Rekrutenausbildungslager zu sein.«

»Meinst du wirklich? Erst mal abwarten, wo er sein will, wenn er mich kennen gelernt hat. Vielleicht entfernt er sich sogar unerlaubt von der Truppe, nur um mich glücklich zu machen.«

»Ach du meine Güte.« Jade starrte sie an, dann lachten beide. Misty lächelte mich an.

»Allmählich hört sich das aufregend an«, sagte sie. »Stimmt's?«

Mein Herz hatte bei der Vorstellung eines Blind Date zu rasen begonnen. Wenn alle sich amüsierten, nur der Junge, den sie für mich einluden, nicht, hinge ich ihnen wie Blei am Hals, und die Party wäre ruiniert. Dabei schien sie ihnen so wichtig zu sein.

»Also gut«, sagte Jade, »jetzt haben wir unsere Liste. Da wollen wir die Party planen. Ich möchte, dass das für uns alle gut läuft, und zwar besonders für Cat«, sagte sie und schaute mich an.

»Genau meine Meinung«, bestätigte Star.

Wir redeten über das Menü und hatten dann eine kleine Meinungsverschiedenheit wegen Alkohol. Misty und Jade wollten ihn; Star fand, er könnte Ärger verursachen.

»Besonders wenn eine von uns zu viel trinkt. Es könnte etwas gesagt werden, das wir alle bedauern werden«, warnte sie.

»Das wird nicht passieren«, versicherte Jade.

»Wenn wir uns amüsieren und es spielt Musik, passiert das manchmal einfach. Nur einer von uns unterläuft ein kleiner Fehler ...«

»Bei dir hört es sich schrecklich und gefährlich an, sich zu amüsieren. Darum machen wir das alles doch«, erklärte Jade und streckte die Arme in die Luft. »Wenn wir keinen Spaß haben können – Spaß für reife, intelligente Leute –, was soll das Ganze dann?«

»Ich will doch nur, dass wir vorsichtig sind«, erwiderte Star.

Alle schwiegen ein paar Augenblicke.

»Die Jungen werden nach Alkohol Ausschau halten«, meinte Jade. »Wir haben das ganze Haus für uns, all diese Freiheit, da halten sie uns doch sonst für Trottel oder so was. Glaubst du, dein Freund aus der Army will Limonade trinken?«

»Vielleicht sollten wir einfach Bier anbieten«, gab Star nach.

»Bier? Ich hasse Bier!«, stöhnte Jade. Sie schaute mich an. »Magst du Bier?«
»Ich habe wirklich noch nicht viel getrunken.«
»Siehst du?«
»In Ordnung«, sagte Star, »es gibt Alkohol, aber gebt mir nicht die Schuld, wenn es übel ausgeht.«
»Das wird es nicht«, versicherte Jade. Sie überlegte einen Augenblick. »Ich bereite einen Punsch zu und tue nicht allzu viel Alkohol hinein.«
»Wenn du Alkohol mit irgendwelchem anderen Zeug mischst, wird dir noch schneller schlecht«, warnte Star.
»Du meine Güte.«
»Ich sage es euch ja nur. Unglücklicherweise kenne ich mich da aus«, erinnerte Star uns.
»Okay, wir werden besonders vorsichtig sein«, versprach Jade. »Musik. Ich werde ein paar meiner neuen CDs mitbringen.« Sie sah sich um. »Ich finde, wir sollten dieses Zimmer umräumen, ein paar Möbelstücke herausstellen, damit wir tanzen können.«
»Sollen wir noch einmal die Heilsarmee bestellen?«, fragte Misty.
»Nein, sie nicht verschenken. Sie nur für den Abend woanders hinräumen«, erklärte Jade. »Vielleicht können wir etwas ins Esszimmer stellen.«
»Damit bin ich einverstanden«, sagte Star. Sie sah mich an, und ich nickte.
»Wir haben den Termin, die Zeit, das Menü und den Plan. Es wird eine tolle erste Party«, kündigte Jade an.
Misty lächelte, und ich bemühte mich, optimistisch dreinzuschauen.
»Nur noch eine Sache«, sagte Star und beugte sich vor.
»Was denn?«, fragte Jade.
»Wir sollten dafür sorgen, dass niemand in den Garten

geht. Nur für den Fall, dass ich meine Sache doch nicht so gut gemacht habe.«

»Das hast du. Hör auf, dir Sorgen zu machen«, tadelte sie. Star lehnte sich zurück.

»Granny sagt immer, ein Gramm Vorsorge ist ebenso viel wert wie ein Pfund Medizin.«

»Verschone mich mit all dieser Weisheit«, stöhnte Jade. »Das ist ja das Problem. Genau das hat jemand getan.«

Misty und ich lachten fast, hielten dann aber inne, als wir sahen, dass weder Star noch Jade lächelten. Es war mehr nötig als eine gute Party, um uns vergessen zu lassen, wer wir waren und warum wir zusammengekommen waren. Vielleicht würden wir es nie lange genug vergessen, um uns gut zu amüsieren.

Und was das Vergessen anbelangte – es war mir fast unmöglich, nicht an meinen Vater zu denken und mich davor zu fürchten, dass er zurückkehrte. Keine Stunde des Tages verging, in der ich nicht einem Geräusch hinterherlauschte, das ich im Haus gehört hatte, oder einem Auto, das anscheinend in die Auffahrt eingebogen war. Ich starrte so oft zum Fenster hinaus, dass jeder Passant sich fragen musste, ob ich gefangen gehalten wurde.

Trotz der Sturmwolken, die stets am Horizont zu dräuen schienen, je näher der Abend der Party rückte, desto aufgeregter wurden wir alle. Stars erstes Treffen mit Larry glückte besser, als sie vermutet hatte. Larry wollte sie nicht nur wiedersehen und freute sich über die Einladung zu unserer Party, er rief sie auch jeden Tag an und führte sie an einem Abend zum Essen aus. Jade berichtete, dass David Kellerman begeistert über die Einladung war und angerufen hatte, um ihr zu sagen, dass sein Cousin sogar noch erpichter war zu kommen und mich kennen zu lernen, was mich in Panik versetzte.

Jade übernahm die Kontrolle über mein neues Styling, aber würde eine Frisur, ein Make-up, ein neues Kleid so viel Auswirkung auf mein äußeres Erscheinungsbild haben? Ich humpelte natürlich immer noch mit einem Gips am Bein herum. Und was war mit meinen beschränkten und unerfreulichen Erfahrungen mit Jungen? Würde ich mich schnell zum Narren machen und den Abend verderben?

Am Tag vor der Party brachte Jade mich zu ihrer Hairstylistin. Die verbrachte die meiste Zeit damit, mir das Haar gleichmäßig zu schneiden und sich darüber zu beklagen, wie ihre Vorgängerin gearbeitet hatte. Es war mir zu peinlich, ihr zu sagen, dass Geraldine dies gewesen war. Danach schnitt sie mein Haar zu einem kurzen, abgestuften Bob. Schließlich wurde das Haar trockengeföhnt und mit einem Glanzspray übersprüht.

»Jetzt ist das ein modischer Haarschnitt«, rief Jade. Als ich mich im Spiegel betrachtete, machte mein Herz einen Satz.

War das wirklich ich? Mein ganzes Äußeres war verändert. Ich wirkte nicht länger gelangweilt und müde. Es fiel mir so schwer, mich selbst für attraktiv zu halten. Geraldines Ermahnungen, nicht eitel zu sein, hallten wie ein Trommelschlag in meinem Kopf wider.

»Was schaust du da, Cathy? Willst du dich in dein eigenes Gesicht verlieben?«, hörte ich sie sagen.

Zurück zu Hause, experimentierte Jade auf meinem Gesicht mit verschiedenen Schattierungen von Make-up, Lidschatten und Lippenstiften, während Star und Misty Jades Bemühungen beurteilten und alle gemeinsam darüber diskutierten.

»Das macht ihre Augen zu groß.«

»Der Kontrast ist zu stark.«

»Du ruinierst den anmutigen Schwung ihrer Lippen.«
Mein Gesicht wurde so oft eingeschmiert, bemalt und verändert, dass sich die Haut ganz wund anfühlte. Schließlich einigten sich alle auf einen Lippenstift, der mir schmeichelte, und sie entschieden, dass das restliche Make-up sehr zart ausfallen sollte.
Misty wollte, dass wir alle wieder unsere mythischen Gewänder trugen, aber Jade hatte ein neues Designerkleid, das sie unbedingt anziehen wollte, und bestand darauf, dass ich mit ihr etwas Neues kaufen sollte – nur für die Party.
»Ich kaufe mir immer etwas Neues, wenn es einen Anlass dazu gibt«, erklärte sie mir.
Sie entschied, dass ich in einem engen schwarzen Abendkleid sehr gut aussah, sogar mit dem Bein im Gips. Es hatte ein sehr tief ausgeschnittenes Dekolleté, das Geraldine dazu getrieben hätte, mich als Sünderin zu brandmarken. Aber Jade verlangte, dass ich endlich aufhörte, mich meiner »weiblichen Reize« zu schämen. Am Ende gab ich nach und kaufte das Kleid.
Jade hatte eine Auswahl von Kleidern mitgebracht, die Star anprobierte. Schließlich entschied sie sich für ein tief ausgeschnittenes Anna-Sui-Kleid, dessen Wirkung von einem Push-up-BH noch gesteigert wurde. Jade bestand darauf, dass sie dazu hochhackige Sandalen trug, die Star glücklicherweise besaß.
Misty wollte ein enges Betsey-Johnson-Minikleid mit Blumendruck anziehen und dazu hochhackige Pumps tragen. Außerdem hatte sie ein Paar große goldene Ohrringe von ihrer Mutter, die sie anlegen wollte. Jade fand sie langweilig, aber offensichtlich war ihre Mutter in mancher Hinsicht für Misty immer noch das Vorbild, und sie ignorierte Jades Kritik.

Spät am Nachmittag des Tages unserer Party bestand Jade darauf, dass wir in unser Zimmer gingen und meditierten. Schon die drei anderen um mich zu haben, sie reden zu hören, manchmal alle gleichzeitig, ihr Lachen zu vernehmen, während wir uns herrichteten, gab mir das Gefühl von Wohlbehagen und Glück. Meditation erschien mir unnötig, aber Jade hatte den Eindruck, dass unter unserer »glänzenden, perfekten Oberfläche«, wie sie es formulierte, »eine Unterströmung von Nervosität und Hysterie« verlief.

»Wir haben alle bei Dr. Marlowe gute Fortschritte gemacht«, sagte sie, »aber es wäre närrisch und naiv von uns zu glauben, wir seien vier widerstandsfähige weibliche Wesen. Jede von uns trägt immer noch eine Dynamitstange unter dem Herzen, und die Zündschnüre könnten jeden Moment angefacht werden, manchmal wegen der unbedeutendsten Kleinigkeit.«

Sie sprach hauptsächlich über sich selbst, aber es traf auf jede von uns zu. Niemand hatte Einwände oder widersprach ihr. Ruhig marschierten wir in den Raum, alle in Bademänteln. Am Tag zuvor hatten wir im Warenhaus unter anderem vier dicke weiße Frotteebademäntel erstanden, die immer im Clubhaus bleiben sollten, wie mein Zuhause jetzt genannt wurde.

Wir versammelten uns auf dem Teppich in einem Kreis. Jade zündete die Kerzen an und schloss die Augen, während sie nach Stars und Mistys Hand griff, die wiederum beide meine Hände ergriffen. Ein ständiger Strom von New-Age-Musik untermalte unsere Gedanken. Zuerst herrschte langes Schweigen, das tief in uns hineinreichte, dann sprach Jade ein Gebet, in dem sie uns Glück dabei wünschte, frei zu werden von unserer Vergangenheit, unseren Dämonen und Schatten, aufzublühen und zu gedei-

hen in unseren wiedergeborenen und frisch genährten Seelen.
Hinterher hatte ich das Gefühl, all meine Ängste und schrecklichen Erinnerungen seien in ein tiefes und dunkles Verließ in mir getrieben und eingeschlossen worden, damit ich frei war, mich frisch und neu und hoffnungsvoll zu fühlen. Als wir jedoch anfingen, uns anzuziehen, und ich sah, wie die Uhr immer weiter auf den Startzeitpunkt unserer Party vorrückte, konnte ich nicht verhindern, dass Spannung und Nervosität in mich zurückkrochen.
»Was erwartet ein Junge von einem Mädchen, wenn sie sich so wie hier zum ersten Mal treffen?«, fragte ich meine viel erfahreneren Schwestern. Alle hielten inne, wechselten Blicke und wandten sich dann an mich. Star als Erste.
»Ich sage dir eins, Cat. Wirf dich nicht an ihn weg, selbst wenn er wie Mr Perfect aussieht. Je mehr du dich zurückhältst, umso mehr begehren sie dich und umso höher steigst du in ihrer Achtung. Ich habe Larry am ersten Abend nicht einmal einen Gutenachtkuss gegeben. Er durfte mir ein Küsschen auf die Wange geben, aber kein Rumgeknutsche ein paar Minuten nach dem ›nett dich kennen zu lernen‹«, riet sie mir.
»Oh, verschone mich mit so was«, rief Jade.
»Ich lüge nicht«, versicherte sie mir. »Als ich ihn dann küsste, war es für ihn eine Offenbarung«, erklärte sie lächelnd. »Je mehr du jemanden magst, desto mehr möchtest du, dass er dich respektiert. Stimmt das nicht, Prinzessin Jade?«
Jades skeptisches Grinsen verflog, und sie nickte.
»Sie hat Recht«, bestätigte Jade. »Aber versuch das in deiner Vorstellung nicht zu sehr aufzubauschen. Versuch dich zu entspannen und denk daran, dass er vermutlich genauso nervös ist wie du, vielleicht sogar noch nervöser. Du

musst Selbstvertrauen ausstrahlen. Denk an dein Lächeln. Es sollte klein sein, aber sanft und aufrichtig. Lach nicht und kichere nicht nach allem, was er sagt. Jungen merken das, wenn man sich zu sehr bemüht, ihnen zu gefallen, und ob du es glaubst oder nicht, sie halten weniger von Mädchen, die das tun. Nicht, dass sie es nicht mögen, wenn man ihnen gefallen will. Aber es soll aufrichtig sein.«

»Starr ihn auch nicht die ganze Zeit an«, riet Star. »Gib ihm am Anfang das Gefühl, du seist überhaupt nicht an ihm interessiert. Lass ihn dafür arbeiten.«

»Das Entscheidende ist, dass du selbstbewusst wirkst, selbst wenn du dich gar nicht selbstbewusst fühlst«, sagte Jade. »Geh aufrecht mit zurückgenommenen Schultern, so.« Sie machte es vor. »Ich habe einen Kurs darin gemacht«, erklärte sie, bevor Star lachen konnte.

»Wie soll sie das denn auf Krücken machen, Jade?«, fragte Misty. Ich merkte, dass auch sie aufmerksam ihren Anweisungen lauschte.

»Tu einfach dein Bestes«, sagte Jade, »und senke hin und wieder den Blick. Achte darauf, langsam zu sprechen und zwischen den Sätzen dramatische Pausen zu machen, um dir seine Aufmerksamkeit zu sichern. Und am allerwichtigsten ist«, fügte sie hinzu und kniff die Augen entschlossen zusammen, »wenn er nicht der Richtige für dich ist oder sich anscheinend nichts aus dir macht, lass dir deine Enttäuschung nicht anmerken, Cat. Halt deine Tränen zurück. Außerdem willst du doch nicht dein Make-up verschmieren.«

»An so viel muss man denken«, jammerte ich.

Sie lachten.

»Wir sagen ja nicht, dass du daran denken musst wie an die Zeilen in einem Theaterstück oder so was«, meinte Star. »Im Laufe der Zeit kommt das von ganz alleine.«

»Ich würde ihn schon bei der ersten Verabredung küssen«, posaunte Misty heraus, »wenn ich es wollte und den Jungen mag. Er denkt dann nicht schlechter von mir«, beharrte sie. »Vielleicht würde ich sogar noch ein bisschen weiter gehen.«
»Oh, das würdest du, ja?«, forderte Star sie heraus.
»Ja«, sagte Misty. »Ich sage nicht, dass ich es heute Abend tun werde, aber es könnte sein.«
»Misty hat nicht ganz Unrecht«, gab Jade zu. »Eine Menge hängt vermutlich von dem Typen ab. Vielleicht gibt es keine Regeln, die sich immer anwenden lassen, nur einige Dinge, an die man denken sollte. Das Wichtigste ist, aufrichtig zu sein.«
»Entschuldige«, unterbrach Star sie, »heißt das, du bist immer aufrichtig zu den Jungen, mit denen du dich verabredest?«
»Man kann ein bisschen flirten«, gab Jade zu, »aber versuch nicht, eine andere zu sein, nur um ihn dazu zu bekommen, dich zu mögen. Okay?«, fragte sie Star.
Sie sahen mich an.
»Ich glaube, ich bin verwirrter als je zuvor«, sagte ich, und alle lachten.
»Du kommst schon klar«, versicherte Star mir. »Wenn er dich nicht mag, ist er es auch nicht wert.«
»Endlich hat sie mit etwas Recht«, stellte Jade fest.
Star streckte Jade die Zunge heraus. Dann zogen wir uns weiter um und erledigten die letzten Feinheiten. In fünfzehn Minuten würde die Türglocke klingeln und die Jungen würden eintreffen. Eine Party bei mir zu Hause! In den wildesten Träumen hatte ich mir nicht vorgestellt, dass das jemals passieren würde. Geraldine hatte es sich mit Sicherheit nie vorgestellt.
Konnten die Toten hören, was um sie herum vor sich

ging? War der Tod wie Fesseln und Knebeln? Wurde sie in ihrem Grab gepeinigt und gequält? War das ihre Strafe? Ich erschauerte bei dem Gedanken, dass wir vielleicht grausam oder böse waren. Vielleicht hatten unsere Geschichten, unsere Probleme uns in etwas verwandelt, das wir nie vorhergesehen hatten.

Unten machte Jade Käse und Cracker, eine Platte mit Shrimps, Kartoffelchips und Dips zurecht. Dann bereitete sie ihren alkoholisierten Punsch zu. Wir drei standen daneben, sahen ihr zu und warfen einen Blick auf die Uhr.

»Einen Augenblick!«, rief Star plötzlich. Jade drehte sich um.

»Was ist los?«

»Wir haben einander nicht erzählt, was wir den Jungen gesagt haben, warum Cat ganz allein im Haus ist.«

»Oh, nein«, murmelte ich. Was für eine Zeit, sich daran zu erinnern, endlich die Einzelheiten abzusprechen.

»Ich habe nur gesagt, dass wir im Haus meiner Freundin eine Party feiern könnten, weil ihre Mutter über Nacht weg sei«, sagte Jade. »Ich habe David nichts über Cats Situation erzählt. Was ist mit euch?«

»Ja, so etwas Ähnliches habe ich auch erzählt, aber ich habe, glaube ich, Eltern gesagt. Ich weiß nicht, ob ich nur Mutter sagte. Ich kann mich nicht erinnern«, sagte Star.

»Wieso kannst du dich nicht erinnern, was du gesagt hast?« Jade schrie beinahe. »Was war los mit dir, warst du betrunken?«

»Sei doch nicht albern.«

»Wie kommt es denn, dass du dich nicht erinnern kannst?«

»Ich sagte … Mutter. Ich sagte nicht Eltern. Nein, ich hätte bestimmt nicht Eltern gesagt.«

»Bist du dir sicher?«
»Ja, ich bin mir sicher.«
»Verdammt, du musst verliebt sein«, tadelte Jade sie. »Nicht sicher, sicher. Misty, was ist mit dir?«
»Ich habe ihm gar nichts gesagt. Ich sagte ihm einfach nur, wir machen eine Party bei Cat. Er fragte nicht nach Einzelheiten, und ich erzählte ihm auch keine. Was soll ich ihm denn sagen, wenn er fragt?«
»Sag, was ich gesagt habe. Ihre Mutter ist über Nacht weg.«
»Was ist mit ihrem Vater?«, fragte Star.
»Kein Vater«, sagte Jade. »Ihr Vater ... ist tot.« Sie riss die Augen auf. »Von einem betrunkenen Autofahrer getötet worden, als er erst Ende zwanzig war. Das ist zum Teil richtig, stimmt's?«
»Haben alle das mitbekommen?«, fragte Star.
Mein Herz klopfte. Was für einen Riesenfehler hätten wir beinahe gemacht.
»Okay, damit ist das klar.«
»Warte. Was hat ihr Vater gemacht?«, fragte Star.
»Ich weiß es nicht. Was denn?«, fragte Jade und schaute mich an.
Die Uhr tickte.
»Mein Vater war Musiker«, sagte ich, als ich mich an den Brief meiner Mutter erinnerte. »Er lehrte Musik an der ... an der ...«
»UCLA«, ergänzte Jade.
»UCLA«, wiederholte ich. »Meine Mutter ist noch nicht darüber hinweg, selbst nach all diesen Jahren.«
»Wo ist sie heute Abend?«, fragte Star.
Wir dachten alle nach.
»Bei ihrer Schwester in ... Phoenix«, schlug Misty vor. »Ich habe da eine Tante.«

»Gut. Haben alle das mitbekommen?«, fragte Star wieder.
»Vermutlich hat niemand etwas darüber gesagt«, sagte ich und deutete auf meinen Gips.
»Erzähl ihnen einfach, du seist auf der Treppe gestolpert. Du bist ein Trampel«, entschied Jade. »Das ist besser, als zu sagen, du seist aus dem Speicher über der Speisekammer gefallen. Dann hast du wirklich eine Menge zu erklären.«
Sie nickten alle, als die Türglocke klingelte.
»Wo wir gerade davon sprechen, erst in letzter Minute fertig zu werden«, murmelte Star und ging die Tür aufmachen.
Larry kam als Erster. Star fand, das ergab einen Sinn: Die Army hatte ihm beigebracht, pünktlich zu sein. Er war ein bemerkenswert gut aussehender, einen Meter neunzig großer junger Mann mit breiten Schultern. In seiner Uniform wirkte er sehr attraktiv und stand mit ruhiger, gelassener Selbstsicherheit dort.
Star stellte ihn vor, und seine erste Frage lautete, was ich mit meinem Bein angestellt hätte.
»Ich kam eines Tages zu schnell die Treppe herunter«, antwortete ich rasch.
»Hat Ihnen schon einmal jemand gesagt, dass Sie Will Smith sehr ähneln?«, fragte Jade, um das Thema zu wechseln.
»Nein, Madam«, erwiderte er. »Die meisten vergleichen mich mit Denzel Washington.«
»Madam? Bitte nennen Sie mich doch Jade«, bat sie ihn. »Als Nächstes werden Sie noch vor mir strammstehen.«
»Heute Abend bin ich die Einzige, vor der er strammsteht«, scherzte Star, und Larry lachte. »Komm, ich besorge dir etwas von Jades wundervollem Punsch«, sagte sie. Jade warf Misty und mir einen Blick zu, als Star sich bei Larry unterhakte und ihn ins Esszimmer führte.

»Sie ist wie Wachs in seinen Händen«, flüsterte Jade. »Sie haben bereits miteinander geschlafen.«

Misty fielen fast die Augen aus dem Kopf.

»Ich sehe so etwas«, beharrte Jade.

David und Stuart trafen als Nächste ein. Beide trugen dunkle Sakkos und legere Hosen. David sah genau aus wie auf dem Foto, nur noch hübscher. Stuart sah auch gut aus, wirkte aber sehr ernst. Er hatte eine Art, die ihn älter und reifer wirken ließ.

Im Wohnzimmer wurden alle einander vorgestellt, und Jade legte Musik auf. Den Jungen schmeckte der Punsch. Stuart besorgte mir ein Glas, und wir setzten uns aufs Sofa. Misty stand in der Nähe der Tür und erwartete wie auf glühenden Kohlen Chris' Ankunft. An ihrem Gesichtsausdruck konnte ich ablesen, dass sie Angst hatte, er würde nicht kommen.

»Wie lange hast du den Gips schon?«, fragte Stuart. Er hatte eine tiefe sonore Stimme. Sehr männlich, fand ich.

»Nicht lange. Etwa zehn Tage«, erwiderte ich.

»Ich habe mir einmal das Handgelenk gebrochen. Als ich zehn war, fiel ich vom Fahrrad und versuchte mit ausgestreckter Hand den Sturz zu mildern. Das war ganz schön schmerzhaft. Schmerzt dein Knöchel noch?«

»Nein.«

»Jade erzählte meinem Cousin, dass du auf die St. Jude gehst«, sagte er.

»Ja.« Ich war mir nicht sicher, ob sie ihm auch erzählt hatte, dass ich im vergangenen Schuljahr häufig nicht anwesend war, aber ich vermutete nicht.

»Kennst du Guy Davis? Ich glaube, er geht dorthin. Er müsste im elften Schuljahr sein.«

»Nein«, sagte ich, »aber das heißt gar nichts. Ich habe dort nicht viele Freunde.«

»Oh? Wie kommt das denn?«
»Ich weiß es nicht«, sagte ich. Ich trank einen Schluck und senkte den Blick, aber ich sah, wie er lächelte. Hatte ich etwas Dummes gesagt, fragte ich mich.
»Ich habe auch nicht allzu viele Freunde in der Schule«, enthüllte er. »Ich bin in keiner Sport-AG und auch in keinem Club. Meistens gehe ich nach der Schule direkt nach Hause und bin dort mit meinem jüngeren Bruder Judson zusammen, bis unsere Mum nach Hause kommt.«
»Was ist denn mit deinem Vater?«, fragte ich rasch.
»Er ist gestorben. Herzinfarkt. Er hatte ein Problem mit einer Herzklappe und wurde operiert. Wir dachten, alles ging gut. Die Ärzte glaubten das auch, aber ... das tat es nicht.«
»Das tut mir Leid. Wie lange ist das her?«
»Drei Jahre. Ich hatte dann das Gefühl, ich müsste einen Teil der Verantwortung übernehmen«, sagte er und schaute in sein Punschglas. »Deshalb gehe ich vermutlich nicht so viel aus. David ist ständig hinter mir her, ich sollte etwas mit ihm unternehmen. Er ist in der Schule sehr beliebt und spielt in der Basketballmannschaft.« Er machte eine Pause, trank einen Schluck und schaute sich um. Misty lauerte immer noch in der Nähe der Tür. »Was ist denn mit deinen Eltern?«, fragte er. »Wo sind sie heute Abend?«
»Meine Mutter ist zu ihrer Schwester nach Phoenix gefahren«, rezitierte ich.
»Und dein Vater?«
Einen Augenblick spürte ich, wie sich mir die Kehle zuschnürte. Es erschien mir falsch, Stuart anzulügen, dessen Vater tatsächlich gestorben war. Meiner war auch gestorben, und technisch gesehen log ich vermutlich gar nicht,

aber ich wollte so tun, als hätte ich meinen Vater gekannt. Star, die mit halbem Ohr unserer Unterhaltung folgte, hielt in ihrem Gespräch mit Larry inne und schaute mich an.
»Mein Vater lebt auch nicht mehr«, sagte ich. »Er starb bei einem Autounfall.«
»Oh, das tut mir Leid. David hatte das gar nicht erwähnt.«
»Vielleicht weiß er es gar nicht«, sagte ich.
Es klingelte an der Tür, und Misty flog förmlich aus dem Zimmer. Wenige Augenblicke später erschien sie mit Chris an ihrer Seite. Er war niedlich, es war aber auch unschwer an seinem unsicheren Lächeln und daran, wie er den Blick abwandte, zu erkennen, dass er genauso schüchtern war, wie sie ihn beschrieben hatte. Misty führte ihn sofort zum Punsch.
Jade drehte die Musik lauter, und sie und David fingen an zu tanzen. Fast augenblicklich gesellten sich Star und Larry zu ihnen, und dann zerrte auch Misty Chris auf die Tanzfläche. Stuart und ich blieben auf dem Sofa sitzen und schauten zu.
»Ich komme mir albern vor, hiermit zu tanzen«, sagte ich und deutete auf meinen Gips.
»Das ist doch in Ordnung. Ich bin auch kein großer Tänzer, selbst ohne Gips am Bein.«
Wir lachten beide und sahen den anderen zu.
»Mein Cousin ist ein guter Tänzer.« Er hatte sich zu mir herübergebeugt, um mir das zu sagen.
»Ja, das ist er.«
»Star ist auch ziemlich gut«, fügte er hinzu.
»Ich glaube, ich sollte jetzt die Fleischklößchen zubereiten«, sagte ich. »Die brauchen ungefähr eine halbe Stunde.«

»Ich komme mit«, schlug er vor und überraschte mich damit völlig. »Ich habe auch etwas kochen gelernt«, erzählte er mir, als wir den Flur entlang zur Küche gingen. »Meine Mutter arbeitet, und manchmal bereite ich das Abendessen zu.«

Ich nickte, und er sah zu, wie ich die Fleischbällchen in die Sauce fallen ließ.

»Hast du was dagegen, wenn ich probiere?«, fragte er.

»Nein. Nur zu.«

Er tauchte einen Löffel in die Sauce, kostete sie und schaute nachdenklich drein.

»Was stimmt nicht?«

»Nichts. Es schmeckt köstlich«, lobte er. »Auch gerade genug Knoblauch.«

Ich lachte.

»Ich habe mich nur nach dem Kochbuch gerichtet.«

»Also, das hast du sehr gut gemacht«, meinte er. Er schaute sich in der Küche um und starrte auf die Hintertür. Stars Reparatur der aufgebrochenen Tür war nicht besonders gut. Um das Schloss herum sah sie immer noch ziemlich ramponiert aus. Ich sah, wie er die Augenbrauen hochzog, als er sich fragte, was da wohl passiert sein mochte.

»Wir sollten zur Party zurückgehen«, schlug ich vor. »Das lasse ich einfach köcheln.«

»Klar«, sagte er. »Wie lange wohnst du schon in diesem Haus?«

»Mein ganzes Leben lang.«

»Es ist gemütlich«, sagte er, »aber die Bilder und einige der Dekorationen überraschen mich.«

»Ja. Meine Mutter und ich haben einiges davon erst kürzlich geändert, weil es uns langweilig wurde, wie es im Haus aussah.«

Er nickte und spähte die Treppe hinauf.
»Wie viele Schlafzimmer?«
»Zwei«, antwortete ich.
Als wir ins Wohnzimmer schauten, sahen wir, dass langsamere Musik gespielt wurde und alle eng tanzten. Misty wirkte sehr glücklich und lächelte mich spitzbübisch an, während sie Chris noch enger umarmte. Eine Weile blieben Stuart und ich in der Tür stehen und sahen zu.
»Wo habt ihr euch kennen gelernt?«, fragte er. »Ihr geht alle auf verschiedene Schulen und lebt in unterschiedlichen Stadtteilen, stimmt's?«
Wieder flatterten vor lauter Panik Schmetterlinge in meinem Bauch herum. Wir waren einfach von zu vielen Lügen umgeben. Die eine oder andere würde auffliegen, Fragen aufwerfen und Verdacht erregen. Am besten war es, so nahe wie möglich bei der Wahrheit zu bleiben, entschied ich.
»Wir haben alle die gleiche Therapeutin«, erzählte ich ihm. »Dr. Marlowe.«
»Oh.« Er nickte und schaute mich an. »Ich war nach Dads Tod auch bei einem Therapeuten. Hat es dir geholfen?«
»Ja«, sagte ich.
»Mir auch.« Er lächelte. »Es ist so schön, jemanden zu haben, mit dem man reden kann«, sagte er, »jemand, der wirklich zuhört.«
Ich nickte.
»Willst du es versuchen?«, fragte er und nickte in Richtung auf die Tänzer.
»Ich werde sehr ungeschickt sein«, warnte ich ihn.
»Ich auch. Wir werden das perfekte Paar abgeben«, lästerte er. Er lächelte, aber mit einer solchen Aufrichtigkeit, dass ich augenblicklich meine Hemmungen verlor. Es war, als könnte er mir Selbstvertrauen einflößen, ein-

fach indem er seine haselnussbraunen Augen auf mich richtete. Unsere Blicke versenkten sich ineinander, als machten wir beide eine Reise durch sie hindurch bis in unsere Seelen und berührten einander im Innersten, bevor wir wieder zurückwichen wie zwei Menschen, die plötzlich aus einer Hypnose erwachten.
Behutsam nahm er mir die Krücken ab und lehnte sie gegen die Wand. Dann legte er seinen Arm um meine Taille und hielt mich fest, als wollte er mich davor bewahren, vom Rand der Erde zu fallen. Ich hätte das nie für möglich gehalten, aber ich vergaß tatsächlich, dass ich einen Gips am Bein hatte. Wir bewegten uns mit fast genauso viel Anmut und Leichtigkeit durch den Raum wie die anderen. Ich sah, dass die Mädchen uns alle anstarrten, jede mit einem sanften glücklichen Lächeln auf dem Gesicht. Aber keine lächelte so wie ich.
Als die Musik wechselte und schneller wurde, zogen wir uns zurück. Wir alle wogten hin und her und lachten. Ich ging so auf im Tanzen, dass ich die Fleischklößchen fast vergaß. Stuart erinnerte mich daran.
»Ich gehöre zu den Männern, bei denen Liebe durch den Magen geht«, flüsterte er.
Ich lachte, aber er sah aus, als ob er es wirklich so meinte. Er und ich kehrten in die Küche zurück und bereiteten Platten mit Sandwiches vor.
»Wir sind ein Team«, verkündete er. »Du machst sie fertig, und ich serviere sie.«
Schließlich gesellten wir uns wieder zu den anderen; alle saßen da, aßen und redeten. David stellte Larry Fragen über die Army und Deutschland. Und selbst Mistys Chris, der den ganzen Abend so ruhig gewesen war, wollte einiges wissen. Hinterher halfen alle beim Aufräumen. Danach saßen wir eine Weile herum, unterhielten uns über Schu-

len, Musik und Filme. Ich merkte an seinem Gesichtsausdruck, wie Stuarts Neugierde wuchs, als ich preisgab, dass ich dies nicht gesehen und jenes nicht getan hatte. Ich konnte fast hören, wie er fragte: »Wo bist du gewesen?«

Wo war ich gewesen? Während alle anderen dort draußen waren, das Leben kennen lernten, Dinge taten, hatte Geraldine mich eingesperrt in ihr eigenes Unglücklichsein und ihre Depression. Es war nicht schwer zu verstehen, warum ich zu Anfang die unglückselige Zuneigung meines Vaters willkommen geheißen hatte.

Jade und David fingen wieder an zu tanzen, und bald danach schlossen Star und Larry sich ihnen an. Eine Weile sah es so aus, als wollte Jade Star ausstechen, aber schließlich hörten alle erschöpft auf. Es wurde sowieso allmählich spät.

Vorher hatten wir entschieden, dass Misty über Nacht bei mir bleiben sollte. Als die Party endete, ging Star mit Larry. David beschloss, dass er und Stuart Jade nach Hause bringen würden. Chris zögerte noch. Ich merkte, dass Misty ihn wirklich mochte.

»Wenn du müde bist«, flüsterte sie, »geh einfach nach oben. Ich komme später nach.« Sie warf Chris, der auf dem Sofa saß und sich bemühte, nicht zu verdächtig zu wirken, einen Blick zu.

»Aber klar«, sagte ich.

Ich ging mit David, Jade und Stuart hinaus, um ihnen gute Nacht zu sagen. Star und Larry waren bereits gegangen.

»Ich habe mich wirklich amüsiert«, gestand Stuart mir. »Ich bin froh, dass mein Cousin mich dazu überredet hat.«

»Ich bin auch froh«, bestätigte ich.

»Du bist ein nettes Mädchen«, sagte er. »Man kann sich gut mit dir unterhalten. Du beschäftigst dich nicht nur mit dir selbst, wie so viele Mädchen heute.«

»Danke«, sagte ich.
Jade und David warteten geduldig im Auto, ganz mit sich beschäftigt. Mein Herz fing an zu klopfen. Was sollte ich tun? So aussehen, als wollte ich von ihm einen Gutenachtkuss bekommen? Ihn ermutigen? Ihm nur meine Hand entgegenstrecken? War es in Ordnung oder albern für ein Mädchen, die Hand zu schütteln?
Bevor ich lange über diese Fragen nachgrübeln konnte, beugte er sich vor und berührte meine Lippen sanft mit seinen. Seine Augen waren geschlossen, aber ich hielt meine offen. Es war ein schneller Kuss, fast zu schnell, um ihm irgendeine Bedeutung beizumessen.
»Gute Nacht«, sagte er.
»Gute Nacht.«
Er blieb ganz nahe bei mir stehen.
»Ich würde dich morgen gerne anrufen. Vielleicht können wir einen Ausflug machen oder irgendwo am Strand zu Mittag essen«, schlug er vor. »Wie hört sich das an?«
»Gut«, bestätigte ich. Es hörte sich mehr als gut an.
Er lächelte, wollte schon zum Auto gehen, hielt aber inne und kehrte zu mir zurück.
»Ich bin so lange aus der Übung, dass ich dich geküsst habe wie eine alte Tante. Vermutlich hältst du mich für einen ungeschickten Narren.«
»Nein, ich –«
Er umarmte mich und küsste mich fester auf die Lippen und drückte mich länger an sich, so dass ein heißer Strahl der Erregung mir die Wirbelsäule hinauf und in die Magengrube fuhr.
»So«, sagte er. »Das war doch schon besser, stimmt's?«
Ich konnte nur nicken. Er lächelte sanft, drückte meine Hand und ging zum Auto. Bevor er hinten einstieg, winkte er noch einmal.

»Ich rufe dich morgen Vormittag an«, versprach er und stieg ein. Ich sah zu, wie der Wagen zurücksetzte. Jade winkte.
»Tolle Party!«, rief David mir zu. Ich winkte ihm ebenfalls zu und blieb auf dem Trottoir stehen, während das Auto die Straße hinunterfuhr. Kurz bevor es die Ecke erreichte, wischten die Scheinwerfer über ein Auto, das am rechten Straßenrand geparkt war.
Mein Herz blieb stehen und fing heftig an zu klopfen.
Es sah genauso aus wie das Auto meines Vaters, und es saß jemand darin. Ich sah die Silhouette nur eine Sekunde lang. Ich konnte mich nicht rühren. Die Scheinwerfer des Autos blendeten auf, der Motor wurde gestartet, es fuhr an und verschwand wie ein Furcht einflößender Alptraum in der Dunkelheit.
Ich hielt die Luft an und eilte ins Haus zurück. Ich wollte es Misty erzählen, aber im Wohnzimmer brannte kein Licht mehr. Die Musik spielte leise, und ich wusste, dass sie mich im Augenblick bestimmt nicht hören oder sehen wollte. Ganz besonders sie wollte diese Nacht nichts Unerfreuliches hören.
Ganz gleich, wie nahe wir uns kamen, eine gewisse Bürde lastete immer nur auf mir. Ich trug sie mit mir hinauf ins Schlafzimmer und schloss die Tür. Ich hatte einschlafen und dabei von Stuarts warmen Augen träumen wollen, aber als ich die Augen schloss, sah ich stattdessen nur die Augen meines Vaters, die wie die eines Raubtieres in der Dunkelheit funkelten, das geduldig wartete, lauerte, sicher, dass es bald kriegen würde, was es wollte.

KAPITEL VIERZEHN

Erwischt

Misty kam die ganze Nacht nicht nach oben. Ich schlief ein, während ich auf sie wartete. Als ich in der Nacht einmal aufwachte, merkte ich, dass sie nicht neben mir im Bett lag. Ich lauschte auf Stimmen von unten, hörte aber nichts und kam zu dem Schluss, dass sie wohl mit Chris zusammen gegangen war. Als ich am Morgen hinunterging, fand ich sie jedoch auf dem Sofa zusammengerollt und zum Teil in eine Decke gehüllt. Ich sah, dass sie nur BH und Höschen trug. Ihr Kleid war über die Rücklehne des Sofas drapiert. Chris war fort. Ich weckte sie nicht, sondern ging in die Küche und fing an, das Frühstück zuzubereiten. Als ich mich gerade an den Tisch gesetzt hatte, erschien sie in der Tür, die Decke wie eine Toga um sich geschlungen.

»Hallo«, sagte sie nach einem gewaltigen Gähnen, schlurfte zur Kaffeekanne und goss sich eine Tasse ein. Nachdem sie einen Schluck getrunken hatte, lächelte sie und sagte: »Tolle Party.« Als ich nicht antwortete, meinte sie: »Du hast dich auch amüsiert, nicht? Ich sah, wie eng du und Stuart fast den ganzen Abend zusammen waren.«

»Ja, es hat Spaß gemacht, und er ist sehr nett«, bestätigte ich.

»Warum siehst du denn dann so trübsinnig aus? Bist du sauer, dass ich so viel Zeit mit Chris verbracht habe?«

»Nein, natürlich nicht«, erwiderte ich.

»Und?« Sie setzte sich und trank ihren Kaffee. »Was ist es dann?«

»Ich glaube, mein Vater war gestern Abend dort draußen und hatte auf der anderen Straßenseite geparkt. Es sah genau aus wie sein Auto und seine Silhouette, als er davonfuhr. Er fuhr direkt, nachdem David, Stuart und Jade weg waren.«

»Vielleicht hast du dir nur eingebildet, dass er es war«, sagte Misty. »Seit dem Einbruch bist du deswegen nervös. Ich meine, warum sollte er dort auf der anderen Straßenseite in seinem Auto sitzen und wegfahren, sobald sie weg waren? Das ergibt doch keinen Sinn, oder?«

»Ich weiß es nicht. Vermutlich war er verblüfft über das, was er bei dem Einbruch entdeckt hatte, und jetzt spioniert er das Haus aus. Dass ich eine Party gab, hat bestimmt seine Neugierde geweckt. Er weiß, dass Geraldine das niemals erlauben würde.«

Sie überlegte einen Augenblick und zuckte dann die Achseln.

»Was wird er tun?«

»Ich weiß es nicht.«

»Er soll sich doch aus deinem Leben heraushalten. Er muss Angst haben, dass du die Polizei rufst, wenn er in die Nähe kommt, also hör auf, dir so viel Sorgen zu machen. Sonst kriegst du noch Falten auf die Stirn, und das gefällt Stuart vielleicht nicht«, neckte sie mich.

Ich wurde rot und sie lachte.

»Stell dir mal vor«, sagte sie und beugte sich mit glückstrahlenden Augen zu mir vor, »Chris ist nicht so schüchtern, wie ich dachte.« Ihre Augen leuchteten noch mehr, als sie auf meine Reaktion wartete.

»Wie meinst du das?«, fragte ich stattdessen.

»Wie ich das meine? Er ist erst vor einer Stunde gegangen«, sagte sie. »Ich habe ihn nicht gerade ans Sofa gefesselt«, erklärte sie. »Verstanden?« Sie lachte. »Ich mache mir, glaube ich, einen Toast«, sagte sie und stand auf. »Wie weit bist du denn gegangen?«

»Wie weit?«

Sie drehte sich um und zog die Augenbrauen hoch.

»Ja, wie weit? Hast du den Rat der beiden Führerinnen befolgt und deine Küsse so rar gemacht wie Gold?«

»Oh. Er hat mir einen Gutenachtkuss gegeben«, enthüllte ich.

Sie starrte mich weiter an und wartete.

»Was ist?«, fragte ich.

»Das ist alles? Ihr beide habt sehr eng getanzt, und du hast eine Menge Zeit mit ihm in der Küche verbracht, wie mir auffiel.«

»Wir haben das Essen zubereitet.«

»Soso«, trällerte sie.

»Das war alles«, versicherte ich ihr. Sie wirkte immer noch skeptisch. »Er ruft mich heute Morgen an. Er will mit mir zum Strand gehen und dann zum Essen.«

»Das ist doch schön. Ich fahre mit Chris heute Morgen ins Einkaufscenter nach Santa Monica. Ich soll ihm helfen, ein Geburtstagsgeschenk für seine Mutter zu kaufen. Wo Star und Larry vergangene Nacht wohl gelandet sind«, meinte sie, nachdem ihr Toast herausgesprungen war.

»Larry war sehr nett«, stellte ich fest. »Alle Jungen waren nett.«

»Das ist unsere neue Aura«, verkündete Misty mit drama-

tischer Geste. »Jade hatte Recht. Unsere spirituellen Sitzungen haben einen Zauberring um uns gelegt, der nur gut aussehende, nette Jungen anzieht. Sieh doch, wie wir alle strahlen!«
Sie lachte, und ich fragte mich, ob sie das wirklich glaubte oder ob sie nur Spaß machte und mich aufzog.
Eine knappe Stunde später rief Stuart an und vereinbarte, mich gegen elf abzuholen. Von Jade oder Star hatten wir noch nichts gehört. Misty half mir, das Haus sauber zu machen, kritisierte aber, dass ich zu pingelig sei.
»Du tust so, als stünde uns eine Inspektion bevor. Geraldine kommt nicht zurück«, betonte sie. Dann duschte sie, zog sich an und stand bereit, als Chris kam.
»Möchtest du nicht mit uns kommen?«, fragte er, nachdem Misty und ich ihn an der Tür begrüßt hatten.
»Sie kann nicht. Sie hat eine Verabredung«, trällerte Misty. »Cat ist auf der Jagd«, teilte sie ihm mit und gab ein lang gezogenes Miau von sich, das uns beide zum Lachen brachte. »Ich rufe dich später an«, rief sie, als sie das Haus verließ.
Ich kehrte in mein Zimmer zurück, verbrachte den Rest der Zeit vor meinem neuen Schminkspiegel und versuchte zu entscheiden, ob ich einen dunkleren Lippenstift, mehr Make-up auf den Wangen oder weniger Lidschatten brauchte. Es machte mich so nervös, dass ich mir schließlich das Gesicht wusch und den gleichen Lippenstift benutzte wie am Abend zuvor.
Ich hatte eine weite Jeans, die ich über meinem Gips tragen konnte, aber ich fand grauenhaft, wie ich darin aussah. Meine Hüften wirkten darin viel zu breit. Deshalb wählte ich einen meiner neuen Röcke, eine Bluse und eine Strickjacke, die ich nicht zuknöpfte. Als ich den Schmuckbeutel durchforstete, den Jade in Geraldines

Safe entdeckt hatte, fand ich ein Goldarmband und einen Goldring mit einem länglich geschliffenen Diamanten, der an meine rosigen Finger passte. Als es klingelte, sprühte ich rasch noch etwas von dem Eau de Cologne auf, das Jade mir mitgebracht hatte, und humpelte dann die Treppe hinunter. Ich hasste es, wie unbeholfen ich mit dem Gips und den Krücken wirkte. Dennoch konnte ich mich nicht erinnern, jemals aufgeregter gewesen zu sein. Das war mein erstes richtiges Rendezvous.
Auf die Krücken gestützt, zog ich die Tür auf und stand einem Boten von Federal Express gegenüber. Mein enttäuschter Gesichtsausdruck führte dazu, dass er die Augenbrauen hochzog.
»Geraldine Carson?«, fragte er.
Einen Moment lang schnürte sich mir die Kehle zusammen und ich brachte keinen Ton heraus. Binnen eines Augenblicks traf ich eine Entscheidung.
»Ja?«, sagte ich und tat so, als sei ich Geraldine.
»Ich habe ein Päckchen für Sie«, sagte er und zeigte mir einen großen Umschlag. »Bitte unterschreiben Sie hier«, sagte er, hielt mir ein Klemmbrett hin und deutete auf eine Linie.
Ich stellte mir ihre Unterschrift vor und versuchte mein Bestes, sie ohne Vorwarnung nachzumachen. Dem Boten war das egal, er fragte auch nicht nach einem Ausweis.
»Danke«, sagte er.
Ich zwang mich zu lächeln, dankte ihm und trat zurück, um die Tür zu schließen. Einige Sekunden stand ich zitternd dort mit dem Umschlag in den Händen. Ich schluckte den Kloß im Hals herunter, ging ins Wohnzimmer, setzte mich aufs Sofa und studierte den Umschlag. Es gab keinerlei Hinweis darauf, wer ihn geschickt hatte. Vielleicht war er vom Krankenhaus oder der Bank oder

sogar von Dr. Marlowe. Ich holte tief Luft und riss ihn auf.
Ein Blatt Papier war mit Klebeband an zwei Stücken Pappe befestigt. Als Erstes las ich, was auf dem Papier stand.

Liebe G.,
deine so genannte Unschuld ist gar nicht so unschuldig. Auch du hast dir etwas vorzuwerfen.

Er hatte es nicht unterschrieben, aber ich erkannte die Handschrift meines Vaters. Langsam zog ich die beiden Pappstücke auseinander, und ein Foto fiel mir auf den Schoß. Offensichtlich war es am Abend zuvor mit einem Teleobjektiv aufgenommen worden. Also war er es doch gewesen in dem Auto, das auf der anderen Straßenseite geparkt hatte. Der Schnappschuss hatte Stuart und mich erwischt, als wir uns zum zweiten Mal küssten – der lange, romantische Kuss. Wir standen unter der Laterne und waren genau zu erkennen. Ich war so benommen von seinem Kuss, dass ich seine Hand an meiner Brust gar nicht gespürt hatte. Ich weiß, dass er mich nicht betatschen wollte oder so etwas. Es lag nur an der ungeschickten Art und Weise, wie wir uns umarmt hatten, als er noch einmal zurückgekommen war, um mir einen »richtigen Kuss« zu geben.
Wenn Geraldine noch lebte und dies sähe, wäre dieses Foto für sie ein vernichtender Schuldbeweis. Welche Privilegien sie mir auch immer eingeräumt hatte, würden mir daraufhin entzogen werden. Ich konnte fast hören, wie sie mir ins Ohr brüllte: »Auf der Straße! Du küsst jemanden so auf der Straße – vor unserem Haus, wo jeder es sehen kann?«
Warum hatte mein Vater das getan? Was wollte er? Ich

überlegte und überlegte, bis mir ein Grund einfiel, der eiskaltes Erschrecken auslöste. Konnte es sein, dass er eifersüchtig war? Dass er mich nicht mit einem anderen zusammen sehen wollte? Hoffte er, dieses Bild würde Geraldine gegen Stuart einnehmen, dass sie mir verbieten würde, ihn jemals wiederzusehen? Genoss er die Verwirrung und die Spannung, die er in diesem Haus hervorrief? Er wollte, dass sie mich wegschloss. Vielleicht hoffte er auch, ich würde sie so sehr hassen, dass ich mich wieder ihm zuwandte.

Was auch immer seine Gründe waren, ein weiterer Gedanke, der mich frösteln ließ, schoss mir durch den Kopf. Er würde mir ständig hinterherspionieren. Selbst in diesem Augenblick konnte er dort draußen sein, mit seiner Kamera warten und hoffen, dass er mich in einer kompromittierenden Situation ertappte, damit er noch mehr Material sammeln konnte, das Geraldine in ein noch schlimmeres Scheusal verwandelte.

Was sollte ich tun? Ich musste mit den anderen sprechen und ihren Rat einholen. Ich ging zum Telefon und rief Star an. Ihre Granny kam an den Apparat und sagte, Star und Larry seien mit Rodney in den Zoo gegangen. Ich dankte ihr und rief Jade an. Der Anrufbeantworter meldete sich, und ich hinterließ eine dringende Nachricht. Ich vermutete, dass sie noch im Bett lag, mich aber bald anrufen würde.

Als es an der Haustür klingelte, fiel mir ein, dass ich in meiner Aufregung Stuart völlig vergessen hatte. Es war erst kurz vor elf. Einen Augenblick wirbelte ich nervös herum, das Bild noch in der Hand. Ich wollte nicht, dass er es sah. Deshalb schob ich es im Wohnzimmer unter eine Zeitschrift und ging zur Tür. Er hatte noch einmal geklingelt.

»Hi«, sagte er. »Ich wollte dich nicht hetzen, aber ich wollte sicher sein, dass du mich gehört hast.«

»Ist schon okay«, sagte ich.

»Bist du bereit?«

»Ja.« Ich warf einen Blick zurück ins Haus, als erwartete ich immer noch irgendwie, dass Geraldine auftauchte, besonders nachdem das Bild abgegeben worden war. Dann eilte ich hinaus und schloss schnell die Tür hinter mir.

Sobald ich nach draußen trat, hielt ich inne, lehnte mich auf meine Krücken und musterte jedes Auto in der Straße. Das Auto meines Vaters stand nicht dort, aber vielleicht hatte er ein anderes, vielleicht hatte er jemanden engagiert, der mich beschatten und Fotos von mir machen sollte. Alle möglichen Szenarien spulten sich in meiner entsetzten Fantasie ab. Stuart spürte meine Angst.

»Etwas nicht in Ordnung?«, fragte er.

»Oh, nein«, lenkte ich ab. »Ich habe nur geguckt, ob Misty schon weg ist. Sie ist gerade mit Chris zum Einkaufen gegangen«, fügte ich rasch hinzu, aber ich war noch nie eine gute Lügnerin gewesen. Geraldine hatte einen Blick, der sich in meinen versenkte und mich zwang, meistens aufrichtig zu sein. Ständig spionierte sie hinter mir her, kontrollierte mich und vergewisserte sich, was ich tat.

»Musst du zu einer bestimmten Zeit zu Hause sein?«, fragte Stuart, als wir zu seinem Auto gingen und er mir die Tür öffnete.

»Nein«, sagte ich.

»Also ist deine Mutter heute auch noch weg?«

»Oh, ja. Sie rief an und sagte, sie bliebe noch eine Nacht, vielleicht sogar zwei.«

Er nickte lächelnd.

Was sollte ich nach den zwei Tagen machen, fragte ich mich. Ich musste unbedingt mit Jade oder Star sprechen. Wir mussten uns eine vernünftige Erklärung ausdenken. Hoffentlich fragte Stuart mich nicht ständig nach meiner Mutter.

»Ich dachte, wir fahren zum Laguna Beach«, schlug er vor. »Wir brauchen etwas über eine Stunde, wenn du damit einverstanden bist.«

»Ja, prima«, sagte ich.

»Gestern Abend fand ich es ganz toll«, fuhr er fort, als er den Motor anließ und aus der Einfahrt zurücksetzte. Ich schaute zurück, ließ einen prüfenden Blick über alle Autos in der Straße gleiten und wartete darauf, ob eines startete und uns folgte. »Ich glaube, ich bin wohl zu lange mit meiner ganzen Verantwortung eingesperrt gewesen. Ich fühlte mich fast wie ein Bursche, der durch die Wüste reist und eine Oase erreicht. Du bist die Oase.«

Bei seinen Worten errötete ich und wusste nicht, was ich sagen sollte. Ich fing an zu lachen, hörte aber wieder auf, als ich mich an Jades Rat erinnerte, nicht albern über eine Äußerung eines Jungen zu kichern.

»Jade sagt, das Problem bei den meisten Leuten, die sie kennt, ist, dass sie den Spaß und die Arbeit in ihrem Leben nicht ausbalancieren. Star beschuldigte sie daraufhin, den Spaß zu sehr zu betonen, und behauptete, sie wüsste überhaupt nicht, was Arbeit bedeutet.« Stuart lachte. Redete ich bereits zu viel, hörte ich mich wie eine kleine Idiotin an?

»Ihr Mädchen kommt wohl trotz aller Unterschiede ziemlich gut miteinander aus. Das finde ich großartig. Die meisten Mädchen, die ich aus der Schule kenne, bleiben in ihren sicheren kleinen Kokons, ihren eigenen Cliquen. Ich vermute, ihr habt alle etwas gemeinsam.«

»Ja, das haben wir.«
»Ich habe irgendwie den Kontakt zu meinen Freunden verloren.«
»Oh, das ist schade.«
»Ist schon in Ordnung«, erwiderte er lächelnd. »Ich bin wieder da. Ich habe neue Freunde gewonnen. Ich hoffe, du bist einer von ihnen«, fuhr er fort.
Ich wusste nicht, was ich sagen sollte. Es raubte mir fast den Atem. Ich wollte nicht einfach sagen, sicher oder natürlich werde ich das. Was ich sagte, sollte sich aufrichtig und intelligent anhören.
»Es braucht seine Zeit, bis Leute richtige Freunde werden«, sagte ich schließlich.
»Du hast Recht. Ich bin froh, dass du das auch so empfindest. Ich meine ja nur, du und ich könnten Freunde werden, und ich hoffe, du fühlst genau das Gleiche für mich. Meine Güte«, rief er kopfschüttelnd. »Ich muss mich ja wie der größte Idiot anhören, so daherzuplappern. Tut mir Leid.«
»Nein, das tust du doch gar nicht. Wirklich«, versicherte ich ihm amüsiert und ermutigt, dass er die gleichen Befürchtungen über sich hatte.
Er schaute mich mit diesen warmen vertrauensvollen Augen an, und ich lächelte ihm zu.
»Warten wir ab, bis der Nachmittag vorüber ist, dann bekommst du noch eine Chance, mir zu sagen, dass ich nicht zu viel rede«, sagte er. »Du siehst toll aus«, fügte er hinzu, als hätte er mich gerade angeschaut.
»Danke.«
Ich drehte mich um und schaute mit klopfendem Herzen geradeaus. Was für ein wunderschöner Tag lag vor uns. Der Himmel war von einem sanften Blau mit nur wenigen kleinen Wolkentupfern. Der Ozean glitzerte, als trie-

ben Spiegel auf der Oberfläche, frisch und prickelnd schlugen Brecher auf den Strand. Segelboote tauchten auf wie Requisiten in einer perfekten Szenerie. Die Welt kann so schön sein, dachte ich. Ich kann glücklich sein, oder nicht? Ich kann all die Traurigkeit eine Weile hinter mir lassen. Bitte, bat ich mein nervöses Gewissen, mach einen Tag Pause.

Stuart und ich lernten einander bei diesem Ausflug viel besser kennen. Er erzählte mir von seinem Ehrgeiz, in der medizinischen Forschung Karriere zu machen.

»Nach dem Tod meines Vaters bin ich auf den Gedanken gekommen«, erklärte er. »Eines Tages möchte ich ein Heilmittel für das Herzproblem, das er hatte, entdecken und verhindern, dass anderen das passiert, was meiner Familie widerfahren ist. Ich weiß, dass sich das albern für dich anhören muss, aber manchmal stelle ich mir vor, dass ich mich auf diese Weise rächen kann.«

»Das hört sich überhaupt nicht albern an«, widersprach ich. »Wut treibt uns oft an, mehr zu tun, härter zu arbeiten.«

Er nickte und starrte mich an.

»Du hörst dich ziemlich klug an. Ich wette, du bist richtig gut in der Schule, hm?«

»Mal ja, mal nein«, gab ich zu. »Das vergangene Jahr war ziemlich schwierig.«

»Klar, das verstehe ich«, sagte er. »Als Dad starb, wäre ich fast von der Schule geflogen. Ständig dachte ich, ich sollte mir besser einen Job suchen und meine Mutter unterstützen. Was das Geld betrifft, kommen wir gut klar, aber ich fühlte mich einfach verantwortlich. Meine Güte, hör dir nur an, wie ich über diese Probleme rede. Du musst ja glauben, ich sei ein furchtbar ernster Mensch,

der sich überhaupt nicht entspannen kann. Tut mir Leid.«
»Ist schon gut«, sagte ich lachend. »Ich finde es schön, sich einmal vernünftig zu unterhalten.«
»Stimmt«, sagte er. »Magst du gerne Wraps? Ich kenne da ein tolles kleines Lokal am Strand, in dem es einen Haufen verschiedene Sorten gibt …«
»Wraps?«
»Du weißt nicht, was das ist?«
»Nein«, gestand ich. Warum erschien jede Antwort von mir wie eine schreckliche Enthüllung? Er konnte ganz leicht erkennen, dass ich den größten Teil meines Lebens praktisch eingekerkert verbracht hatte.
»Oh. Sie werden wie Tortillas um Hühnchen, Salat, Fleisch, Käse gewickelt. Das macht Spaß. Du wirst schon sehen«, prophezeite er.
»Tut mir Leid, dass ich noch nie davon gehört habe.«
»Nein, das ist oll. Mir macht das großen Spaß, weil ich deine Entdeckung auch genießen kann«, erklärte er.
Es war nett, wie er es fertig brachte, dass ich mich behaglich fühlte. Noch bevor wir am Strand ankamen, war ich völlig entspannt und hörte sogar auf, ständig zum Heckfenster hinaus und in die Seitenspiegel zu starren, ob uns jemand folgte.
Stuart parkte so nahe wie möglich am Straßencafé.
»Damit du nicht zu weit laufen musst«, sagte er, aber ich protestierte.
»Mach dir darüber keine Sorgen. Mir geht es gut. Mir macht das nichts aus, wenn es dir nichts ausmacht, langsamer zu gehen.«
»Ich gehe lieber langsamer«, sagte er. »Wenn dieser Tag doch ewig dauerte.«
Wieder spürte ich, wie mir die Hitze ins Gesicht stieg.

Ich wurde nach den netten Dingen, die er sagte, so häufig rot, dass er mich sicher für ein wandelndes Thermometer hielt. Auf dem Weg legten wir Pausen ein, um in die kleinen Geschäfte und einige interessante Kunstgalerien zu gehen. Er beschloss, mir unbedingt eine Kette aus handbemalten winzigen Muscheln zu kaufen. Danach gingen wir zum Mittagessen, und ich genoss die Wraps sehr.

Hinterher fanden wir am Strand einen Platz, wo wir sitzen, den Leuten beim Volleyballspielen zusehen und nach den Segelbooten Ausschau halten konnten. Ich vergaß die Zeit völlig. Was für ein Luxus das war. Den größten Teil meines Lebens machte ich mir, wenn ich irgendwo hinging, über jede verrinnende Minute Sorgen, weil ich mich einem intensiven Kreuzverhör unterziehen musste, wenn ich nicht zu dem Zeitpunkt nach Hause kam, an dem Geraldine mich erwartete. Das war es einfach nicht wert. Jetzt, ohne dieses Damoklesschwert über meinem Haupt, hatte ich das Gefühl, eine schwere Last sei von mir genommen. Ich konnte lachen und reden und mich amüsieren. Ich fühlte mich frei, und dieses Gefühl der Freiheit öffnete Türen, die ich, solange ich mich erinnern konnte, verschlossen gehalten hatte.

Wenn Stuart über seine Kindheit redete, über seine Vorlieben, Ängste und Hoffnungen, konnte ich das Gleiche tun. Manchmal fingen wir gleichzeitig an zu reden. Dann hielten wir inne und fingen an zu lachen. Er bestand immer darauf, dass ich zuerst erzählte. Es gab viel zu sehen und zu genießen, aber zum Schluss schauten wir einander an und konzentrierten uns stärker aufeinander als auf irgendetwas um uns herum. Eigentlich hätten wir auch bei mir zu Hause bleiben können, dachte ich. Aber dann überlegte ich, dass die Fahrt, die neue Umgebung, die

Sonne, das Meer und das Gelächter um uns herum nötig gewesen waren, um unsere Hemmungen abzubauen.
Immer wenn Schweigen zwischen uns eintrat, erinnerte ich mich an meine Furcht und schaute mich um, suchte nach Hinweisen auf meinen Vater. Aber nichts deutete darauf hin, dass er sich in der Nähe befand. Gegen Ende des Nachmittages ging Stuart, um uns etwas Kaltes zu trinken zu holen. Wir hatten beschlossen, dass wir heute Abend nach unserer Rückkehr bei uns zu Hause essen würden. Er rief seine Mutter an, um ihr Bescheid zu sagen. Mit einem Nudelgericht wollte er mir sein kulinarisches Talent beweisen. Wir malten uns aus, dass die anderen auch kommen würden. Das hörte sich an, als könnten wir so diesen Tag voller Spaß bis in den Abend fortführen.
Ich saß da und fühlte mich so warm und glücklich, dass ich ein Herz in den Sand malte und vor mich hin lächelte. Als ein Schatten über mich fiel, richtete ich den Blick nach vorne und sah ein sehr vertrautes Paar Füße. Als ich hochschaute, lächelte er zu mir herunter.
»Wie hast du dir das Bein verletzt, Cathy?«, fragte mein Vater mit besorgter Stimme.
Weil die Sonne direkt hinter ihm stand, konnte ich sein Gesicht nicht sehr gut erkennen. Ich zuckte zusammen, mein Herz hämmerte plötzlich wie ein Gefangener gegen eine Wand.
»Was tust du hier?«, fragte ich, statt zu antworten.
»Am Strand spazieren gehen. Es ist ein öffentlicher Strand. Was tust du denn hier, Cathy?«, konterte er mit amüsiertem Unterton.
»Lass mich in Ruhe«, stöhnte ich und wich zurück.
»Du hast mir noch nicht gesagt, wie du dein Bein verletzt hast?«

»Ich habe mir den Knöchel gebrochen.«
»Wie?«
»Ich bin gestürzt.«
»Ich würde dich nicht fallen lassen, Cathy. Ich habe besser auf dich aufgepasst. Das habe ich schon immer getan«, sagte er und wandte sich ab, um weiter den Strand entlangzugehen, gerade als Stuart zurückkam.
»Wer war das?«, fragte er und reichte mir meine kalte Limonade.
»Niemand«, erwiderte ich rasch.
»Niemand?«
»Jemand, der mich nach dem Weg gefragt hat. Ich konnte ihm nicht helfen.« Ich beobachtete, wie mein Vater den Strand verließ und auf die Straße zusteuerte. Stuart starrte ebenfalls hinter ihm her.
»Ist mit dir alles in Ordnung?«, fragte er und kniete sich neben mich.
»Ich werde wohl allmählich müde«, sagte ich.
»Klar. Wir fahren jetzt zurück. Ich möchte noch an einem Lebensmittelgeschäft halten und ein paar Sachen fürs Abendessen einkaufen. Okay?«
»Ja«, sagte ich.
»Ich hoffe, es hat dir gefallen.«
»Ja, das hat es, Stuart. Danke.«
»Prima«, sagte er und half mir auf die Beine. Wir gingen zum Auto. Ich versuchte nicht zu beobachten, wie mein Vater wegging, aber es war auch schwierig, ihn einfach zu ignorieren.
Stuart starrte mich neugierig an, als er mir die Wagentür öffnete. Dann schaute auch er zu meinem Vater hinüber. Misstrauisch kniff er die Augen zusammen und stieg ins Auto. Schweigend fuhren wir eine Weile.
»Der Tag heute macht mir wirklich großen Spaß«, stellte

er abschließend fest. Er lächelte mich an. »Danke, dass du mitgekommen bist.«
»Danke, dass du mich gefragt hast.«
»Das war ja nicht so schwierig«, sagte er. Sein Lächeln vertrieb die Angst aus meinem Blick und meinem Herzen.
Er griff nach meiner Hand und hielt sie einen Augenblick fest. Ich rutschte näher zu ihm, und wir fuhren in einem friedlichen Schweigen dahin, als hätten wir beide Angst, einen magischen Augenblick zu beenden.
Nachdem Stuart einige Lebensmittel eingekauft hatte, kehrten wir zu mir nach Hause zurück. Ich rechnete halb damit, entweder Star oder Jade dort vorzufinden, aber das Haus war leer. Ich ging nach oben, um mich frisch zu machen, während Stuart begann, das Abendessen vorzubereiten. Er wollte eine Nudelsoße kochen und Shrimps zubereiten.
Während ich oben war, rief ich Jade an, die so atemlos war, als sie antwortete, dass ich glaubte, sie käme vom Laufband.
»Oh, Cat«, rief sie. »Ich habe den ganzen Tag versucht, dich anzurufen. Wir müssen dir entweder einen Anrufbeantworter beschaffen oder dafür sorgen, dass du einen Anrufdienst beauftragst. Wo hast du gesteckt?«
Ich erzählte ihr von meiner Verabredung mit Stuart, kam aber schnell auf das Foto und mein nicht ganz zufälliges Treffen mit meinem Vater am Strand zu sprechen.
»Ich muss darüber nachdenken«, sagte sie. »Wenn du die Polizei rufst und dich darüber beschwerst, werden sie mit Geraldine sprechen wollen.«
»Ich weiß. Was soll ich tun?«, fragte ich voller Panik.
»Bleib ruhig. Das ist das Wichtigste. Ich muss weiter darüber nachdenken. Er weiß, dass er seine Vereinbarung bricht, aber vermutlich glaubt er, du tätest Dinge hinter

Geraldines Rücken und würdest ihn deshalb nicht verraten oder so was. Es ist kompliziert. Warum lässt er dich nicht einfach in Ruhe? Hast du schon mit Star gesprochen?«

»Noch nicht. Als ich anrief, war sie mit Larry ausgegangen«, berichtete ich.

»Hm. Lass uns ein Treffen der WMEs für morgen am späten Vormittag vereinbaren.«

»Was ist mit heute Abend?«

»Oh, ich habe David versprochen, mit ihm ins Kino zu gehen, und ich will nicht, dass irgendjemand unseretwegen misstrauisch wird«, erklärte sie, aber ich hatte eher das Gefühl, dass sie ihre Verabredung nicht absagen wollte.

»Okay«, sagte ich.

»Was machst du denn heute Abend?«, fragte sie, und ich erzählte ihr, dass Stuart das Abendessen zubereitete.

»Wir hatten gehofft, ihr könntet alle zu uns kommen.«

»Oh. Vielleicht ein anderes Mal. David geht mit mir in eines meiner Lieblingsrestaurants am Melrose. Vielleicht kommen Star oder Misty. Erzähl ihnen von unserem Treffen. Und mach dir nicht so viel Sorgen. Es kommt alles in Ordnung«, versicherte sie.

Wenn es doch ausreichte, dass sie das sagte, dachte ich.

Sobald ich aufgelegt hatte, rief ich Star an. Rodney kam ans Telefon und rief sie an den Apparat.

»Tut mir Leid, dass ich dich heute nicht angerufen habe«, begann sie sofort, »aber ich hatte einen Riesenkrach mit Mama. Sie hatte natürlich getrunken, und als sie Larry kennen lernte, war sie ekelhaft und fing an, mit ihm zu flirten. Mir wurde ganz schlecht, so peinlich war mir das, und das sagte ich ihr auch. Granny kam nach Hause, und es gab eine grauenhafte Szene. Mama rannte aus dem

Haus, und ich hoffe, sie kommt nicht wieder. Heute Abend soll ich Larrys Eltern kennen lernen«, jammerte sie. Sie weinte und beklagte sich so sehr, dass ich es eigentlich nicht übers Herz brachte, von meinen Problemen zu erzählen, aber ich musste es.

Sie hörte zu, und nach einem Augenblick des Schweigens sagte sie: »Ich wusste, dass dieser Mann uns noch mehr Ärger bereiten würde. Ich könnte versuchen, später noch herüberzukommen, aber es könnte schwierig werden, weil ich doch zu Larry gehe und so.«

»Ich weiß. Ich verstehe«, sagte ich. »Ich komme schon klar.« Ich erzählte ihr von Jades Plan für das Treffen, und sie sagte zu, dass sie auf jeden Fall kommen werde. »Vielleicht kann Misty noch eine Nacht bei dir schlafen.«

Als ich Misty jedoch anrief, war nur der Anrufbeantworter am Telefon. Ich hinterließ eine dringende Botschaft und ging dann endlich ins Badezimmer, um mich frisch zu machen. Ich zitterte innerlich. Meinen Vater so plötzlich vor mir zu sehen, seine Stimme zu hören und was er mir mitzuteilen hatte, jagte mir Schauer durch den Körper. Eine Collage aus üblen Erinnerungen explodierte in meinem Kopf. Mir traten Tränen in die Augen, und eine ganze Weile konnte ich nur auf dem Rand der Badewanne sitzen und die Arme um mich schlingen, als wäre ich zwei Menschen, von denen der eine versuchte, den anderen zu trösten.

Mir war nicht klar, wie lange ich oben gewesen war, bis ich mich umzog und auf die Uhr schaute. Es hatte über eine Stunde gedauert. Schnell deckte ich die Röte um meine Augen ab und versuchte, ruhig und entspannt zu wirken. Ich hatte einen meiner neuen Röcke und eine Bluse angezogen. Nachdem ich mir das Haar gebürstet und frischen Lippenstift aufgelegt hatte, stieg ich die Treppe hinunter.

Es war so still, dass ich schon dachte, Stuart hätte aufgegeben und wäre gegangen.
»Stuart?«, rief ich. »Tut mir Leid. Es hat so lange gedauert.«
Ich bog am Fuß der Treppe um die Ecke, blieb aber am Eingang zum Wohnzimmer stehen. Er saß auf dem Sofa und sah ziemlich seltsam aus, fand ich. Den Kopf hielt er leicht geneigt, die Augen waren glasig und verwirrt.
»Hi. Tut mir Leid. Ich habe telefoniert, und du weißt, wie das ist, wenn Mädchen anfangen zu reden. Es sieht so aus, als ob keine von ihnen heute Abend kommen kann. Vielleicht Misty.«
»Die Sauce köchelt«, sagte er. »Das Abendessen habe ich unter Kontrolle, aber du könntest etwas anderes tun.«
»Oh.« Ich ging weiter in das Wohnzimmer hinein. Lächelnd, aber ängstlich fragte ich: »Was denn?«
»Du könntest mir das erklären«, sagte er und hielt das Foto hoch, das ich unter die Zeitschrift gelegt hatte.
Mein Herz sprang wie ein Jojo immer tiefer herunter, bis es fast die Magengrube berührte, und zuckte dann wieder hoch. In meinem Kopf stürzten die Worte unbeholfen übereinander, während ich versuchte, eine sinnvolle Antwort zu finden. Mein Mund öffnete und schloss sich, ohne einen Laut von sich zu geben.
»Wer macht denn so was?«, fragte er.
Ich fragte mich, ob ich die Wahrheit rationieren könnte, so wie jemand, der sich in der Wüste verirrt hat, das Wasser rationiert. In mir gab es einen Teil, der nichts rationieren wollte, der einfach alles hinunterstürzen und aufhören wollte, so zu tun, als könnte ich überleben.
»Ich wollte nicht herumschnüffeln oder so etwas«, fuhr er fort, als ihm mein Schweigen unbehaglich wurde. »Ich

wartete auf dich und wollte mir diese Zeitschrift anschauen, als ich das Bild fand.«
»Es tut mir Leid«, sagte ich, »dass ich dir nicht alles über meine Familie erzählt habe.«
»Ich wollte nicht neugierig sein. Es ist einfach nur ... dieses Bild ... es ist so eigenartig, es so zu finden.«
»Ich weiß.« Ich raffte meine Gedanken zusammen, richtete sie auf wie umgestürzte Kegel, nickte und setzte mich ihm gegenüber. »Meine Mutter ist erst kürzlich geschieden worden«, sagte ich. »Ich hatte einen Stiefvater, und er ist derjenige, der das Bild gemacht hat. Er hat es heute mit Federal Express geschickt.«
»Warum?«
Als Erstes kam mir der Scheidungskrieg von Jades Eltern in den Sinn. Das liefert mir Stoff für mein Märchen.
»Meine Mutter und er stritten darüber, wer der bessere Elternteil war, und er versuchte zu beweisen, dass sie keine so gute Mutter war, wie sie dachte. Sie kämpfen immer noch vor Gericht um das Sorgerecht.«
»Er findet das schrecklich?«, fragte er und hielt das Bild hoch.
»Ich vermute es. Ich habe meiner Mutter nicht gesagt, dass ich eine Party feiern würde.«
»Oh«, sagte er. »Also glaubt er, er hätte dich erwischt, während du es hinter ihrem Rücken wild treibst, und er gibt ihr die Schuld dafür, dass sie dich allein gelassen hat?«
»So was in der Art«, sagte ich. »Es tut mir Leid, dass du da mitten hineingeraten bist.«
»Nein, ist schon in Ordnung.«
Er wirkte befriedigt, und ich atmete erleichtert auf.
»Es war einfach seltsam, darauf zu stoßen. Siehst du ihn noch häufig?«, fragte Stuart.
»Nein. Also, ja. Ich sah ihn heute«, sagte ich und be-

schloss, jede Gelegenheit zu nutzen, die Wahrheit zu sagen.
»Was? Wann denn? Bevor ich kam?«
»Nein. Er war der Mann am Strand, von dem ich sagte, er sei niemand. Es tut mir Leid, dass ich dir nicht gesagt habe, wer er wirklich war.«
»Du meinst, du hast ihn zufällig dort getroffen?«
»Ich glaube nicht, dass es ein Zufall war«, sagte ich.
Stuarts Gesichtsausdruck wurde ernst, er schaute finster drein. Plötzlich schaute er aus dem Fenster.
»Er spioniert dir hinterher. Ist es das?«
»Ja«, bestätigte ich. »Wenn du gehen möchtest, verstehe ich das.«
»Nein. Das ist dumm. Er ist einfach dumm. Wie lange hat deine Mutter nach dem Tod deines leiblichen Vaters gewartet, bevor sie wieder heiratete?«
»Nicht lange.«
»Und wie lange waren sie verheiratet?«
»Fast mein ganzes Leben. Ich habe meinen leiblichen Vater nie kennen gelernt«, gestand ich.
»Oh«, sagte er und nickte.
»Es tut mir Leid, dass ich dir das alles nicht erzählt habe.«
»Nein, du hast keinerlei Grund, dich zu entschuldigen. Warum solltest du mir das erzählen? Ich war ein völlig Fremder.«
»Es macht mir nichts aus, es dir jetzt zu erzählen«, sagte ich, »und ich habe mich mies dabei gefühlt, dich zu täuschen und etwas anderes glauben zu lassen.«
Er lächelte.
»Ich freue mich, dass du mir jetzt vertraust. Mach dir keine Sorgen um deinen Stiefvater. Wenn deine Mutter zurückkommt, bin ich ein erstklassiger Zeuge für dein gutes Benehmen, falls sie irgendwelche Zweifel hegt.«

Ich lachte, aber dann überlegte ich, was ich tun sollte, weil Geraldine ja nie zurückkam. Ich hätte mir nie träumen lassen, dass ich jemanden treffen würde, der die Dinge so komplizieren würde. Ich hatte nie daran gedacht, dass ich mir wünschen würde, jemand wäre immer hier, und dass ich deshalb Geraldines Abwesenheit erklären musste. Wie viele Lügen konnte ich ihm auftischen, und wann würde ihr Gewicht über mir zusammenbrechen, mich niederschmettern und wieder allein zurücklassen?

»Also«, sagte er und klatschte in die Hände. »Ich weiß nicht, wie es mit dir ist, aber ich werde hungrig.« Er warf einen Blick auf das Bild. »Und irgendwie gefällt mir das Bild. Darf ich es behalten?«

»Sicher«, stimmte ich lächelnd zu.

»Wir sehen richtig gut zusammen aus. Es sieht aus wie eine Filmszene. Vielleicht sollten wir es bei besserem Licht noch einmal machen, damit er ein besseres Bild schießen kann«, schlug er vor. »Es ist keine Sünde, jemanden zu küssen, den man sehr mag. Er hat es doch auch getan, oder?«

»Was?«, sagte ich, und dabei blieb mir die Luft weg, als hätte mir jemand in den Magen geschlagen. Natürlich redete Stuart über etwas völlig anderes, aber dennoch überrumpelte mich seine Äußerung.

»Jemanden geküsst, den er mochte. Er mochte deine Mutter einmal und küsste sie, und bestimmt hatte er auch ein oder zwei Freundinnen. Er ist doch kein Mönch, oder?«

»O nein«, sagte ich. »Wohl kaum.«

»Na also. Lass uns nicht mehr daran denken und unser Essen genießen. Zumindest hoffe ich, dass du es genießen wirst.«

»Das werde ich«, versprach ich.

»Madame«, forderte er mich auf, stand auf und verbeugte sich. »Darf ich Sie in den Speiseraum geleiten?«

»Danke«, sagte ich lachend.

Er legte mir die Hand auf die Schulter, als wir ins Esszimmer gingen. Er hatte den Tisch gedeckt und eine Kerze darauf gestellt.

»Wow«, rief ich. »Ich glaube, ich war ziemlich lange oben.«

»Nicht eine Minute ist hier unten verschwendet worden. Nimm bitte Platz«, sagte er und zog mir den Stuhl heraus.

»Ich sollte dir helfen«, klagte ich.

»Nicht heute Abend.« Darauf bestand er.

Ich setzte mich, und er verschwand in der Küche. Wenige Augenblicke später kehrte er mit den Salattellern zurück.

»Ich habe in eurer Speisekammer eine Flasche Wein gefunden. Ist es in Ordnung, wenn wir die öffnen?«, fragte er.

»Ja, natürlich«, sagte ich.

Ich sah zu, wie er die Flasche öffnete und mir eingoss.

»Auf den Anfang von etwas Wundervollem«, sagte er und stieß mein Glas mit seinem an, »und ich meine nicht nur dieses Essen.«

Unsere Gläser erklangen, und wir beide tranken einen Schluck Wein, während sich unsere Blicke ineinander versenkten.

Wahrheit, bettelte ich, bleib ein bisschen länger draußen. Ich verspreche dir, dich hereinzurufen, wenn die Zeit gekommen ist.

KAPITEL FÜNFZEHN

Wahrheit oder Konsequenzen

Misty rief erst zurück, als Stuart und ich mit dem Essen fertig waren und Seite an Seite in der Küche standen und spülten. Er bestand darauf, mir beim Abwaschen zu helfen.

»Tut mir Leid, dass ich nicht früher angerufen habe, aber ich bin gerade erst nach Hause gekommen und habe deine Nachricht vorgefunden«, sagte Misty. An ihrer Aufregung und ihrem Redetempo merkte ich, dass sie sich nicht lange unterhalten wollte. »Was ist passiert?«

»Ich habe dir eine Menge zu erzählen«, begann ich. »Ich hatte Recht mit dem, was ich heute Morgen vermutete«, fügte ich leiser hinzu.

»Was war das denn?« Sie hörte sich an, als sei sie abgelenkt.

»Bist du allein?«, fragte ich.

»Nein«, antwortete sie und kicherte.

»Ich auch nicht«, sagte ich.

»Oh. Wer ist denn da?«

»Stuart«, sagte ich und warf ihm einen Blick zu. Er lächelte mich an.

»Schön für dich. Sind Star und Jade auch da?«

»Nein.«

»Oho«, rief sie. »Wieder in der Küche?«, neckte sie mich.

»Hast du gehört, was ich heute Morgen gesagt habe?«, zischte ich sie an. »Was ich gesagt habe, stimmte.«
»Ich habe vergessen, was du gesagt hast. Im Augenblick kann ich sowieso nicht besonders gut denken. Ich bin ein wenig beschäftigt«, erklärte sie. »Meine Mutter ist wieder ausgegangen, was mir sehr gut passt.«
Frustriert beschloss ich, ihr im Augenblick nicht mehr zu erzählen.
»Morgen am späten Vormittag wollen wir uns treffen«, richtete ich aus. »Jade bat mich, dir das zu bestellen.«
»Okay, wir sehen uns dann. Sei vorsichtig«, riet sie mir, diesmal mit einem ernsthafteren Unterton. »Du willst doch nicht, dass du-weißt-schon-wer über du-weißt-schon-wen etwas erfährt.«
»Genau«, sagte ich.
»Ich weiß auch nicht, wie ich auf die Idee gekommen bin, Chris sei schüchtern«, meinte sie abschließend, lachte und legte auf.
»Alles in Ordnung?«, fragte Stuart sofort.
»Ja. Das war Misty. Sie ist gerade dabei, sich zu verlieben«, stellte ich trocken fest.
Stuart lachte.
»Das liegt wohl in der Luft«, sagte er und wedelte mit dem Schwamm um den Kopf. Auch ich lachte. Das wirkte wie ein Reinigungsmittel, das alle Ängste wegwusch.
Als wir fertig gespült hatten, gingen wir ins Wohnzimmer, um fernzusehen, aber wir fanden kein Programm, das uns wirklich interessierte. Deshalb unterhielten wir uns, während der Fernseher lief. Noch einmal machte ich ihm ein Kompliment wegen des Essens. Mitten im Satz beugte er sich plötzlich vor und küsste mich zärtlich auf die Lippen. Meine unausgesprochenen Worte fielen in einen See von

Wärme, der meinen Körper umfasste. Wir küssten uns noch einmal, er verharrte mit seinen Lippen nahe an meinem Mund und zwirbelte eine Strähne meines Haars um seinen Finger.

»Manchmal, wenn ich dich anschaue«, sagte er leise, »finde ich, du bist wie ein kleines Mädchen. An dir ist etwas so Unschuldiges und Frisches. Dann höre ich dir zu oder sehe das tiefe Verständnis in deinen Augen und glaube, du bist viel älter, als du aussiehst.«

»Wirklich?«, fragte ich besorgt.

Er lächelte.

»Das ist nichts, was mich abstößt, Cathy. Im Gegenteil. Du steckst so voller Geheimnisse und Überraschungen. Du bist interessant.«

»Tatsächlich?«

»Ja, das bist du, sogar sehr. Selbst deine Küsse sind faszinierend«, sagte er, küsste mich, lehnte sich zurück und dachte nach. »Diesmal war dein Kuss voller Erstaunen. Ich konnte deine Unentschlossenheit fast spüren.«

»Unentschlossenheit?«

»Sollst du mich ebenso lang und hart küssen oder nicht? Du scheinst es zu wollen, aber du hörst als Erste auf und dann ...« Er küsste mich wieder, sanfter, dann härter und länger, und ich spürte, wie mein ganzer Körper warm wurde und sich öffnete wie eine Blüte in der Sonne. »Dann«, flüsterte er mir zu, »berührst du mich zutiefst. Wer bist du?«, fragte er mich. Seine Augen standen dicht vor meinen, sein Blick war auf mich geheftet, dass ich kaum denken konnte. »Ich will dich wirklich kennen lernen, Cathy«, fuhr er fort, »voll und ganz. Ich hoffe, du empfindest dasselbe für mich. Tust du das?«

»Ja«, erwiderte ich rasch.

»Gut.« Er küsste mich erneut, diesmal bewegten sich sei-

ne Lippen von meinen abwärts über mein Kinn, zum Hals hinunter. Ich lehnte mich aufs Sofa zurück.
Seine Hände fuhren über meinen Körper, über meine Brüste. Ich spürte, wie er die obersten Knöpfe meiner Bluse öffnete und schnell seine Lippen auf den entblößten Teil meines Busens legte.
»Eine gute Berührung«, hörte ich meinen Vater flüstern. Ich konnte nicht verhindern, dass ich unter Stuarts Küssen erstarrte.
»Es ist alles in Ordnung, Cathy«, versicherte Stuart. »Ich mag dich wirklich sehr.«
»Ja«, sagte ich. »Ich mag dich auch.«
»Gut, gut.« Seine Lippen waren wieder auf meinem Busen, und seine Finger öffneten einen Knopf nach dem anderen, bis er meine Bluse auseinander schlagen konnte. Er hob mich sanft vom Sofa und ließ die Ärmel meine Arme hinuntergleiten, bis ich meine Bluse ausgezogen hatte. Ich hielt die Augen geschlossen und spürte, wie seine Lippen mich überall berührten, während seine Finger meinen BH aufhakten.
»Es muss liebevoll und zärtlich sein«, hatte mein Vater mich angewiesen. »Kein Grapschen wie ein nach Sex ausgehungertes Tier. Jede Berührung ist voller Leidenschaft, aber Respekt. Etwa so, siehst du? Merkst du den Unterschied?«
»Ja«, sagte ich laut, als Stuarts Finger meinen BH entfernten und seine Lippen sich auf meine zu Knospen verhärtenden Brustwarzen legten. Er nahm das als Zustimmung, aber im Geiste wirbelte ich zurück in der Zeit, erinnerte mich, verwechselte Augenblicke aus der Vergangenheit mit dem, was jetzt geschah.
»Du bist wunderbar, Cathy«, sagte er. »Ein gehaltenes Versprechen. Magst du mich, magst du mich wirklich?«

»Ja, Stuart.«
»Vertraust du mir? Das ist wichtig, Cathy. Als Erstes müssen wir einander vertrauen. Tust du das?«, hakte er nach.
»Ja.«
»Weil ich dich nie enttäuschen werde. Das verspreche ich dir«, schwor er.
»Hüte dich vor ihren Versprechungen«, riet mein Vater mir. »Es ist, wie an einer Schnur zu ziehen. Du ziehst voller Erwartung, dass etwas Wundervolles am Ende ist, aber wenn es erreicht ist, findest du nichts, überhaupt nichts. ›Ich verspreche dir, dich immer in Ehren zu halten‹, werden sie sagen.«
»Wir passen gut zusammen, Cathy«, sagte Stuart. »Das kann man leicht feststellen, leicht spüren. Spürst du das auch, Cathy?«
»Ja«, bestätigte ich.
Die Berührung meines Vaters hatte mir immer ein Gefühl von Sicherheit gegeben. Als ich klein war, war dies alles, was ich hatte, die einzige Zuneigung, die ich genoss. Warum sollte ich ihr nicht nachgeben, auf sie zustürmen, sie willkommen heißen? Mir kann man nicht die Schuld geben, oder? Hör auf, mich mit so vorwurfsvollem Blick anzuschauen, Geraldine. Selbst jetzt, selbst unter der Erde schaust du mich an.
Ich wandte erst den Kopf, dann den Körper ab, um Stuarts Küssen und Zärtlichkeiten auszuweichen.
»Ist alles in Ordnung?«, fragte er.
»Ich möchte es nicht in diesem Zimmer tun«, bat ich.
»Das verstehe ich«, sagte Stuart, aber statt sich zurückzuziehen, wie ich es erwartet hatte, ließ er seine Hände und Arme unter mich gleiten, stand auf und hielt mich in den Armen wie ein Kind, als hätte ich gar kein Gewicht.
»Ich bin zu schwer«, protestierte ich.

»Du bist wie eine Feder, die mein Herz kitzelt«, sagte er, küsste mich auf Ohr und Hals, als er sich umdrehte und ganz mühelos aus dem Wohnzimmer marschierte. Stark und sicher ging er zur Treppe. Mein Kopf ruhte an seiner Brust.

Mein Vater hatte mich manchmal so getragen, als ich noch klein war, erinnerte ich mich. Er vergrub sein Gesicht in meinem Haar und leckte mich im Genick, dass es kitzelte. Dann lachte er. Als ich älter war, tat er es wieder. »Erinnerst du dich, dass ich das früher immer tat?«, fragte er mich. Ich musste kichern. Dann fuhr er mit seiner Zunge meinen Hals hinunter über meinen damals sprießenden Busen und verharrte auf den Brustwarzen. »Eine gute Berührung«, flüsterte er. »Sieh mal, wie schön sich das anfühlt.«

»Welches ist dein Zimmer?«, fragte Stuart und blieb mit mir in den Armen stehen, als wir oben den Flur erreichten. Ich nickte in Richtung auf meine Tür, er öffnete sie und trug mich auf mein Bett. Er legte mich behutsam hin, richtete sich auf und zog sein Hemd aus. Ich schaute zu, wie er den Reißverschluss seiner Hose öffnete und neben mir aufs Bett glitt. Wir küssten uns, ein sehr langer Kuss, bei dem seine Zunge meine berührte. Das einzige Licht drang aus dem Flur herein.

Seine Finger fanden den Reißverschluss meines Rockes und zogen ihn herunter. Dann setzte er sich auf und streifte ihn hinunter. Als sei jeder nackte Teil von mir wie ein Magnet für seine Lippen, küsste er mich rasch auf die Brust und bewegte sich mit seinen Küssen abwärts, bis er meine Taille erreichte und an meinem Höschen herumfingerte.

»Stuart …«, wisperte ich.

»Ist schon in Ordnung«, sagte er. »Ich bin ein Pfadfinder

– allzeit bereit.« Er beugte sich über die Bettkante, hob seine Hose auf, griff in seine Gesäßtasche, um sein Portemonnaie herauszuziehen, und holte ein Präservativ hervor.
Ich fing an, den Kopf zu schütteln, er legte mir den Finger auf den Mund, und ich hörte auf.
»Es ist in Ordnung«, beruhigte er mich, »besonders wenn zwei Menschen etwas so Besonderes finden wie wir. Ich will dich. Willst du mich nicht?«
»Sie werden dich hier berühren«, prophezeite mein Vater, »und du wirst nicht mehr klar denken können. Du bist auf einem Karussell. In deinem Kopf dreht sich alles. Dreht es sich jetzt? Ja?«
»Ja«, bestätigte ich.
Stuart zog mein Höschen herunter. Binnen Sekunden war er da, nackt und hart, drängte vorwärts. Seine Küsse räumten alles aus dem Weg. Ich hielt die Augen geschlossen, dachte, wenn ich nun wegen meines Vaters niemanden lieben kann? Ich muss das tun. Ich muss jemanden lieben. Ich muss mich entspannen, keine Angst haben und mir selbst beweisen, dass ich es kann.
»Cathy, Cathy, Cathy«, murmelte Stuart. Meine Beine begannen sich zu entspannen, ich öffnete die Augen.
Sie stand in der Tür, die Hände in die Hüften gestemmt, das Gesicht voller Abscheu, während sie nickte.
»Ich bin erst kurze Zeit tot, und du tust so etwas«, hörte ich sie sagen. »Widerlich.«
»Schließ die Tür«, rief ich.
»Was?«
»Bitte, schließ die Tür, Stuart.«
»Aber es ist doch niemand zu Hause.«
»Bitte.«
»Aber sicher«, sagte er und richtete sich auf. Er glitt vom

Bett. Sie stand immer noch dort, starrte herein, bis er die Tür schloss.

Als er zurückkehrte, ließ ich den Kopf aufs Kissen fallen. Er war wieder da, kam zu mir und drang in mich ein. Einen Augenblick lang lagen wir beide still, hielten uns aneinander fest. Er küsste meine Augen.

Es ist anders. Es ist wirklich. Es ist Liebe, oder nicht, fragte ich mich, und dann sagte ich mir, dass es so war. Gut, gut, gut.

Ich hauchte »ja«. Stuart stöhnte vor Vergnügen, seufzte Versprechungen, aber ich hörte nur meine eigenen Freudenschreie. Ich kann jemanden lieben, dachte ich. Ich starrte in die Dunkelheit, während wir aufeinander zueilten, uns selbst völlig in eine Decke der Leidenschaft hüllten. Die Stimme meines Vaters ertrank in meinen Lustschreien, und Geraldines Gesicht verblasste.

Heute Nacht begrabe ich euch beide, dachte ich.

Stuart und ich lagen hinterher lange in meinem Bett. Keiner von uns wollte diesen Augenblick beenden, indem er aufstand und sich daran erinnerte, dass es ein Morgen gab und wir eine Weile aufhören mussten, uns zu berühren. Schließlich erhob er sich, ging ins Badezimmer und fing an, sich anzuziehen.

»Wie geht es dir?«, fragte er. »Ich habe doch deinem Bein nicht wehgetan, oder?«

»Nein«, beruhigte ich ihn lachend. »Ich dachte, ich hätte dir mit meinem Gips wehgetan.«

»Ich habe überhaupt nichts gespürt. Ich meine, was mit dem Gips zu tun hatte«, erklärte er. »Es wird spät. Ich muss nach Hause«, bedauerte er. »Übernachtet jemand bei dir?«

»Nein.«

»Ich wünschte, ich könnte es, aber ...«
»Ist schon in Ordnung«, versicherte ich ihm.
»Vielleicht morgen Abend«, bot er an. »Das heißt, wenn deine Mutter immer noch weg ist.« Er hielt beim Zuknöpfen seines Hemdes inne und überlegte einen Augenblick. »Hat sie dich heute überhaupt angerufen?«
»Ich habe sie angerufen«, sagte ich schnell. »Als ich vorhin hier oben war.«
»Oh. Und?«
»Sie bleibt morgen auch noch weg«, erklärte ich.
»Oh, toll. Ich rufe dich morgen früh an, um dir Bescheid zu sagen, wann ich komme, okay?«
»Okay«, sagte ich.
»Ich finde es grässlich, dich allein zu lassen«, meinte er. »Einen Augenblick. Ich habe dich heraufgetragen. Ich hole dir besser deine Krücken.«
»Ich komme auch ohne sie klar.«
»Nein. Tu bloß nichts, das deinen Heilungsprozess verlängern könnte«, warnte er mich. »Ich habe Pläne, bald einmal den Strand entlangzulaufen.«
Ich lachte, und er holte mir die Krücken. Ich stand auf und zog meinen Morgenmantel an. Wenige Augenblicke später kehrte er mit ihnen zurück. Ich beschloss, mit ihm hinunterzugehen, um zu sehen, wie er ging. An der Tür drehte er sich um.
»Es war ganz toll«, sagte er. »Das war mein schönster Tag seit langer Zeit.«
»Für mich auch.«
»Bist du sicher, dass alles in Ordnung ist?«
»Klar. Mir geht es gut«, sagte ich.
Er gab mir einen Gutenachtkuss und ging. Ich sah zu, wie er ins Auto stieg und wegfuhr. Ich winkte und schaute dann auf die Straße. Sie lag dunkel und still da, aber ich

spürte, dass ich nicht allein war. Rasch trat ich ins Haus zurück, schloss die Tür und verriegelte sie. Dann ging ich in die Küche, um mir ein Glas Wasser zu holen.

Als ich gerade dort war, klingelte das Telefon. Ich starrte es an. Es klingelte immer wieder. Vielleicht ist es Star, dachte ich. Sie hatte gesagt, sie würde versuchen, später noch zu kommen. Ich hob den Hörer ab und sagte hallo.

»Ich möchte mit Geraldine sprechen«, sagte er. »Warum kommt sie nie ans Telefon, wenn ich anrufe? Ich habe es den ganzen Tag versucht. Wo ist sie?«, verlangte er zu wissen.

»Du darfst hier nicht anrufen«, rief ich. »Sie hat mir gesagt, dass du das nicht darfst.«

»Hol sie ans Telefon.«

Mein Herz schlug so heftig, dass mir die Luft wegblieb.

»Wir wissen, dass du eingebrochen bist und den Safe gestohlen hast. Warum hast du auch meine Briefe mitgenommen? Sie gehören mir. Ich will sie zurückhaben«, verlangte ich.

»Was ist los? Jemand hat eingebrochen?«, sagte er. Ich konnte förmlich sehen, wie er lächelte.

»Ich weiß, dass du es warst.«

»Warum hat Geraldine nicht die Polizei gerufen und sie gebeten, mich zu verhören, hm?« Er wartete auf meine Antwort, aber ich hatte keine. »Was ist da los, Cathy?«, fragte er. Jedes seiner Worte triefte vor Misstrauen. »Sie würde nie zulassen, dass so spät noch ein Junge dort ist. Wo ist sie?«

»Lass mich in Ruhe!«, schrie ich. »Sonst rufe ich die Polizei.«

»Hol sie ans Telefon. Ich habe rechtliche Sachen mit ihr zu besprechen. Deshalb darf ich sie anrufen. Nun geh schon, frag sie.«

O, Gott, dachte ich und schaute mich hilflos um. Was soll ich tun? Ich drehte mich im Kreise und rang verzweifelt um eine Lösung.

»Sie ist nicht hier«, sagte ich ihm schließlich.

»Nicht da? So spät? Lächerlich. Wo ist sie? Du lügst. Hol sie an den Apparat. Ich werde immer wieder anrufen«, drohte er. »Ich komme herüber. Ich habe ein Recht dazu. Ich brauche nicht einzubrechen.«

»Sie ist im Krankenhaus«, platzte ich heraus. »Deshalb hat sie nicht die Polizei gerufen. Ich habe ihr noch nicht gesagt, was du getan hast.«

»Was?« Er stutzte. »Was soll das heißen? Warum ist sie im Krankenhaus?«

»Sie hat ein Herzproblem, und der Arzt wollte, dass sie ein paar Tage zur Beobachtung dort bleibt. Sie sagte mir, wenn du auftauchen solltest, müsste ich sofort die Polizei alarmieren.«

»Welches Krankenhaus?«

»Das darf ich dir nicht sagen. Ihr Arzt will nicht, dass irgendjemand sie anruft oder besucht. Selbst ich muss meine Besuche einschränken«, sagte ich.

Er schwieg eine ganze Weile.

»Wenn sie herausfindet, was du in ihrer Abwesenheit treibst, wird sie noch kränker«, drohte er.

»Lass uns in Ruhe!«, schrie ich, legte auf und hielt die Luft an, als ich darauf wartete, ob er wieder anrief. Das tat er nicht, aber ich befürchtete, er könnte seine Drohung wahrmachen und zum Haus kommen. Ich machte überall die Lampen aus, setzte mich dann an die Vorderfenster und beobachtete Straße und Auffahrt. Stundenlang saß ich dort, manchmal fielen mir dabei die Augen zu. Ich weiß, dass ich immer wieder einnickte, denn plötzlich zitterte ich und erwachte.

Er kam nicht, also ging ich nach oben. Nachdem ich meine Tür geschlossen und einen Stuhl dagegen gestellt hatte, legte ich mich ins Bett. Es dauerte nicht lange, bis ich einschlief, aber ich wälzte mich die ganze Nacht herum, wachte regelmäßig in Schweiß gebadet auf, lauschte und versank dann wieder in einen komaartigen Schlaf. Am Morgen war ich erschöpfter, als ich es gewesen wäre, wenn es mir gelungen wäre, die ganze Nacht aufzubleiben.

Ich bewegte mich langsam, lethargisch, wusch mich, zog mich an und ging zum Frühstücken hinunter. Ich war nicht sehr hungrig und knabberte kaum an einem Toast zu meinem Kaffee. Stuart rief an, um sich zu erkundigen, wie ich geschlafen hatte und ob es mir gut ging.

»Ich bin nur ein wenig müde«, gestand ich, »aber sonst geht es mir gut.«

»Ich kann es kaum erwarten, dich wiederzusehen. Ich habe ein paar Dinge für meine Mutter zu erledigen, und dann komme ich den ganzen Tag und wenn du willst die ganze Nacht zu dir. Ich habe ihr bereits gesagt, dass ich das vielleicht tun werde.«

»Was hat sie dazu gesagt?«

»Meine Mutter behandelt mich jetzt wie einen Erwachsenen. Sie erteilt nur mütterliche Ermahnungen wie ›Sei vorsichtig‹ und ›Sei dir sicher‹. Ich bin beides«, versicherte er.

Wie wunderbar, ihn so etwas sagen zu hören, und wie wunderbar für ihn, eine Mutter zu haben, die so fürsorglich und so verständnisvoll ist.

»Okay«, sagte ich, »dann bis später.«

Kurz nachdem ich mein Gespräch mit Stuart beendet hatte, trafen Jade, Misty und Star ein. Jade hatte die anderen mit der Limousine abgeholt. Trotz der dräuenden

Sturmwolken waren alle froh und glücklich und redeten alle gleichzeitig über die Verabredungen am Abend zuvor. Wir saßen um den Küchentisch und tranken Kaffee. Misty holte einige Bagels aus dem Tiefkühlschrank, toastete sie und stellte sie mit Marmelade auf den Tisch.

»Meine Mutter hat wieder einen anderen fiesen Kerl kennen gelernt«, erzählte Star uns. »Sie sprach heute davon, uns wieder zu verlassen. Seht euch meine Hände an«, sagte sie und hielt ihre beiden Fäuste hoch. »Schon den ganzen Tag halte ich die Daumen.«

»Du hast Larrys Eltern kennen gelernt, habe ich gehört?«, sagte Jade.

»Und?«

»Genau das wollte ich fragen«, erwiderte sie.

»Sie sind nett. Er hat einen älteren Bruder, der als Computeringenieur für eine Softwarefirma arbeitet. Larry arbeitet auch mit Computern und hat vor, diese Laufbahn einzuschlagen, wenn er aus der Army entlassen wird. Sobald er beruflich Fuß gefasst hat, will er heiraten und eine Familie gründen.«

»Das hört sich an, als schmiedete er ernsthafte Pläne«, stellte Jade fest.

»Vielleicht.«

»Wirklich?«, rief Misty.

»Ich habe nichts zugesagt«, erklärte Star schnell. »Wir haben nur allgemein darüber gesprochen. Das habt ihr doch auch alle getan.«

»Nicht über dieses Thema«, wehrte Jade ab. »Ich weiß nicht, ob ich je heiraten und Kinder bekommen will.«

»Ich glaube, Chris und ich werden lange zusammen gehen, vielleicht immer und ewig«, verkündete Misty. »Er ist mir sehr ähnlich.«

»Das bringt doch nichts«, sagte Jade. »Du brauchst einen

Mann, der dich ergänzt, etwas hinzufügt, nicht dich verdoppelt.«
»Er fügt sehr wohl etwas hinzu«, meinte Misty beleidigt.
»Was denn?«
»Könnt ihr nicht alle damit aufhören?«, schrie ich.
Ihre Gesichter erstarrten, als sie sich mir zuwandten.
»Ich freue mich, dass es euch so gut geht und ihr alle die Liebe eures Lebens gefunden habt, aber wir haben ein großes Problem.«
»Ich weiß immer noch nicht, worum es hier eigentlich geht«, protestierte Misty.
»Ich versuchte es dir gestern Abend am Telefon zu sagen, aber du warst zu sehr beschäftigt mit deiner Romanze«, sagte ich, selbst überrascht, wie scharf das klang, aber ich hatte Geduld bewiesen, obwohl mein Magen sich anfühlte, als sei er voller Killerbienen.
»Das ist nicht fair. Außerdem hattest du Stuart hier. Ihr habt doch nicht die ganze Nacht Dame gespielt, oder?«
»Hör auf. Lass sie reden, Misty«, forderte Jade sie auf.
»Tut mir Leid, Cat. Wir haben alle so lange in einem Unwetter von Enttäuschungen gelebt, dass wir auf gute Zeiten völlig überreagieren.«
»Also, was ist los?«, wollte Misty wissen.
»Mein Vater. Ich sagte dir doch, dass er mir am Abend der Party hinterherspionierte. Er schoss ein Foto von Stuart und mir, wie wir uns zum Abschied küssten, und schickte es Geraldine per Federal Express.«
»Tatsächlich?«
»Und gestern folgte er uns zum Strand und näherte sich mir, als Stuart uns gerade etwas zu trinken besorgte.«
»Hat Stuart ihn gesehen, erfahren, wer er ist?«, fragte Jade rasch.
»Da noch nicht. Ich habe es ihm später erzählt.«

»Du hast es ihm erzählt? Warum?«, wollte Star wissen.
»Weil er unter einer Zeitschrift das Bild fand. Ich hatte es schnell versteckt, als er kam, um mich zum Mittagessen und zum Strand abzuholen. Er war schockiert und wollte wissen, wer das Foto gemacht hatte und warum.«
»Was hast du ihm sonst noch erzählt?«, fragte Jade. Alle sahen aus, als hielten sie die Luft an.
Ich schilderte ihnen mein Lügenmärchen, und sie hörten zu, Jade beifällig nickend. Dann erzählte ich ihnen von seinem Anruf in der vergangenen Nacht und was ich meinem Vater gesagt hatte, um ihn davon abzuhalten, weiter nach Geraldine zu fragen.
»Das ist gut. Du hast genau das Richtige getan«, lobte Jade mich. »Du warst clever. Vermutlich werden wir alle gute Lügnerinnen. Schließlich waren unsere Eltern auch gute Lehrer.«
»Aber was soll ich jetzt tun?«, fragte ich.
Keine sprach ein Wort.
»Er wird immer wieder anrufen, und er wird hierher kommen«, sagte ich.
»Sie hat Recht«, stöhnte Misty und setzte sich hin. »Was sollen wir bloß tun?«
»Wir stecken in großen Schwierigkeiten«, stimmte Jade zu. »Ich wusste, dass wir sie nicht hätten begraben sollen. Ich wusste es.«
»Und was schlägst du jetzt vor? Sie wieder auszugraben?«, höhnte Star.
»Vielleicht.«
»Bist du verrückt?« Star schrie sie fast an. »Außerdem warst du diejenige, die darauf hinwies, dass Cat sonst in einem Pflegeheim landen würde.«
»Das ist besser als Gefängnis«, murmelte Jade.
»Wir werden alle verhaftet«, raunte Misty.

»Immer mit der Ruhe, Misty«, beschwichtigte Star sie.

»Was soll ich Stuart denn über Geraldine erzählen? Er wird sich fragen, warum sie nicht nach Hause kommt«, sagte ich.

Sie schwiegen einen Augenblick, dann schaute Misty schnell auf.

»Vielleicht solltest du mit ihm brechen«, sagte sie.

»Was?«

»Das ist es. Das löst alle Probleme. Fang einfach einen Streit an und wirf ihn hinaus. Dann brauchst du dir keine Sorgen zu machen, was er weiß und was nicht.«

»Das will ich aber nicht. Wie würde es dir gefallen, wenn ich dir sagte, du sollst Chris jetzt loswerden?«

»Ich brauche mir keine Gedanken darüber machen, dass er irgendwelche Geheimnisse entdeckt«, erwiderte sie.

»Das ist nicht fair, Misty«, sagte Star.

»Was soll sie denn sonst tun? Was sollen wir tun?«, rief sie mit funkelnden Augen. »Vielleicht sollte ich meinen Vater um Rat fragen oder du deinen, Jade. Oder du solltest deine Granny fragen, Star.«

»Beruhige dich«, sagte Jade. »Gib uns eine Chance nachzudenken.«

»Stuart kommt heute her«, sagte ich. »Er will über Nacht bleiben.«

»Na toll«, sagte Misty mit finsterem Gesichtsausdruck.

»Warum habt ihr denn hier eine Party veranstaltet und die Jungen eingeladen und mir eine Verabredung besorgt?«, schrie ich sie an.

Sie starrte mich an. Dann schaute sie Jade an.

»Wir verlieren es«, sagte Jade und stand auf. »Alle nach oben in das Zimmer.«

»Was?«, wunderte sich Star. »Wozu soll das denn gut sein?«

»Tu es einfach«, fauchte Jade. »Wir müssen uns beruhigen.«
Star verdrehte die Augen, holte tief Luft und stand auf. »Na los. Prinzessin Jade hat gesprochen.«
Misty warf mir einen Blick zu und stand dann auf. Ich erhob mich, und wir vier gingen die Treppe hinauf in unseren besonderen Raum. Wir setzten uns im Kreis hin. Die Kerze wurde angezündet, die Musik angeschaltet. Jade schloss die Augen und streckte ihre Hände aus. Alle taten das Gleiche.
»Befreit eure Gedanken von dem Tumult«, wies Jade uns an. »Konzentriert euch auf euer Atmen.«
Nach einem Augenblick stöhnte Misty.
»Es funktioniert nicht. Ich muss immer daran denken, dass wir erwischt werden.«
»Versuch es noch stärker. Redet eine Weile nicht. Atmet einfach ein und aus, ein und aus.«
»Oh, das ist zu dumm«, beklagte Misty sich einen Moment später.
»In Ordnung«, sagte Jade. »Welche Probleme haben wir, und wie können wir sie lösen? Keine hysterischen Anfälle, bitte«, warnte sie.
»Wir müssen entscheiden, was wir mit Stuart machen wollen«, sagte Star. »Wenn er heute herkommt, ist es nur natürlich, dass er wissen will, wo ihre Mutter ist.«
»Es gibt nur zwei Möglichkeiten«, sagte Jade. »Entweder sagt Cat ihm die Wahrheit oder sie beendet die Beziehung, noch bevor sie richtig begonnen hat.«
»Sie hat bereits begonnen«, warf ich ein.
»Wie können wir auch nur daran denken, es ihm zu erzählen«, fragte Misty. »Wenn sie nun in zwei Tagen mit ihm Schluss macht? Er könnte es irgendjemandem erzählen, und dann?«

»Sie hat Recht«, sagte Star.
»Ich habe nicht vor, dass so etwas geschieht«, erklärte ich entschieden.
»So etwas hat man nicht vor. So etwas passiert. Stimmt's, Jade?«, fragte Misty.
»Ja, das stimmt.« Sie schaute mich an. »Was möchtest du denn tun, Cat?«
»Ich möchte es ihm sagen.«
»Aber angenommen, das schreckt ihn ab, oder er glaubt, du seist verrückt?«, fragte Misty.
»Sie hat wieder Recht«, gab Star zu.
»Cat ist zu unerfahren, um sich mit einem Jungen einzulassen. Wir hätten es nicht so weit kommen lassen dürfen«, tadelte Misty. Sie schaute mich an. »Er ist dein erster richtiger Freund. Du solltest es nicht so schnell so ernst werden lassen.«
»Ich glaube, wir sollten einander keine Vorträge über Beziehungen halten«, sagte ich.
»Wir wissen mehr als du«, beharrte sie. »Sag ihm, es wird dir zu ernst. Sag ihm, dass du eine Pause brauchst. Er wird noch eine Weile anrufen, dann wird er aufgeben und sich nach einer anderen umsehen.«
»Ich will nicht, dass er sich nach einer anderen umsieht«, protestierte ich.
»Du musst ein Opfer für die WMEs bringen«, verlangte Misty.
»Wie bitte?«
»Du wolltest unsere Hilfe haben. Wir haben sie dir gegeben. Wir haben dich zu einem Teil unserer Gruppe gemacht. Jetzt ist es Zeit, dass du etwas für uns tust«, sagte sie.
Ich schaute Star an. Sie schwieg. Star kniff nachdenklich die Augen zusammen, widersprach aber nicht.

»Wir müssen auch noch an ihren Vater denken«, gab Star zu bedenken.

»Wir können schließlich nicht die Polizei rufen. Misty kann machen, was wir geplant haben, und abends Geraldines Kleidung anziehen. Sie läuft dann am Fenster hin und her, und er wird glauben, sie sei das«, sagte Jade. »Wenn die Polizei ihn dann anruft, wird er es mit der Angst bekommen und aufhören.«

»Das könnte funktionieren«, überlegte Misty laut. »Wo ist das Kleid?«

»Wir haben es im Schrank gelassen«, sagte Jade und nickte in die Richtung.

»Braucht sie eine Perücke?«

»Nicht, wenn wir es abends machen und er sie aus der Entfernung sieht. Geraldines Haar hatte ungefähr ihre Farbe«, sagte ich.

»Okay. Das ist also abgemacht«, sagte Misty. »Wenn du kooperativ und bereit bist, den WMEs zu helfen, kommt alles in Ordnung. Wir können ohne Sorgen weitermachen. In einer Woche oder so geben wir wieder eine Party, und dann finden wir einen anderen Jungen für dich. Wenn du ihn magst, können wir so tun, als ob Geraldine diesmal länger wegbleibt, vielleicht eine Woche oder sogar zwei!«

Ich schüttelte den Kopf.

»Das kann doch nicht dein Ernst sein.«

»Ich stelle den Antrag, dass Cat Stuart heute zum Besten der WMEs loswird«, sagte Misty.

Ich schaute Jade und Star an. Keine widersprach.

»Ihr denkt alle nur an euch selbst, beschützt euch selbst, wollt eure neuen Freunde behalten.«

»Das ist nicht ganz richtig«, protestierte Jade. »Schließlich bleiben uns nicht allzu viele Wahlmöglichkeiten.«

»Ich möchte ihm die Wahrheit sagen. Er wird unser Geheimnis bewahren«, beharrte ich.

»Es ist nicht nur dein Geheimnis«, sagte Misty. »Es betrifft uns alle, bringt uns alle in Gefahr. Du hast kein Recht, das alleine zu entscheiden. Es muss eine WMEs-Entscheidung sein. Habe ich Recht, Jade?«

Jade nickte.

»Ich habe einen Antrag eingebracht«, erinnerte Misty uns.

»Warum glaubst du, du kannst ihm vertrauen, Cat?«, fragte Jade.

»Ich habe einen Antrag eingebracht!«, rief Misty.

»Das betrifft doch den Antrag«, fauchte Jade sie an. »Cat?«

Ich schaute zu Boden und überlegte.

»Ihr wisst alle, wie mein Leben mit meinem Vater und Geraldine aussah. Ihr wisst alle, was passierte, was er mir antat. Als Stuart mich zum ersten Mal berührte, schreckte ich zurück. Er spürte das, aber er wurde nicht wütend oder ließ sich entmutigen. Er war sanft und einfühlsam«, sagte ich.

Tränen brannten mir in den Augen, aber ich hielt sie zurück und fuhr fort.

»Sosehr ich mich auch bemühte, ich konnte die Erinnerungen an meinen Vater nicht verdrängen, während ich mit Stuart zusammen war. Ich hörte sogar die Stimme meines Vaters lauter als Stuarts. Ich dachte, so wird das mein ganzes Leben lang sein. Ich bin eine verdorbene Ware«, sagte ich und schaute sie an.

Selbst Misty wurde weich.

»Aber vergangene Nacht passierte etwas, etwas ganz Besonderes und Kostbares. Stuarts Stimme überwältigte plötzlich die meines Vaters, und ich spürte, wie er aus mir herausgestoßen, ausgeschlossen wurde. Ich konnte jemanden lieben, und jemand konnte mich lieben. Vielleicht ist das wichtiger, als sich Sorgen um die Wahrheit und Geraldine und alles andere zu machen. Ich glaube, ich wäre jetzt sogar bereit, ins Gefängnis zu gehen, wenn ich müsste. Ich werde einfach sagen, dass ich alles alleine getan habe. Niemand braucht sich Sorgen zu machen.«

Eine ganze Zeit lang sprach niemand ein Wort.

»Ich glaube, wir sollten Cats Instinkten hier vertrauen«, sagte Star und nickte. »Sie soll es ihm erzählen. Jade?«

»Es hat keinen Zweck, all das zu tun, was wir tun, wenn wir uns selbst nicht die Möglichkeit einräumen, uns zu ändern und in eine neue Richtung zu entwickeln. Dr. Marlowe wäre vielleicht sogar glücklich darüber«, fügte Jade mit einem Lächeln hinzu.

Wir alle schauten Misty an.

»In Ordnung«, gab sie nach. »Vielleicht war ich zu egoistisch und habe mir nur um mein eigenes Liebesleben Sorgen gemacht. Es tut mir Leid, Cat.«

Wir umarmten uns.

»Willst du es ihm heute sagen?«, fragte Jade.

»Das sollte ich. Mir fällt keine andere Lüge über sie mehr ein.«

Vielleicht sollten wir alle dabei sein«, schlug Star vor.

Jade schaute mich an.

»Das ist keine schlechte Idee, Cat. Danach lassen wir dich mit ihm allein.«

»In Ordnung«, stimmte ich zu. Jetzt, da sie zugestimmt hatten, wurde ich nervös. Jade spürte das und streckte wieder die Hände aus.

»Haltet euch an den Händen«, befahl sie. Sie senkte den Kopf, wir hielten die Hände der anderen fest und senkten

ebenfalls die Köpfe. »Atmet tief, klärt euren Verstand, erfrischt euren Geist. Wir müssen uns aneinander wenden, uns gegenseitig stärken.«
Die Musik spielte. Die Kerze brannte. Minuten verrannen, und die Spannung sickerte aus unseren Körpern.
»Es wird alles in Ordnung kommen. Uns wird es gut gehen«, stellte Jade abschließend fest.
Bevor wir das Zimmer verließen, probierte Misty Geraldines Kleid an und stolzierte darin umher.
»Wie findest du es?«, fragte Jade mich. »Denk daran, man sieht sie nur aus der Entfernung.«
»Sie ist ungefähr so groß wie Geraldine«, sagte ich, »aber wir sollten ihr Haar so aufstecken, dass es mehr wie Geraldines aussieht. Und du musst deine Schultern steifer halten«, wies ich Misty an.
»Okay, heute Abend hast du deinen ersten Auftritt«, teilte Jade Misty mit.
»Das ist gruselig«, sagte Misty. »Ich fühle mich wie einer der krankhaften Charaktere von Stephen King.«
»Das war Geraldine auch«, murmelte ich, und alle lachten.
Misty zog das Kleid aus. Jade blies die Kerze aus und stellte die Musik ab. In der Tür blieb sie noch einmal stehen und schaute zurück.
»Seht ihr«, sagte sie, »das ist unser besonderer Ort, und wir werden immer füreinander etwas Besonderes sein.«
Ich konnte nur hoffen und beten, dass sie Recht hatte.

KAPITEL SECHZEHN

Die Fäden des Schicksals

Hi«, begann Stuart aufgeregt, sobald ich die Tür öffnete. Rasch kam er herein. »Ich dachte, du würdest heute Abend vielleicht gerne ins Kino gehen. Danach könnten wir bei Yin-Yangs direkt neben dem Kino zu Abend essen und ...«

Er hielt inne, als er die anderen Mädchen im Wohnzimmer sitzen sah.

»Oh, ein Treffen des Kaffeekränzchens, hm?«, scherzte er. Als niemand lachte, schaute er mich überrascht an.

»Etwas nicht in Ordnung?«

»Wir alle wollen mit dir sprechen, Stuart«, sagte Jade. »Komm doch herein und setz dich.« Sie nickte zu einem leeren Sessel hin.

»Was ist los? Triffst du dich nicht später mit meinem Cousin? Er sagte irgendetwas, dass er heute Abend mit dir in den Beach Club essen gehen wollte. Hallo Star, Misty«, begrüßte Stuart sie, als er ins Wohnzimmer kam. Er warf mir einen Blick zu und setzte sich hin. »Also? Worum geht es?« Er lächelte. »Plant ihr wieder eine Party?«

»Es geht um uns und um Cat«, erwiderte Jade mit strenger Stimme. Sie wandte sich mir zu. Wir hatten nicht besprochen, wie wir vorgehen wollten, aber ich vermutete, dass wir alle sprechen würden.

Ich saß rechts neben Stuart, ihm zugewandt, sagte aber nichts.
»Wir sind kein Kaffeekränzchen, sondern eine Art Club«, fuhr Jade fort.
»Wir nennen ihn die WMEs«, sagte Misty.
»Die WMEs?« Stuart lächelte. »Was ist das denn?«
»Waisen mit Eltern«, erklärte sie. Er wirkte noch verwirrter.
»Wie bitte? Wie kann man eine Waise sein, wenn man Eltern hat?«, fragte er. Jedes Mal, wenn er mit einer von ihnen sprach, warf er mir einen Blick zu.
»Ohne allzu sehr ins Detail zu gehen, Stuart, wir haben uns bei einer Therapeutin kennen gelernt«, fuhr Jade fort.
»Ja, das weiß ich«, sagte er. »Das hat Cathy mir erzählt.«
»Oh?«, meinte Star.
»Das ist alles, was ich ihm gesagt habe«, warf ich rasch ein.
»Sie hat mir nichts über irgendeine von euch verraten, falls es das ist, was euch beunruhigt«, versicherte Stuart.
»Das ist es nicht genau«, sagte Jade. »Aber es ist kein Geheimnis, dass wir alle Probleme mit unseren Eltern haben. Meine sind, wie du weißt, mitten in ihrer Scheidung. Mistys sind geschieden, und ihr Vater hat kürzlich wieder geheiratet. Stars Vater hatte seine Familie verlassen, und ihre Mutter hat das Gleiche getan.«
»Vor kurzem ist sie wieder aufgetaucht, aber ich hoffe, nicht für lange«, rief Star dazwischen.
»Und Cathys Eltern sind geschieden«, sagte Stuart, »und kämpfen noch um das Sorgerecht. Ich weiß, das ist unerfreulich. Es ist toll, dass ihr Freundinnen seid und einander helfen könnt. WMEs«, sagte er zu Misty. »Okay. Das ergibt wohl einen Sinn, wenn die Eltern geschieden sind.«
»Es ergibt in vieler Hinsicht einen Sinn«, erwiderte Misty.

»Cathys Eltern sind streng genommen nicht geschieden«, sagte Jade. »Das ist nicht das Problem, mit dem sich Cathy heute herumschlägt.«
»Hm?« Er schaute mich an. »Das verstehe ich nicht. Aber das hat sie mir doch gesagt.«
»Cathy, warum …«
»Meine Eltern sind noch nicht formell geschieden«, erklärte ich. »Um am Anfang zu beginnen: Meine Mutter ist gar nicht meine Mutter. Sie ist in Wirklichkeit meine Schwester. Wir wurden beide adoptiert. Sie und mein Vater adoptierten mich, weil meine leibliche Mutter mich erst spät durch eine außereheliche Beziehung bekam.«
Stuart starrte mich einfach an, als wären meine Worte Fische, die zu schnell um seinen Kopf herumschwammen, um sie zu packen und festzuhalten.
»Ich fand das erst kürzlich heraus, nachdem meinem Vater untersagt worden war, mit mir Kontakt aufzunehmen.«
»Aber ich dachte, sie kämpfen um das Sorgerecht und –«
»Ich habe dir nicht die ganze Wahrheit gesagt.«
»Warum nicht?«, fragte Stuart. Er überlegte einen Augenblick und fragte dann: »Warum wurde ihm untersagt, dich zu sehen?«
»Warum wird einem Vater untersagt, sich seiner Tochter zu nähern?«, fragte Jade anstelle einer Antwort.
»Ich weiß es nicht.«
»Dann streng einmal deine nicht jugendfreie Fantasie an«, befahl Jade.
Das tat er, und auf seinem Gesicht zeichnete sich ab, zu welchem Schluss er gelangt war. Rasch blickte er zu mir auf.
»Du meinst, er hat dich missbraucht?«
Selbst jetzt, selbst nach all der Therapie bei Dr. Marlowe fiel es mir schwer, viel mehr zu tun, als zu nicken.

»Mit ihrer Schwester, die jahrelang vorgab, ihre Mutter zu sein, konnte man auch nicht leicht auskommen«, sagte Star. »Sie hat sich nie wirklich etwas aus Cat gemacht und war nicht da, als Cat sie am meisten brauchte.«

»*Konnte* man nicht leicht auskommen?«, hakte Stuart nach. »Ist sie denn nicht mehr da und spielt die Rolle der Mutter?«

»Sie ist tot«, sagte Jade. Ihre Worte gingen wie kleine Bomben zwischen uns nieder.

»Tot?« Er schaute erst mich, dann sie an und schüttelte den Kopf. »Jetzt verstehe ich überhaupt nichts mehr. Was geht hier vor, Cathy?«

»Bevor noch irgendetwas gesagt wird, brauchen wir ein Versprechen von dir, oder besser gesagt, Cathy braucht ein Versprechen von dir, dass du das, was wir dir erzählen werden, so lange wie nötig geheim hältst«, teilte Jade ihm mit. »Wenn du lieber nichts weiter hören möchtest, verstehen wir das. Selbst Cathy würde das, stimmt's, Cat?«

»Ja«, bestätigte ich. »Das alles tut mir Leid, Stuart. Ich wünschte, ich hätte es dir auf andere Weise sagen können, aber …« Ich schaute die anderen an. »Sie sind alle darin verwickelt. Sie mussten zustimmen, dass ich es dir erzähle.«

Er lehnte sich zurück, sein verwirrter Gesichtsausdruck wandelte sich zu einem Ausdruck der Angst, der ihn nach vorne schnellen ließ.

»Einen Augenblick. Du willst mir doch nicht sagen, du… ihr alle seid verantwortlich für den Tod ihrer Schwester, oder?«, fragte er mit zitternder Stimme.

»Nein«, widersprach Star entschieden.

Er atmete erleichtert auf und entspannte sich.

»Gott sei Dank«, seufzte er.

»Aber hinterher taten wir etwas, das nicht wirklich legal ist«, gestand Jade.
»Hinterher? Ja, wie starb sie denn?«
»Sie hatte einen Herzinfarkt und starb genau hier in diesem Zimmer«, erzählte Star.
»Also gab es eine Beerdigung und alles?«
»Es gab eine Beerdigung«, bestätigte sie und schaute uns an, »aber nicht genauso, wie du es erwarten würdest.«
Er schüttelte immer weiter den Kopf.
»Ich verstehe das immer noch nicht. Was würde ich erwarten?«
»Cat hat keine Verwandten, Stuart. Sie ist erst knapp über siebzehn, deshalb darf sie von Gesetzes wegen nicht alleine leben«, erklärte Jade. »Mit einem Vater, der sie missbraucht hat, und ohne engen Verwandten ist sie eine erstklassige Kandidatin für eine Pflegefamilie. Wir dachten, wenn wir den Tod ihrer Mutter geheim hielten, bis sie achtzehn ist, dann wäre alles in Ordnung. Sie besitzt ein Treuhandvermögen, und im Augenblick kann sie sich selbst um alles kümmern. Wir sind entschlossen, ihr dabei in jeder Hinsicht zu helfen.«
»Ihren Tod geheim zu halten? Was erzählt ihr mir da – niemand außer euch weiß, dass ihre Mutter tot ist?«, fragte Stuart und beugte sich vor.
»Genau«, bestätigte Jade. »Und jetzt du«, fügte sie hinzu. Sie schaute mich an. »Cat wollte, dass wir es dir erzählen. Du solltest geschmeichelt sein. Sie hat noch nicht vielen Menschen Vertrauen schenken können. Wir übrigens auch nicht, aber aus Gründen, die nur ihr bekannt sind, hat sie beschlossen, ihr Schicksal in deine Hände zu legen.«
»Ich verstehe«, sagte er und lehnte sich zurück. Er überlegte einen Augenblick und zwinkerte heftig. Dann schaute er Jade und mich an und richtete sich auf.

»Wenn ihr Tod noch ein Geheimnis ist, wo genau steckt sie dann? Ich hoffe, nicht in der Tiefkühltruhe.«
»Sie ist im Garten«, enthüllte Star.
»Und sie hatte ein anständiges Begräbnis mit einer Bibellesung und allem«, sagte Misty.
Er zog die Augenbrauen hoch.
»Ihr habt sie im Garten begraben?«
»Genau«, bestätigte Jade. »Und das war nicht leicht.«
»Bist du absolut sicher, dass sie tot war?«, fragte er.
Wie oft hatte ich diesen Alptraum, und so wie die anderen nach dieser Frage dreinschauten, wie oft hatten sie ihn?
»Ja, ganz bestimmt«, sagte Jade entschieden. »Sie hatte keinen Puls mehr. Sie war blau, steif und kalt; selbst Jesus hätte sie nicht mehr auferwecken können.«
»Im Garten?«, wiederholte er und schaute in diese Richtung.
»Es sieht nicht aus wie ein Grab«, sagte Misty. »Star hat hart daran gearbeitet. Wenn du willst, geh selbst nachschauen und sag uns, wo sie deiner Meinung nach liegt«, forderte sie ihn stolz auf.
Er starrte Misty an, als ob sie und wir alle verrückt wären. Ein schwaches Lächeln kräuselte seine Lippen.
»Ist das wahr, oder treibt ihr dumme Scherze mit mir?«, fragte er.
»Wohl kaum«, sagte Jade mit einem Gesicht, das wie Granit wirkte. »Cat hat dir ja bereits erzählt, wie fürchterlich ihr Vater sich benimmt.«
»Dann weiß er nicht, dass ... deine Schwester tot ist?«
»Nein«, sagte Cat. »Er rief gestern Abend an, und ich sagte ihm, sie sei im Krankenhaus.«
»Er ist auch ins Haus eingebrochen«, platzte Misty heraus. »Er hat die Hintertür aufgebrochen.«
»Was? Wann? Warum?«

»Vor ein paar Tagen. Wir glauben, er war hinter dem Geld im Safe ihrer Schwester her.«

»Unter anderem«, murmelte Star und warf mir einen vielsagenden Blick zu.

»Er nahm den Safe mit, aber wir hatten das Geld bereits herausgenommen«, erzählte Jade ihm.

»Also deshalb sieht die Hintertür so aus«, sagte er mehr zu sich selbst als zu uns und nickte. »Was wollt ihr tun, wenn er herausfindet, was los ist mit … ich weiß nicht, ob ich sie deine Mutter oder deine Schwester nennen soll.«

»Das ist auch für sie ein Problem«, murmelte Star.

»Ich nenne sie einfach Geraldine«, sagte ich. »Wir hoffen, dass er sich fern hält, weil er glaubt, sie ruft die Polizei. Zumindest hat er Angst vor ihr.«

»Aber du hast ihm doch gesagt, sie sei im Krankenhaus. Was soll ihn denn davon abhalten, hierher zu kommen, sogar in diesem Augenblick?«, fragte Stuart.

»Wir wollen so tun, als käme sie nach Hause. Misty wird sich so wie sie anziehen. Cat sagt, sie haben etwa die gleiche Größe«, erklärte Jade ihm.

»Du meinst, sie wird sie verkörpern?«

»Genau«, sagte Jade. »Es wird dunkel sein, daher glauben wir, dass sie es schaffen kann.«

Stuart schüttelte den Kopf und warf erst mir, dann ihnen einen Blick zu.

»Das ist verrückt.«

»Das müssen wir tun, um sie zu beschützen. Wirst du uns helfen?«

»Was soll ich denn tun?«, fragte er.

»Halt als Erstes deinen Mund«, sagte Star. »Glaubst du, das kannst du? Cat glaubt das. Cat ist diejenige, die dir vertraut.«

Er schaute mich an.

»Wenn es für sie ist und wenn sie das möchte, natürlich«, sagte er. Ich lächelte.
»Tatsächlich ist es gut«, überlegte Jade laut, »wenn du mit dabei bist. Es gibt Cat mehr Sicherheit, dich in der Nähe zu haben.«
»Dabei zu sein?« Er machte eine Pause. »Ruft denn nie jemand ihre Schwester an? Kommt niemand sie je besuchen?«, fragte er mich.
»Nein. Sie hatte keine Freunde und wickelte fast alle ihre Geschäfte per Telefon ab. Sie hasste es, das Haus zu verlassen.«
»Und keine Familie?«
»Nur Cousins, die nie anrufen und nie schreiben«, sagte ich. »Sie rief sie ebenfalls nicht an und schrieb ihnen auch nicht.«
»Aber da draußen ist dein Vater«, erinnerte er uns.
»Wie gesagt, er sollte sich eigentlich fern halten. Wenn er herkommt, kannst du ihn verjagen«, sagte Jade. »Ihm drohen, die Polizei zu rufen.«
»Klar«, meinte Stuart skeptisch. »Ich werde ihn zu Tode erschrecken. Was macht er denn? Hat er keinen Job?«
»Er arbeitet bei einer Börsenmaklerfirma und kann fast alles tun, was er will«, sagte ich. »Er ist oft nicht in seinem Büro, sondern besucht Kunden.«
Stuart grinste. »Das wird nicht leicht werden.«
»Das war es bis jetzt auch nicht«, bemerkte Star trocken.
Wir hörten eine Hupe in der Auffahrt. Stuarts Kopf fuhr herum, er hatte die Augen weit aufgerissen.
»Das ist nur meine Limousine«, beruhigte Jade ihn. »Wir haben heute alle etwas zu erledigen, aber Misty kommt heute Abend noch einmal für eine Weile zurück. Allein. Du siehst, Cat holt ihre Mutter heute Abend aus dem Krankenhaus ab.«

»Hm?«
»Ich werde in ihre Kleidung schlüpfen, mein Haar so zurechtmachen wie Geraldines und einen Mantel oder so etwas überziehen, damit ich weitgehend verdeckt bin«, erklärte Misty.
»Wir hatten überlegt, ob du sie nicht fahren könntest«, sagte Jade.
»Was? Ich?«
»Du fährst mit Cat los und kommst mit ihrer Schwester wieder zurück.«
»Du kannst sogar den hilfsbereiten Gentleman spielen und ihr ins Haus helfen«, sagte Star. »Für den Fall, dass ihr beobachtet werdet.«
»Du musst das nicht tun, wenn du nicht möchtest«, versicherte ich ihm schnell.
»Ich könnte sie auch fahren«, sagte Jade, »aber wir dachten, da du sowieso hier bist, würde ihr Vater auch leichter glauben, dass Geraldine dir hinterher gestattet, hierher zu kommen.«
»Ihr glaubt, er ist heute Abend dort draußen?«, fragte Stuart und starrte nervös zum Fenster.
»Cat glaubt, dass er das Haus häufig beobachtet«, sagte Jade. »Du weißt ja bereits, dass er euch beiden gestern den ganzen Weg zum Strand gefolgt ist.«
Er lehnte sich zurück und wirkte niedergeschlagen.
»Also?«, wollte Star wissen.»Bist du dabei oder nicht? Stuart?«
Er sah uns scharf an.
»Ich sagte, wenn Cat das will ...«, erwiderte er, wirkte aber nachdenklich und beunruhigt.
»Gut«, sagte Jade und stand auf. Sie warf einen Blick auf ihre Uhr. »Ich muss gehen.«
»Warte«, hielt Stuart sie auf. »Wenn Misty Cathys

Schwester verkörpern soll, kann sie nicht hierher kommen. Ich meine, man darf nicht sehen, wie Misty hierher kommt, und auch nicht, wie sie mit uns ins Krankenhaus fährt. Wenn zwei Leute losfahren, müssen drei wiederkommen.«

»Das stimmt«, bestätigte Star. »Er hat Recht.«

»Ich schleiche mich durch die Hintertür herein«, schlug Misty vor, »nur um ganz sicherzugehen, und wenn ihr losfahrt, verstecke ich mich unten vor dem Rücksitz.«

»Setz rückwärts in die Auffahrt, dann kann Misty von der Garage aus einsteigen«, sagte Star.

»Hört sich so an, als hättet ihr Agentenfilme studiert oder so was«, sagte Stuart.

»Wir tun, was wir tun müssen, um einander zu helfen«, teilte Jade ihm mit. »Wir haben einen Schwur abgelegt.«

»Einen Schwur?« Er fing an zu lachen, hielt aber inne, als er sah, wie sich Jades Gesicht entschlossen verhärtete.

»Für uns haben Versprechen normalerweise keine Bedeutung, ganz gleich ob es Schwüre, Eheversprechen am Altar oder schriftliche Verträge sind. Aber was wir einander sagen, hat eine Bedeutung«, sagte sie mit einer solchen Autorität und Selbstsicherheit, dass sogar Stuart beeindruckt war. Star lächelte, und Misty wirkte erfreut.

»Das sind wir«, sagte sie. »WMEs. Und du bist vorläufig Ehrenmitglied.«

»Vorläufig«, murmelte Star. »Wir werden sehen, wie er sich macht.«

»In Ordnung. Lasst uns jetzt gehen«, drängte Jade zum Aufbruch. »Ich habe einige wichtige Dinge zu erledigen, bevor David heute Nachmittag zum Schwimmen kommt.« Sie hielt inne und sah Stuart an. »Du darfst ihm und auch sonst niemandem ein Sterbenswörtchen von uns erzählen«, warnte sie ihn. »Kein anderer weiß davon.«

»Ich verstehe«, sagte Stuart.

»Bis später, Cat«, verabschiedete Misty sich. »Ich werde das schon hinkriegen als Geraldine.«

»Ich melde mich später noch einmal bei dir«, versprach Star. »Ich rufe dich an.«

»Danke«, sagte ich.

Wir umarmten uns, dann beobachtete ich, wie sie hinausgingen und in die Limousine stiegen. Aus Gewohnheit warf ich einen prüfenden Blick auf die Straße. Ich sah ihn nicht. Das war auch nicht nötig. Ich spürte ihn nämlich.

Als ich ins Wohnzimmer zurückkehrte, saß Stuart noch immer in seinem Sessel, den Kopf gesenkt, die Hände wie im Gebet gegeneinander gepresst.

»Es tut mir Leid, Stuart. Ich wollte dich nicht in all das hineinziehen, aber mir blieb nur die Wahl, es dir entweder zu sagen oder ...«

»Oder was?«, fragte er und hob rasch den Blick.

»Etwas zu sagen oder zu tun, das dich vertreiben würde, damit ich mir nicht immer neue lahme Entschuldigungen ausdenken muss, warum Geraldine nicht zu Hause ist«, beendete ich den Satz.

»Also«, sagte er und stand auf. »Ich kann immer noch nicht glauben, dass ihr Mädels das getan habt, noch dazu im eigenen Garten?« Ich nickte.

»Ich muss einmal nachschauen und es mit eigenen Augen sehen, bevor ich es wirklich glaube«, sagte er.

Ich folgte ihm zur Hintertür. Er öffnete sie, trat hinaus und warf einen Blick über den Garten. Es war ein überwiegend bewölkter Tag, an dem gelegentlicher Sonnenschein trübselige Wolken über alles warf.

»Der frisch eingesäte Samen und die neu gepflanzten Blumen verraten es. Stimmt's?«, fragte er und nickte in Richtung auf das Grab.

»Stimmt. Nach einer Weile wird es aber nur noch schwer zu erkennen sein.«

»Vielleicht.«

»Du hättest uns in der Nacht dort draußen sehen sollen. Es war nicht leicht, ein Grab zu schaufeln.«

»Das kann ich mir denken«, sagte er kopfschüttelnd. Dann schaute er mich mit zusammengekniffenem Blick beunruhigt an. »Du bist also wirklich ganz auf dich gestellt? Du hast wirklich niemanden mehr?«

»Ich habe die Mädchen und ich hoffe, dich«, antwortete ich.

Er schaute wieder auf das Grab.

»Das ist verrückt, Cathy. Ich habe wirklich gemeint, was ich da drinnen vor den anderen gesagt habe, aber jetzt, wo ich das sehe und mir klar wird, was passiert ist, kannst du nicht damit weitermachen. Es ist wirklich illegal. Ich glaube, keine von euch hat das wirklich bedacht.«

»Aber du hast ihnen doch gesagt, dass du helfen würdest, Stuart.«

»Selbst wenn ihr es schafft, das durchzuziehen, bis du achtzehn bist, wie willst du das hier dann erklären? Du weißt, dass sie sie ausgraben und untersuchen werden, ob sie eines natürlichen Todes starb. Wenn es nur den geringsten Hinweis darauf gibt, dass dies nicht der Fall ist, steht ihr möglicherweise alle vier unter Mordverdacht.«

»Mordverdacht! Sie ist einfach gestorben, Stuart. Sie hatte einen Herzinfarkt.«

»Aber woher weißt du das? Keine von euch ist Ärztin, Cathy. Weißt du, wie das festgestellt wird? Ich schon. Denk daran, ich will Mediziner werden. Sie machen eine Autopsie und untersuchen das Herz. Sie können feststellen, ob es geschädigt ist. Und wenn nicht?«

»Warum sollte sie sonst gestorben sein?«, stöhnte ich. Ich

wünschte, wir würden diese Unterhaltung nicht drei Meter von Geraldines Grab entfernt führen. Ich konnte fast sehen, wie sie unter der Erde grinste.

»Es gibt viele verschiedene Todesursachen.« Er überlegte einen Augenblick, dann drehte er sich zu mir um und legte mir die Hände auf die Schultern. »Cathy, was wäre denn, wenn sie deprimiert wegen all dem war und sich das Leben nahm? Wenn sie irgendwelche Pillen oder so etwas geschluckt hat? Verstehst du nicht? Jemand könnte denken, du hast die Pillen in ihr Essen getan und deine Freundinnen, die alle so gestört sind, dass sie therapeutisch behandelt werden mussten, haben sie begraben, um zu vertuschen, was du getan hast.«

Ich schüttelte den Kopf.

»Nein, nein, so ist das nicht gewesen. So etwas hätte ich nie tun können«, rief ich.

»Aber bestimmt hast du es dir manchmal gewünscht, oder?«

»Vielleicht«, gab ich zu.

»Also könnte jemand, der dich nicht kennt, das auch denken.« Er trat zurück. »Nein«, sagte er. »Jetzt, da ich das da gesehen und über alles nachgedacht habe, wird mir klar, dass du die Polizei rufen und ihnen sagen musst, was du getan hast.«

»Nein, Stuart«, bat ich. Tränen strömten mir in Zickzacklinien über die Wangen bis aufs Kinn. »Das könnte ich nicht. Sie sind meine Freundinnen, meine besten Freundinnen. Ich kann sie nicht hintergehen. Wir stecken doch alle mit drin.«

»Ja, ich weiß. Die WMEs. Ihr seid doch keine Kinder mehr. Als Nächstes wirst du mir erzählen, dass ihr ein Clubhaus habt.«

Ich warf einen Blick auf das Haus.

»Oh, das ist euer Clubhaus?«
»Ja, in gewisser Weise«, gab ich kleinlaut zu.
»Cathy, das ist doch alles verrückt. Du wirst in große Schwierigkeiten kommen.«
Ich schüttelte den Kopf.
»Du hast es ihnen versprochen, Stuart. Du sagest, du würdest uns helfen.«
»Ich weiß, ich weiß. Realität ist aber, dass du das nicht monatelang aufrechterhalten kannst. Irgendetwas wird passieren. Dein Vater wird schließlich darauf kommen, dass etwas nicht in Ordnung ist. Siehst du das denn nicht ein? Du musst sie anrufen und dazu bewegen, zur Polizei zu gehen. Und wenn sie nicht wollen, musst du es selbst tun. Das ist deine Schwester dort unter der Erde!«
Ich schüttelte heftig den Kopf.
»Nein, das wäre ein schrecklicher Verrat.«
»Was ist denn wichtiger?«, fragte er. »Loyalität ihnen gegenüber oder das Richtige zu tun?«
»Loyalität ihnen gegenüber«, antwortete ich entschlossen und trat zurück, weg aus seiner Reichweite.
»Das wird nicht funktionieren«, insistierte er, warf einen Blick zurück auf das Grab und schüttelte den Kopf.
»Du hast es versprochen«, erinnerte ich ihn unter Tränen. »Ich habe sie dazu überredet, dir zu vertrauen«, stöhnte ich. »Ich dachte, du machst dir wirklich etwas aus mir und wolltest mit mir zusammen sein.«
»Das tue ich doch«, sagte er. »Deshalb sage ich dir doch das alles.« Er starrte zu Boden. »Lass mich nachdenken. Schwüre, Clubs, WMEs, mein Gott.«
Ich spürte, wie eine Woge des Zorns und der Härte über mich hinwegschwappte.
»Denk nicht mehr daran. Du kannst jetzt nach Hause gehen, Stuart«, sagte ich, wischte mir mit der Faust die

Tränen von den Wangen und richtete mich auf meinen Krücken auf. »Vergiss einfach alles, was wir dir erzählt haben, und geh nach Hause. Du musst uns nicht helfen, mir nicht helfen und dich selbst in Schwierigkeiten bringen.«

»Ich habe nicht gesagt, ich würde dir nicht helfen«, protestierte er. »Ich versuche dir doch jetzt zu helfen. Denk doch einmal nach.«

»Ich gehe wieder nach drinnen«, sagte ich und wandte mich von ihm ab. So schnell ich konnte, ging ich durch das Haus ins Wohnzimmer und setzte mich in Geraldines Sessel. Wenige Augenblicke später erschien er mit hängenden Schultern und gesenktem Blick in der Tür.

»Ich möchte dir wirklich helfen, Cathy, und ich möchte dich auch nicht verlieren. Ich mag dich sehr, aber ich muss auch an meine Mutter denken und was dies für sie bedeuten würde nach allem, was sie bereits erlitten hat. Auch an meinen kleinen Bruder muss ich denken.«

»Geh nach Hause zu deiner Mutter und deinem kleinen Bruder, Stuart.«

Er hob den Kopf.

»Ich bin bereit, bei dir zu bleiben, dich zur Polizei zu fahren, wenn du möchtest.«

Ich zwang mich zu lächeln.

»Danke, Stuart. Wenn ich mich dazu entschließe, werde ich dich anrufen«, sagte ich.

»Cathy, du denkst einfach nicht an die Konsequenzen«, drängte er.

»Tatsächlich? Was sind denn die Konsequenzen, Stuart? Sind sie schlimmer als die Folgen, die ich erlitten habe, bloß weil ich in diesen Alptraum hineingeboren wurde? Jade hatte dich aufgefordert, deine Fantasie anzustrengen, aber ganz gleich, wie gut deine Vorstellungskraft ist, du kannst es nicht einmal annähernd verstehen. Trotz meines Vaters waren diese letzten Tage die ersten Tage meines Lebens, in denen ich fühlte, glaubte, ich könnte ein Mensch mit eigener Identität sein, jemand, der lieben kann und geliebt wird. Meine gestörten Freundinnen, wie du sie nennst, halfen mir dabei und dachten nicht ein einziges Mal daran, welche Risiken sie dabei auf sich nahmen. Wir sind wirklich etwas ganz Besonderes. Du kannst lachen und dich lustig machen so viel du willst, aber wir sind die WMEs«, sagte ich.

»Cathy …«

»Ist schon gut, Stuart. Ich verstehe wirklich, was du gerade durchmachst. Ich weiß jetzt, dass es unfair war, dich um so etwas zu bitten. Ich bin nicht böse auf dich. Du hast eine Verantwortung für deine Mutter und deinen Bruder.«

Er wirkte erleichtert.

»Ich würde wirklich gerne bei dir bleiben, und wenn du dich entschließt zu tun, was ich gesagt habe, werde ich dir dabei helfen. Bis dahin schwöre ich«, sagte er und hob die Hand, als stünde er vor Gericht, »nicht über all dies zu reden. Wenn später irgendetwas passieren sollte, behaupte ich einfach, ich hätte es nicht wirklich geglaubt. Aber wenn ich an dieser Inszenierung mitwirke, wird das unmöglich.«

»Ich verstehe«, sagte ich. »Wirklich.«

Er starrte mich einen Augenblick an.

»Wir könnten immer noch ins Kino gehen«, schlug er vor. »Wenn du möchtest.«

»Ist schon gut. Ich glaube, ich ruhe mich besser aus.«

»Und denk darüber nach, was ich dir gesagt habe«, fügte er nickend hinzu. »Ich hoffe, du kommst noch zu Vernunft und überzeugst die anderen auch davon. Dann ruf mich an,

und ich komme sofort hierher, Cathy. Das ist ein Versprechen«, schwor er und hob wieder die rechte Hand.
Ich glaube nicht, dass es ein Wort gab, welches ich mehr hasste.
»Danke, Stuart«, sagte ich trotzdem.
Er kam zu mir, küsste mich auf die Stirn, als würde er verhext, wenn er mich auf die Lippen küsste, dann drehte er sich um und ging hinaus. Ich hörte, wie die Tür sich öffnete und schloss. Das darauf folgende Schweigen brüllte mir gellend in den Ohren.
Misty hatte so Recht gehabt. Ich hatte die erste Chance auf Liebe beim Schopf gepackt. Ich wollte etwas, das nicht vorhanden war, so sehr haben, dass ich alle Warnungen in den Wind schlug. Verzweifelt hatte ich mir selbst beweisen müssen, dass ich dazu imstande war, jemanden zu lieben trotz allem, was mein Vater mir angetan hatte. Diese Verzweiflung und meine Unerfahrenheit hatten mich blind gemacht für die Realität. Ich fühlte mich schrecklich wegen dem, was ich meinen Freundinnen angetan hatte, und ebenso schrecklich wegen dem, was ich mir selbst angetan hatte. Mir graute vor dem Telefongespräch, das ich jetzt führen musste.
Traurig ging ich nach oben und betrat unseren besonderen Raum. Ich setzte mich auf den Teppich und zündete die Kerze an. Dann schloss ich die Augen. Hatte Stuart Recht? Sollten wir der Polizei erzählen, was wir getan hatten? Konnten wir so tief in Schwierigkeiten geraten, dass jede von uns es büßen musste, mir geholfen zu haben? Ich wollte doch nur so gerne meine Freiheit und meine Freundinnen haben und ein normales Leben führen, dass ich bereit war, fast alles zu tun, fast alles zu glauben und fast alles zu versuchen. Wie sehr wünschte ich mir, ich hätte jemanden, der älter und klüger war, mit dem ich reden konnte,

jemanden, der mir zuhören würde. Ich war in großer Versuchung, Dr. Marlowe anzurufen, aber irgendetwas ohne das Einverständnis der anderen Mädchen zu tun, erschien mir ein noch größeres Unrecht.

Das Zimmer tat bei mir nicht seine Wirkung. Ohne die anderen, ihren Geist und ihre Energie funktionierte es nicht. Ich blies die Kerze aus und wollte das Zimmer noch niedergeschlagener, als ich es betreten hatte, wieder verlassen, als plötzlich das Telefon klingelte. Vielleicht funktionierte der Raum doch, dachte ich. Es musste Jade, Star oder Misty sein. Sie hatten gespürt, in welchen Nöten ich mich befand. Ich hatte eine von ihnen mit meinem Hilfeschrei erreicht, und sie rief jetzt an. Hoffentlich war es Jade. Sie würde am vernünftigsten reagieren.

»Hallo«, meldete ich mich ängstlich, als ich den Hörer abgehoben hatte.

»Du lügst«, sagte er. »Ich habe jedes Krankenhaus in Los Angeles angerufen, und sie ist in keinem angemeldet. Wo ist sie?«, wollte mein Vater wissen.

Ich versuchte zu sprechen, aber mein Hals war wie zugeschnürt.

»Hat sie dir gesagt, du sollst mir dieses Ammenmärchen auftischen?«, herrschte er mich an.

»Das ist keine Lüge«, brachte ich schließlich heraus. »Du hast nicht das richtige Krankenhaus angerufen. Ich habe dir doch gesagt, dass sie nicht will, dass du sie anrufst oder besuchst. Ich werde sie später abholen. Sie wird entlassen«, sagte ich. »Ich werde ihr sagen, dass du immer wieder angerufen hast, und ich werde ihr auch erzählen, dass du in unser Haus eingebrochen bist. Ich werde ihr erzählen, dass du mir gefolgt bist und mir hinterherspioniert hast. Heute sage ich ihr alles. Lass uns in Ruhe!«, schrie ich ihn an.

Ich knallte den Hörer so fest auf, dass beinahe die Gabel zu Bruch ging. Einige Augenblicke stand ich einfach da und starrte das Telefon an. Mein Herz raste, während ich nach Luft schnappte. Dann sank ich langsam zu Boden und rief schluchzend Jade an.

Mit einem Lachen meldete sie sich.

»Sei still«, hörte ich sie jemandem zurufen. »Du bist ein solcher Idiot. Hallo«, sagte sie und lachte noch einmal, bevor ich ein Wort gesagt hatte.

»Jade.«

»Cat? Was ist denn jetzt los?«, stöhnte sie.

»Es tut mir Leid«, schluchzte ich.

»Ich kann dich nicht verstehen. Was ist los? Warum weinst du? Cat?«

»Es tut mir Leid, Jade. Ich habe einen Fehler gemacht. Stuart ... will nicht darin verwickelt werden. Er ist gegangen«, sagte ich.

»Na toll. Ich hatte so ein Gefühl, dass das passieren würde. Wir hätten nicht auf dich hören sollen. Verdammt.«

»Es tut mir Leid. Aber ich glaube ihm, wenn er sagt, dass er es niemandem erzählen will.«

»Klar. Jungen sind solche widerlichen Kreaturen.«

»Wir haben noch ein anderes Problem«, sagte ich. »Mein Vater hat gerade angerufen und verlangt, mit Geraldine zu sprechen. Er behauptete, in jedem Krankenhaus in Los Angeles angerufen zu haben. Ich habe ihm gesagt, ich würde sie heute wieder abholen, und den Hörer aufgeknallt.«

»Meine Güte«, sagte sie.

»Es tut mir Leid. Was sollte ich tun?«

»Nichts. Du wirst fahren müssen. Nur gut, dass du dir nicht das rechte Fußgelenk gebrochen hast. Ich werde dir Misty früher als verabredet rüberschicken. Dann könnt ihr im Schutz der Dunkelheit genauso vorgehen, wie wir es geplant haben. Hoffentlich führen wir ihn dadurch in die Irre. Es ist Cat«, hörte ich sie sagen. »Stuart fährt dich nicht.«

»Ist Misty da?«

»Ja, sie ist mit Chris hier. Er und David warten am Pool auf uns. Wir gehen schwimmen. Sie muss sich ihre eigene Entschuldigung ausdenken, um ihn eine Weile loszuwerden. Glaubst du, dein Vater ist jetzt da draußen?«

»Ich weiß es nicht. Ich habe Angst«, sagte ich. »Stuart glaubte, wir könnten unter Mordverdacht verhaftet werden. Ich will euch nicht alle in Schwierigkeiten bringen. Ich bin in unser Zimmer hinaufgegangen: Ich bin jetzt dort, aber es funktioniert nicht.«

»Was? Du bist in dem Zimmer?«

»Es funktioniert nicht.«

»Cat, immer mit der Ruhe. Du wirst hysterisch.«

»Ich zündete die Kerze an. Ich versuchte zu meditieren und mich zu beruhigen und ...«

»Schon gut. Schon gut. Ich schicke Misty jetzt zu dir. Sie kommt so schnell wie möglich.«

Ich hörte sie im Hintergrund stöhnen.

»Sie wird mich hassen. Ich weiß, dass sie gerne mit Chris zusammen wäre.«

»Das ist schon in Ordnung. Ich rede mit ihr. Sie wird tun, was sie gesagt hat.« Jade senkte ihre Stimme zu einem verschwörerischen Flüstern. »Sie kommt durch die Hintertür. Schließ die Tür auf und warte auf sie. Und versuche ruhig zu bleiben, Cat. Das ist jetzt am wichtigsten.«

»Tut mir Leid. Das ist alles mein Fehler.«

»Mach das nicht«, schrie Jade beinahe. »Wir wollen gar nicht erst damit anfangen, einander die Schuld zu geben. Warte einfach ganz ruhig. Zum Teufel mit ihnen«, sagte sie.

Ich war mir nicht sicher, wen sie mit »ihnen« meinte, hatte aber Angst, noch einen Ton von mir zu geben.
»In Ordnung«, sagte ich mit dünnem Stimmchen und legte auf.
Heftig zitternd klammerte ich mich an meine Krücken, als ich aus dem Zimmer ging. Ich wusste nicht wohin. Plötzlich erschien es mir schrecklich, nach unten zu gehen und dort allein zu sein. Stattdessen ging ich in mein Zimmer und schloss die Tür. Das hatte ich schon mein ganzes Leben lang getan, wenn ich Angst hatte. Ich kroch auf mein Bett, zog die Beine an und umklammerte sie, schloss die Augen und wartete darauf, dass die Wogen der Angst abebbten. Manchmal geschah das sofort, manchmal schien es Stunden zu dauern. Ich schlief dann ein und wachte immer noch zitternd auf.
Geraldine kam nie, um nach mir zu schauen, selbst als ich noch sehr klein war. Es kam so weit, dass ich die zärtlichen Hände meines Vaters willkommen hieß, wenn er kontrollierte, ob mit mir alles in Ordnung war.
»Ist ja alles gut«, sagte er dann. »Unser kleines Mädchen soll sich wieder wohl fühlen.«
Alle meine ungehörten, nie ausgestoßenen Schreie waren in diesem Zimmer gefangen. Ich stellte mir vor, wie sie unter der Oberfläche brodelten. Die Wände hatten sie wie ein Schwamm aufgesaugt. Sie konnten jeden Moment plötzlich in einem Schrei explodieren, der so gewaltig war, dass das ganze Haus in einer Staubwolke in die Luft fliegen würde. Eine Windböe käme daher und würde es davonblasen, als hätte es nie existiert, und mich und meine Schwester und meinen Vater mitnehmen. Die Welt wäre dann besser dran, fand ich.
Ich versuchte meine Ohren ebenso wie meine Augen zu verschließen, weil Geräusche durch den Boden aufstie-

gen. Ich konnte schwören, dass ich den Staubsauger hörte. Geraldine war da und putzte, weil sie Staub und Dreck so sehr hasste, murmelte etwas vor sich hin, was sie gelesen oder gesehen hatte und ihre finsteren Ansichten über die Menschen bestärkte. Vielleicht hätte ich sie nicht so sehr hassen sollen. Auch sie war betrogen worden. Jetzt konnte ich verstehen, warum sie so bitter und verhärtet war. An wen hatte sie denn glauben können?

War dies das Geräusch von laufendem Wasser? Scheuerte sie den Boden, wischte sie einen Tisch ab, putzte sie die Fenster? Und jetzt, war dies das Dröhnen des Fernsehers, eingeschaltet auf einen ihrer elektronischen Prediger, der ihre trüben Visionen bestätigte? Hörte ich Schritte auf der Treppe? Ich presste die Augenlider zusammen und drückte meinen Körper. Sie wisperte durch die Tür.

»Ich habe es dir ja gesagt. Jetzt erntest du, was du gesät hast. Du hast mit ihm geschlafen. Du hast zugelassen, dass er dich berührt. Du bist schmutzig bis in deine Seele. Das kannst du nicht wegschrubben, ganz gleich wie lange du dich in der Badewanne oder unter der Dusche einweichen lässt. Jeder, der dich anschaut, kann es sehen. Die Sünde schaut dir aus den Augen. Du hast zugelassen, dass er dich berührt.«

Wen meinte sie, Stuart oder meinen Vater?

Das Flüstern wurde unverständlich. Man hörte nur noch das Wispern ihrer vertrockneten Lippen. Ich richtete meine ganze Konzentrationskraft auf das Bild einer einzelnen Kerzenflamme und beobachtete, wie sie flackerte, bis sie zu einer winzigen Rauchspirale wurde und verschwand.

Als es laut klopfte, riss ich die Augen auf. Ich lauschte mit heftig pochendem Herzen. War alles, was ich mir vorgestellt hatte, wirklich passiert? Etwas klirrte gegen das

Fenster, dann hämmerte etwas gegen die Wand. Ich erhob mich verwirrt und erschreckt, ging zum Fenster und starrte hinaus. Misty war unten. Rasch öffnete ich das Fenster.

»Was machst du denn? Du hast die Hintertür nicht aufgelassen!«

»Oh, tut mir Leid«, sagte ich. »Ich bin eingeschlafen.«

»Beeil dich. Es sieht aus, als würde es wieder anfangen zu regnen«, befahl sie und lief rasch um das Haus herum zur Rückseite.

Ich bewegte mich so schnell wie möglich die Treppe hinunter durch das Haus zur Hintertür. Sie stürmte herein und schloss sie schnell hinter sich.

»Was ist passiert? Kannst du dich nicht an unseren Plan erinnern?«

»Doch, tut mir Leid. Mir war nicht klar, wie lange ich geschlafen habe.«

»Jade erzählte mir, was du gesagt hast. Ich wusste, dass wir ihm nicht hätten vertrauen sollen. Habt ihr Schluss gemacht?«

»Ich glaube schon«, sagte ich. »Jedenfalls rechne ich nicht damit, dass er wiederkommt.«

»Ohne ihn bist du besser dran«, meinte sie. »Ich werde nie einem Mann völlig vertrauen können, nicht einmal dem Mann, den ich heirate, falls ich heirate. Was nützen Versprechen und Schwüre denn schon, selbst wenn ein Priester die Hand über euch beide hält? Ariel tut mir Leid. Vermutlich wird mein Vater auch ihr das Herz brechen…

Hat er noch einmal angerufen?«, erkundigte sie sich plötzlich.

»Du meinst, mein Vater?« Sie nickte. »Nein.«

»Also, lass uns anfangen. Ich habe Chris versprochen,

dass ich mich um halb acht mit ihm treffe. Ein Gutes an Chris ist, dass er nie viele Fragen stellt. Wo ist das Kleid?«

»Oben, wo du es gelassen hast«, sagte ich.

Sie eilte voraus. Nachdem sie es angezogen und ihr Haar so hergerichtet hatte wie Geraldines, stiegen wir ins Auto. Sie setzte sich hinten auf den Boden.

»Bist du sicher, dass du fahren kannst?«

»Ja«, sagte ich, obwohl ich mir alles andere als sicher war. Ich konnte das Zittern in mir nicht unterdrücken. Als ich das Lenkrad anfasste, fühlte ich mich ein bisschen besser, aber ich atmete immer noch so hastig, dass ich befürchtete, einen schrecklichen Fehler zu begehen und einen Unfall zu verursachen. Was würden wir dann tun? Wie könnten wir irgendetwas erklären?

»Los, los, los«, drängte Misty. »Hier unten ist es nicht gerade bequem.«

»In Ordnung.«

Ich ließ den Motor an und öffnete das Garagentor.

»Oh, nein«, stöhnte ich. »Es regnet stark.«

»Das ist doch gut. Dann kann er uns schwerer erkennen«, meinte sie.

Stimmt, dachte ich, aber es ist auch schwerer zu fahren. Vorsichtig steuerte ich hinaus. Als ich die Auffahrt verließ, schaute ich mich rasch um und spähte nach Anzeichen auf meinen Vater. Ein Auto, das mehr als einen halben Block entfernt stand, sah aus wie seines.

»Ich glaube, er ist da. Er wird uns wohl folgen.«

»Versuch ihn abzuhängen, wenn er hinter uns ist«, riet Misty mir.

Ich beobachtete den Rückspiegel. Durch die Regentropfen sah das Fenster aus wie zersprungenes Glas.

»Es ist schwierig, hier drinnen etwas zu erkennen. Ich kann nicht genau sagen, ob es sein Auto ist.«

»Vergiss ihn, Cat. Fahr einfach zum Krankenhaus.«
»Welches Krankenhaus? Darüber haben wir doch nie gesprochen!«, schrie ich in Panik.
»Immer mit der Ruhe«, beschwichtigte sie mich und gab mir Anweisungen, zum St. John's zu fahren.
Während der ganzen Fahrt wusste ich nicht genau, ob er direkt hinter uns war oder nicht. Ich bog häufig ab und fuhr durch Nebenstraßen. Schließlich erreichten wir das Krankenhaus, parkten und warteten so lange, wie wir glaubten, dass Geraldines Entlassung dauern würde. Ich forschte nach Anzeichen von ihm, sah aber keine. Als wir glaubten, dass ausreichend Zeit vergangen war, fuhren wir mit Misty auf dem Beifahrersitz davon.
Es goss in Strömen, schwächte sich dann aber zu einem Nieselregen ab. So war das nun mal in Los Angeles. Zehn Blocks entfernt konnte es in Sturzbächen gießen und hier überhaupt nicht. Als wir zu Hause ankamen, schloss ich die Garagentür hinter uns, bevor wir ausstiegen. Dann gingen wir ins Wohnzimmer, und Misty setzte sich in Geraldines Sessel. Ich öffnete die Jalousie gerade weit genug, dass man ihre Silhouette sehen konnte.
»Ich werde jetzt so tun, als brächte ich dir eine Tasse Tee«, sagte ich.
»Tu nicht nur so. Ich könnte etwas Heißes zu trinken vertragen.«
Nachdem ich ihr den Tee gebracht hatte, nippte sie daran und lächelte.
»Und? Wie sehe ich aus?«
»Ich weiß es nicht. Ich glaube, von der anderen Straßenseite aus siehst du aus wie sie.«
»Ich bleibe hier noch zwanzig Minuten sitzen, dann verlasse ich das Zimmer und verschwinde durch die Hintertür. Natürlich ziehe ich mich vorher erst um«, fügte sie la-

chend hinzu. »Es ist gruselig, aber wenn es funktioniert, bleibt er hoffentlich auf Abstand.«

»Wollen wir es hoffen«, sagte ich.

»Sei nicht traurig wegen Stuart. In einer Woche hast du einen neuen Freund. Ich habe schon ein paar Ideen. Jade möchte deswegen morgen Abend ein Treffen veranstalten«, fügte sie hinzu.

»Okay«, stimmte ich zu, »aber macht euch keine Sorgen darüber, mir einen neuen Freund zu besorgen.«

Ich spähte durch die Jalousie auf die Straße. Vielleicht war er nicht da. Vielleicht war das alles umsonst. Vermutlich würden wir das bald wissen.

»Ich werde etwas Suppe aufwärmen«, sagte ich. »Ich komme gleich zurück.«

»In Ordnung. Mir geht es gut«, versicherte sie mir.

Von der Tür aus warf ich einen Blick zurück auf sie. Sie trank ihren Tee und starrte durch die Jalousie. Von meinem Standpunkt aus sah sie wie Geraldine aus. Wie oft hatte ich sie in diesem Sessel gesehen, während sie Tee trank und auf die Straße hinausstarrte? Was ging ihr dabei durch den Kopf? Was sah sie? Malte sie sich einen Ausweg aus ihren schrecklichen Enttäuschungen aus, oder stellte sie sich vor, für immer darin eingekerkert zu sein?

Ich konnte sie immer noch sehen, hören, ja sogar riechen. Menschen sterben nicht, solange die Erinnerung an sie fortlebt. Wie närrisch war ich zu glauben, dass wir sie nur in die Erde rollen und zuschaufeln brauchten, um von ihr befreit zu sein.

Geraldine und ich würden für immer verbunden sein. Wir teilten das gleiche Schweigen und hörten ähnliche Stimmen. Selbst jetzt in unserem gemeinsamen Garten des Kummers war ich bei ihr.

KAPITEL SIEBZEHN

Daddys Zuhause

Vielleicht hatte es funktioniert. Stunden vergingen, und mein Vater hatte weder angerufen noch es gewagt, zur Tür zu kommen. Ich hatte aber auch von keinem der Mädchen etwas gehört. Kurz vor zehn rief Jade schließlich an, um zu hören, wie es mir ging. Ich hörte Musik und Gelächter im Hintergrund. Sie erzählte mir, dass sie mit David in einem exklusiven Beach Club war.

»Hast du mit Star gesprochen?«, fragte sie.

»Nein.«

»Ich hatte früher versucht, sie zu erreichen, um ihr von Stuart zu erzählen, aber sie war mit Larry irgendwo hingegangen, und ich wollte ihrer Großmutter keine Nachricht hinterlassen. Sie verbringt jetzt immer mehr Zeit mit ihm.«

»Also weiß sie das mit Stuart noch nicht?«

»Nein, falls nicht Misty in der Zwischenzeit mit ihr gesprochen hat. Ich plane, dass wir uns alle morgen Abend treffen. Misty hat dir Bescheid gesagt, ja?«

»Ja.«

»Wieder eine Krisensitzung«, sagte sie, »aber das ist ja nichts Neues mehr.«

»Vielleicht hatte Stuart Recht«, gab ich traurig zu bedenken. »Vielleicht haben wir einen Riesenfehler gemacht und bekommen noch schreckliche Schwierigkeiten.«

»Lass dich nicht deprimieren, Cat. Wir kriegen das schon in den Griff. Das tun wir doch immer«, munterte sie mich auf. »Ich muss jetzt gehen. David wartet. Stuart hat ihm offensichtlich nichts gesagt. Ich rufe dich morgen früh an, sobald ich auf den Beinen bin. Im Moment sieht es allerdings so aus, als könnte das morgen Nachmittag sein«, fügte sie lachend hinzu.

Wenige Minuten, nachdem ich aufgelegt hatte, rief Misty an. Sie erzählte, das sie und Chris gerade aus dem Kino gekommen seien und jetzt Pizza essen gehen wollten.

»Ist irgendetwas passiert?«, fragte sie atemlos. Es hörte sich an, als hänge sie über dem Hörer, damit Chris nichts mitbekam.

»Nein. Jade hat angerufen und erzählt, dass sie noch nicht mit Star gesprochen hat. Du?«

»Nein. Wir werden sie morgen früh anrufen. Ist mit dir alles in Ordnung?«

»Ja«, log ich.

Ich wollte nichts sagen, das sie davon abhalten würde, sich zu amüsieren. Wenn ich nur nicht darauf bestanden hätte, Stuart alles zu erzählen, würde ich vermutlich die Nacht mit ihm verbringen und mich auch amüsieren. Zumindest ein oder zwei Nächte mit ihm hätte es noch gegeben. Ich war selbst mein schlimmster Feind. Geraldine hatte das auch immer gesagt. Zumindest damit könnte sie Recht gehabt haben.

»Könntest du mir einen Gefallen tun?«, bat Misty.

»Was denn?« Was konnte sie bloß von mir wollen, fragte ich mich.

»Ich wollte Chris hinterher mit nach Hause nehmen, aber meine Mutter veranstaltet zu Hause eine kleine Party. Anscheinend hat sie auch eine Verabredung. Seit der Hochzeit meines Vaters ist sie auf der Suche nach einem Freund. Aus reinem Trotz.«

»Was für einen Gefallen soll ich dir denn tun?«

»Ich will in etwa einer Stunde Chris mit zu dir bringen. Meinst du, das geht in Ordnung, auch wenn du keinen hast, der bei dir ist?«

»Ich weiß es nicht«, überlegte ich. »Nicht, dass es mir etwas ausmachte, keine Verabredung zu haben. Aber wenn mein Vater dort draußen ist und wirklich glaubt, Geraldine sei wieder zu Hause, würde er sich bestimmt darüber wundern. Geraldine würde niemand nach zehn Uhr gestatten, auch nur einen Fuß über unsere Schwelle zu setzen, und er glaubt ja hoffentlich, dass sie da ist. Würden wir das nicht aufs Spiel setzen?«

»Er kann ja nicht Tag und Nacht vor eurer Tür parken«, gab sie zu bedenken.

»Ich hätte auch nicht geglaubt, dass er in der Nacht dort war, als er das Foto schoss, wie Stuart mich küsste«, entgegnete ich.

»Wir könnten so wie ich zur Hintertür hereinkommen«, schlug sie vor.

»Aber wie willst du das Chris erklären?«

»Ich sage einfach, ein Nachbar hätte sich über unsere Party beschwert und du wolltest nicht, dass deine Mutter das erfährt. Du hättest ihr versprochen, dass keine weiteren Partys mehr stattfinden. Wie gesagt, er stellt nicht viele Fragen. Wir bleiben im Wohnzimmer. Du brauchst nicht auf uns zu warten oder so. Lass einfach die Hintertür offen«, bat sie.

Die Vorstellung jagte mir einen Schauer über den Rücken, aber dann wurde mir klar, dass mein Vater sie leicht aufbrechen konnte, wenn er wollte.

»Okay«, gab ich nach.
»Und, Cat?«
»Ja?«
»Erzähl Jade oder Star nichts davon. Sie haben nichts damit zu tun«, sagte sie.
Wir haben keine Geheimnisse voreinander, dachte ich, aber ich wusste, warum sie nicht wollte, dass sie es wussten. Es war gut möglich, dass sie sehr sauer auf sie wurden, weil sie so ein Risiko einging.
»Ich werde sie nicht belügen, wenn sie mich fragen«, warnte ich sie.
»Nein. Das verlange ich ja auch gar nicht. Erzähl es ihnen nur nicht unaufgefordert. In Ordnung? Wenn nicht, verstehe ich das auch«, sagte sie.
»Nein, ist schon gut.«
Ich fand den Gedanken sogar tröstlich, dass diese Nacht jemand im Haus war, selbst wenn sie völlig ineinander aufgingen und praktisch vergaßen, dass es mich gab.
»Warte nicht auf uns«, wiederholte sie und legte auf.
Nachdem ich die Hintertür aufgeschlossen hatte, ging ich ins Wohnzimmer, um fernzusehen, aber ich bekam überhaupt nichts mit. Der Bildschirm flackerte und erstrahlte, wimmelte vor Menschen. Die Stimmen verschwammen zu einem unverständlichen Summen. Als ich mich umschaute, fühlte ich mich plötzlich schrecklich einsam. Ich musste an all die älteren Menschen denken, die allein in ihren Häusern saßen und die Welt durch das Fenster ihres Fernsehers sahen. Wenn sie sich umdrehten und zum Fenster hinausschauten, sah es dort nach einer Weile nicht viel anders aus. Was real war und was nicht, war nur schwer zu unterscheiden.
Ich schloss die Augen und versuchte an Stuart zu denken, versuchte mich an unseren wundervollen Tag und unsere

Nacht zu erinnern, aber sein Gesicht und seine Stimme versanken bereits im Sumpf verlorener Erinnerungen. Wir hatten nicht genug Zeit gehabt, um einen sicheren Aufbewahrungsort für unsere Erinnerungen zu schaffen. Hatte ich mir sein Lächeln, seine wundervollen Worte, seine Berührung und seinen Kuss nur vorgestellt? Was war real und was nicht? Vielleicht gar nichts. Vielleicht hatte ich mir alles so sehr gewünscht, dass ich es nur geträumt hatte.

Beunruhigt, dass Misty und ich unsere Sache nicht gut gemacht hatten oder dass mein Vater es gar nicht gesehen hatte, versuchte ich aufzubleiben, bis sie und Chris eintrafen, aber sosehr ich mich auch bemühte, eine schreckliche Benommenheit schwappte über mich hinweg und ertränkte mich, bis ich immer tiefer in einen Alptraum versank. Ich eilte durch einen Gang voller Spinnweben, zerriss eine nach der anderen, floh vor jemandem, dessen Schritte immer lauter wurden, während meine Panik ständig wuchs. Die Spinnweben wurden immer dichter und ließen sich immer schwerer zerreißen. Bald kämpfte ich verzweifelt, um durch eine hindurchzugelangen. Die Fäden klebten wie Gummi an Armen und Beinen. Ich ermüdete immer stärker und stolperte, bis ich schließlich in eine große Spinnwebe fiel und darin festhing, außer Stande, Arme oder Beine zu bewegen.

Als ich niederblickte, war ich nackt. Der Schatten, der mir folgte, wurde immer dunkler, kam immer näher. Dann erwachte ich schreiend. Meine eigene Stimme versetzte mich in Angst und Schrecken. Ich ruderte mit den Armen und fiel rückwärts in den Sessel, verblüfft, dass es nur ein Traum gewesen war. Ich war in Schweiß gebadet. Mein Herz trommelte und jagte mein Blut in rhythmischen Schlägen durch den Körper. Es dauerte ein paar Minuten, bis ich wieder Luft bekam.

Es war sehr still. Misty und Chris waren noch nicht gekommen. Tatsächlich hatte ich nur ein paar Minuten geschlafen. Misty wollte vermutlich nicht, dass ich noch unten war, wenn sie und Chris eintrafen. Sie hatte doch so betont, dass ich nicht auf sie warten sollte. Ich stand auf und machte mich auf den Weg nach oben. Ich wollte mich in die Badewanne legen und dann versuchen zu schlafen. Morgen würden alle hier sein. Wir würden von vorne anfangen und all unsere Probleme lösen.

Ich ging nach oben und ließ mir Badewasser ein. Während ich in der Wanne lag, hörte ich unten Musik. Ich hörte eine Weile zu und stellte mir vor, wie sie entweder eng umschlungen tanzten oder sich auf dem Sofa küssten. Misty war so glücklich, dass sie jemanden gefunden hatte, den sie mochte und der sie mochte. Ich war neidisch, aber nicht eifersüchtig. Jede von uns verdiente ein bisschen Glück. Ich hatte halb gehofft, Stuart hätte es sich überlegt und beschlossen, ich sei ihm zu wichtig, um mich einfach aufzugeben, selbst wegen solch einer Sache. Vielleicht würde er morgen auftauchen und mir genau das sagen. Dann hörte ich Star sagen, ich sollte aufhören zu träumen. »Du bist zu viel mit Misty zusammen«, würde sie sagen.

Welche Menschen träumen nicht, haben keine Wünsche, leben nicht zumindest manchmal in einer Fantasiewelt? Wie trübselig und langweilig muss ihr Leben sein. Selbst Geraldine muss ihre Träume gehabt haben, muss sich ausgemalt haben, wie der Mann, den sie liebte, mein leiblicher Vater, zu ihr gekommen wäre und ihr gesagt hätte, dass sie diejenige sei, die er wirklich liebte. In ihrer Fantasie lebte sie ein Leben wie im Märchen. Wie sehr musste sie sich über mich ärgern, die Verkörperung des Endes ihres Traums, der Periode, die ihr »Es war einmal...« ein für alle Mal abrupt beendete.

Es war seltsam, dass ich jetzt, nach ihrem Tod, anfing, sie mehr und mehr zu verstehen und sogar Sympathie für sie zu empfinden. Wieder einmal kam mir der Gedanke, dass sie und ich wirklich Schwestern hätten werden und auch zusammen hätten glücklich sein können, wenn sie klug genug gewesen wäre, mir vor langer Zeit die Wahrheit zu sagen.

Die Musik spielte noch immer, als ich ins Bett ging. Ich lag da und hörte zu. Manchmal glaubte ich ihre gedämpften Stimmen und Gelächter zu hören. Dann hörte die Musik auf, es wurde ganz still. Ich drehte mich um, schloss die Augen und schlief bald ein.

Als ich am Morgen aufstand und nach unten ging, rechnete ich damit, Chris und Misty auf dem Sofa schlafend vorzufinden, aber sie waren bereits gegangen. Entweder sehr spät in der Nacht oder sehr früh am Morgen. Auf dem Couchtisch standen zwei Gläser, in denen sich noch ein Rest Orangensaft befand. Ich schnupperte daran und stellte fest, dass auch Wodka darin war. Auf dem Sofa lag eine zerknautschte Decke. Ich faltete sie und legte sie in den Schrank, dann trug ich die Gläser in die Küche. Ich hatte keinen besonderen Appetit, deshalb aß ich nur einen Toast mit Marmelade und trank ein bisschen Saft.

Es versprach ein schöner Tag zu werden. So weit ich sehen konnte, war kein einziges Wölkchen am Himmel und es ging kaum eine Brise. Ich ging hinten hinaus und besah mir Geraldines Grab. Der Regen der vergangenen Nacht war eingesickert, dadurch war es leichter erkennbar. Es sah so aus, als sei die Erde eingesunken, aber der Grassamen hatte anscheinend zu sprießen begonnen. Sehr bald würde es abgedeckt und nicht mehr so offensichtlich sein.

Während ich dort stand, klingelte es an der Tür. Einen

Augenblick lang rührte ich mich nicht. Es war noch viel zu früh für Jade, und Misty schlief ganz bestimmt noch. Mit Star hatten wir nicht gesprochen. Wer konnte das so früh sein? Es klingelte immer wieder. Mit klopfendem Herzen ging ich durch das Haus zurück und schaute zuerst durch das Vorderfenster hinaus. Das Auto in der Einfahrt kannte ich nicht, aber als ich Larry in seiner Uniform an der Tür erkannte, atmete ich erleichtert auf. Sie klingelten noch einmal; ich ging so schnell wie möglich zur Tür.
»Tut mir Leid«, entschuldigte ich mich, als ich ihnen öffnete. »Ich war draußen.«
»Ja? Warum?«, fragte Star misstrauisch und riss die Augen weit auf. Sie trug einen Einkaufsbeutel voller Lebensmittel.
»Frische Luft schnappen«, erwiderte ich.
»Oh, gut. Wir haben etwas zum Frühstücken mitgebracht«, begann sie, als sie eintrat.
»Guten Morgen, Cathy«, begrüßte Larry mich.
»Guten Morgen. Ihr habt Frühstück mitgebracht?«
»Ja. Larry und ich haben die Nacht an der Küste verbracht. Als wir aufwachten, hatte keiner von uns Hunger, deshalb dachte ich, wir kaufen ein paar frische Bagels und halten auf dem Heimweg bei dir an. Ich vermutete, dass du vielleicht alleine bist, oder ist jemand bei dir?«, fragte sie mit einem spitzbübischen Grinsen.
Das erinnerte mich daran, dass sie nicht wusste, was am Vortag passiert war.
»Nein, ich bin allein«, sagte ich.
»Hast du etwas dagegen, wenn ich den Fernseher anmache?«, fragte Larry.
»Nein. Nur zu«, forderte ich ihn auf, und er verschwand im Wohnzimmer. Star und ich gingen in die Küche.
Bevor ich auch nur anfangen konnte, ihr zu erzählen, was

passiert war, setzte sie den Einkaufsbeutel ab und umarmte mich.

»Oh, Cat«, rief sie. »Ich habe dir so viel zu erzählen. Ich glaube wirklich, mein Glück hat sich gewendet.«

Ohne Luft zu holen fuhr sie fort.

»Ich habe dieses Liebe-auf-den-ersten-Blick-Zeug eigentlich nie wirklich geglaubt. Ein Film ist ein Film, aber im wirklichen Leben haben die Leute Glück, wenn sie sich ineinander verlieben, nachdem sie jahrelang zusammen sind. Ich meine, welcher vernünftige Mensch außer einigen Seifenopernfreaks würde denn glauben, dass du jemanden anschaust, der dich anschaut, und in dem Augenblick beginnt dein Herz zu flattern, dein Blut zu rasen und du kannst es nicht erwarten, dich für immer und ewig in seine Arme zu stürzen? Hm?«

Ich, wollte ich sagen, aber ich hatte Angst, irgendetwas zu tun oder zu sagen, das sie bremsen könnte.

»Genau das ist hier passiert, Cat. Du erinnerst dich, was ich euch Mädchen erzählt habe, als ich zum ersten Mal Larrys Bild sah, ja? Da passierte schon was mit mir. Ich wollte keine so große Sache daraus machen. Wie oft hat meine Mama sich verliebt? Jeder Mann, mit dem sie etwas anfing, nachdem mein Daddy abgehauen war, war der perfekte neue Mann, ihr edler Ritter in schimmernder Rüstung – jeder von ihnen stellte sich als Enttäuschung in schimmernder Alufolie heraus.« Angeekelt schüttelte sie den Kopf.

»Wenn es also darum geht, jemandem zu glauben, besonders einem Mann, der Versprechungen auf dir drapiert wie kostbare Pelze, sagte ich mir, das wird dir nie passieren. Wenn ich je heirate, wird das nicht wegen eines Glases voller Schaum namens Liebe geschehen. Es wird eine vernünftige Entscheidung sein, und dann schaue ich meinen Mann vielleicht eines Tages an und denke, das ist doch etwas, stimmt's?

Falsch«, antwortete sie, bevor ich auch nur nicken konnte. Endlich holte sie tief Luft, dann lächelte sie, presste ihre Hände auf die Brust und schaute zur Decke. »Larry und mich verbindet etwas wie Magie, Cat. Du weißt schon, wie angenehm es ist, sich in einer schönen warmen Badewanne niederzulassen. Ich meine nicht eins von Jades modischen parfümierten Bädern, sondern ein einfaches warmes Bad?«

»Ja«, sagte ich.

»Also, jedes Mal, wenn ich mit ihm zusammen bin, habe ich die ganze Zeit dieses Gefühl. Ich fühle mich behaglich und warm. Und was am wichtigsten ist, Cat, ich fühle mich sicher. Oh, ich weiß genau, was Jade mir erzählen wird«, fügte sie rasch hinzu und zog ein saures Gesicht. »Sie wird euch erzählen, dass ich mich in eine Uniform verliebt habe, dass die Uniform mir das Gefühl der Sicherheit gibt, aber glaub mir, Cat«, warf sie mit einem schüchternen Lächeln ein, »ich war mit ihm zusammen, als er keine Uniform trug, und das ändert gar nichts. Ich empfinde es sogar noch stärker. Verstehst du das?«

»Ja«, bestätigte ich.

»Gut. Ich wusste, dass du das würdest. Ich wusste, dass du es von uns allen am besten verstehen würdest«, meinte sie. »Jetzt kommt die gute Nachricht«, fuhr sie fort, zog sich einen Stuhl heran und setzte sich. »Larry und ich haben uns in den letzten vierundzwanzig Stunden nicht nur begrapscht. Wir haben nachgedacht, geredet und vernünftig geplant. Ich werde die Highschool beenden und er seinen Dienst in der Armee. Er hat bereits einen guten Job bei seinem Cousin in Aussicht. Wenn ich meinen Highschool-Abschluss habe und er nicht mehr in der Armee ist, werden wir heiraten. Das Wunderbarste aber ist, dass er Rodney mit zu uns nehmen will. Das würde Granny eine Last von den Schultern nehmen, die ja nicht wirklich gesund und stark genug ist, noch eine Familie großzuziehen. Die kommenden Jahre sollte sie ohne tägliche Sorgen genießen. Larry sieht das auch so. Er sieht nicht nur gut aus, sondern ist auch ein guter Mensch, und ich glaube fest, dass er mich mehr liebt, als irgendein anderer Mann es je wird«, stellte sie abschließend fest.

Sie wartete einen Augenblick auf meine Reaktion.

»Wow«, sagte ich. »Das hört sich toll an, Star. Es freut mich für dich.«

»Du kannst mich als verlobt betrachten, auch wenn er mir noch keinen Ring geschenkt hat. Das wird er bald, und dann lassen wir vielleicht eine Verlobungsparty steigen, hm? Wir könnten das hier machen!«

Ich nickte, wirkte aber wohl nicht so enthusiastisch, wie sie sich erhofft hatte.

»Was ist los?«, fragte sie schließlich. »Es ist etwas passiert, stimmt's?«

»Ja«, bestätigte ich und setzte mich ebenfalls hin.

Star wartete geduldig, aber sie konnte es mir an der Nasenspitze ablesen und nickte.

»Es hat etwas mit Stuart zu tun, hm?«

»Es tut mir Leid«, sagte ich. »Ihr hattet alle Recht. Direkt nachdem ihr gestern alle gegangen wart, bekam er kalte Füße. Er wollte, dass ich die Polizei rufe und gestehe, was wir getan haben. Er sagte, er könnte uns nicht helfen und sich darin verwickeln lassen. Er hat allerdings versprochen, niemandem etwas darüber zu sagen«, fügte ich hinzu.

»Klar«, sagte Star.

»Ich kann ihm keinen Vorwurf machen, Star. Er macht sich Sorgen um seine Mutter und seinen kleinen Bruder.«
Sie zog fragend die Augenbrauen hoch.
»Sein Vater ist gestorben, und er fühlt sich verantwortlich für sie.«
»Vielleicht«, gab sie nickend zu. »Okay, wir brauchen ihn sowieso nicht. Wenn er die Klappe hält, kommen wir schon klar.« Sie überlegte einen Augenblick und schaute dann auf. »Hat Misty den Plan denn durchgeführt?«
»Ja.«
»Wer ist gefahren?«
»Ich. Wir fuhren zum Krankenhaus und wieder zurück. Danach saß sie am Fenster im Sessel.«
»Glaubst du, dein Vater hat das gesehen?«
»Ich weiß es nicht. Er hat nicht wieder angerufen.«
»Dann hat es funktioniert«, schloss sie.
»Ich hoffe es, aber wir wissen nicht sicher, dass er da draußen war und zugesehen hat. Jade hat für heute Abend ein Treffen einberufen.«
»Heute Abend? Um wie viel Uhr?«
»Ich weiß es nicht genau. Zur Essenszeit vermutlich«, sagte ich.
»Es ist Larrys letzter Abend hier. Wir haben geplant, heute irgendwo ganz besonders essen zu gehen«, stöhnte sie.
»Oh. Vielleicht könnte Jade früher herkommen.«
»Ja. Genau das machen wir. Ich werde dafür sorgen, dass sie etwa um drei hier ist, selbst wenn ich da hingehen und sie eigenhändig herschleifen muss.«
»Tut mir Leid, Star. Ich wollte dir keine Probleme bereiten.«
»Nein, nein«, wehrte sie kopfschüttelnd ab. »Wir hängen hier alle zusammen drin. Das ist kein Problem«,versicher-

te sie mir lächelnd. Dann stand sie auf. »Komm, lass uns jetzt Frühstück machen.«
»Ich habe bereits gegessen, aber ich trinke eine Tasse Kaffee mit euch.«
»Gut.« Sie machte sich an die Arbeit, während ich daneben saß und mich hasste, weil ich die WME mit den ernstesten und beunruhigendsten Problemen war. Ich machte für sie alles nur noch komplizierter und ruinierte ihnen ihre Chancen auf Glück. Bald würden mich alle hassen.

Als Larry an den Tisch kam, führten er und Star sich wie die größten Turteltauben auf, die ich je gesehen hatte. Sie konnten die Finger nicht voneinander lassen. Wenn sie ihm nahe genug kam, dass er sich vorbeugen und sie küssen konnte, tat er es, und wenn sie einander etwas anreichten, ließen sie die Finger aufeinander ruhen, und ihre Blicke versenkten sich ineinander. Ich fühlte mich fast wie ein Eindringling, nur weil ich am gleichen Tisch saß. Sie redeten über ihre Zukunft, als wären sie allein. Larry plante, dass Star während der Ferien im kommenden Jahr nach Deutschland fliegen sollte.
Schließlich schauten sie mich an, als sei ihnen gerade klar geworden, dass ich auch noch da war. Star lachte darüber, aber Larry war es peinlich. Hinterher räumten Star und ich die Küche auf, während er ins Wohnzimmer zurückkehrte, um fernzusehen.
»Ich werde mit allem Drum und Dran in der Kirche heiraten«, erzählte sie mir. »Seine Eltern würden das wollen, und Mama werde ich nicht dazu einladen«, fügte sie entschieden hinzu. »Wenn sie käme, würde sie nur alles verderben, und dieses eine Ereignis wird sie mir nicht verderben, no, Madam.«
»Und wenn sie doch kommt?«, fragte ich.

»Das wird sie nicht. Ich werde es ihr gar nicht erzählen. Außerdem ist sie wieder weg und diesmal vielleicht für immer. Selbst Granny hofft das, und sie ist doch ihre Tochter. Sie findet einfach, es wäre das Beste für uns alle.«
»Das ist traurig«, fand ich.
»Es ist nicht Grannys Schuld. Sie tat, was sie konnte, um sie anständig großzuziehen. Manche Menschen«, sagte Star und wandte sich mir zu, »sind einfach innerlich schlecht. Sie sind wie verdorbene Äpfel. Wenn du die verfaulten Stellen herausschneidest, bleibt dir zum Schluss nichts übrig außer den Kernen. Das ist nicht der Mühe wert. Besser ist es, die guten zu polieren«, riet sie mir. Dann hielt sie inne und umarmte mich.
»Danke. Ich muss jetzt eine Weile nach Hause gehen, aber ich komme rechtzeitig mit den anderen um drei zurück. Um Jade kümmere ich mich«, versprach sie.
Larry verabschiedete sich. Er würde mich wohl nicht mehr wiedersehen, bevor er nach Deutschland abreiste. Er küsste mich auf die Wange, umarmte mich und sagte, dass er sich darauf freute, wenn wir alle wieder zusammen sein würden. Ich schaute zu, wie sie abfuhren, und fühlte mich gleichzeitig traurig und glücklich. Larry schien Star ihre Freude wiedergegeben zu haben. Ich konnte mich nicht erinnern, sie je strahlender und lebendiger erlebt zu haben. Ich freute mich für sie, wusste aber auch, dass sie und Larry eines Tages weg sein und wir dann vermutlich den Kontakt zueinander verlieren würden.

Sobald sie weg waren, betrachtete ich das Haus mit kritischen Augen, als wäre Geraldines Geist in mich geschlüpft. Vielleicht um mich zu beschäftigen und nicht an Dinge zu denken, die mich innerlich zittern lassen würden, beschloss ich, Staub zu saugen, die Möbel zu polieren und den Küchenboden zu wischen. Als ich arbeitete, stellte ich mir vor, wie sie neben mir stand und drängte, mich stärker anzustrengen oder mehr auf das zu konzentrieren, was ich tat. Immer wenn ich etwas fertig hatte, überlegte ich, wie Geraldine reagieren würde, und gelegentlich ging ich auch zurück und polierte, saugte oder wischte die gleiche Stelle noch einmal.

Nach dem Putzen kümmerte ich mich um die Wäsche. Ich schaltete eine Maschine ein und wandte dann meine Aufmerksamkeit dem Kühlschrank zu. Wenn die Mädchen mich so sähen, würden sie glauben, ich wäre verrückt geworden, aber je mehr ich arbeitete, desto mehr fand ich zu tun. Anscheinend war es sehr leicht, so die Zeit zu verbringen, und zum ersten Mal kam mir der Gedanke, dass genau dies der Grund war, warum Geraldine das Haus zu ihrem Ein und Alles gemacht hatte. Vielleicht war das die einzige Gelegenheit, bei der sie sich nicht einsam und besiegt von ihrem Leben fühlte.

Diese Gedanken riefen Bilder hervor, die ich an einer anderen Stelle meines Gedächtnisses gespeichert hatte. Ich sah sie am Fenster sitzen und hinausstarren oder alleine im Garten stehen und westwärts Richtung Ozean schauen, als könnte sie dort draußen etwas sehen, das ihr Interesse und ihre Sehnsucht geweckt hatte. Ich sah sie mit einer Vase oder einem anderen ansonsten bedeutungslosen Gegenstand in der Hand innehalten und es in den Fingern drehen, als hätte sie ein wertvolles Juwel gefunden. Nicht einmal war mir der Gedanke gekommen, dass sie damit eine kostbare Erinnerung verband. Ich glaubte, sie untersuchte es nur auf Schmutzflecke oder Staub.

Alles, was ich über sie und mich selbst erfahren hatte, hatte nur dazu beigetragen, sie mir noch fremder werden

zu lassen. Und dennoch fragte ich mich, wie ihr Leben ohne mich verlaufen wäre. Ich erinnerte mich an den Tag, an dem ich sie gezwungen hatte, mir von meiner Adoption zu erzählen. Sie hatte mir nur die halbe Wahrheit mitgeteilt und mich in dem Glauben gelassen, ich sei ihre Halbschwester und wir hätten eine gemeinsame Mutter, während sie doch die ganze Zeit wusste, dass sie selbst auch adoptiert worden war und wir überhaupt nicht blutsverwandt waren. Dennoch wollte sie, dass ich das glaubte. Das musste doch bedeutet haben, sie wollte mich in dem Glauben lassen, dass wir uns immer noch nahe standen. Sie war nicht bereit, uns völlig auseinander zu reißen. Konnte es sein, dass sie mich doch brauchte? Dass sie mich selbst in ihren gemeinsten, unsensibelsten Augenblicken brauchte?
Einsamkeit war eine andere Form des Hungers. Ohne Liebe, ohne Freundschaft, um ihre Seele zu nähren, welkte Geraldine innerlich dahin. Ihr Geist war schon lange vor ihrem Körper gestorben. Bestimmt hatte sie sich deshalb nicht um die ärztliche Versorgung bemüht, die sie so dringend brauchte, und hing auch dann noch ganz von ihren Pflanzenheilmitteln ab, als diese nicht mehr wirkten.
Schließlich war Geraldine nur noch ein weiterer Schatten, der die dunklen Wände unseres Hauses entlangglitt, vor dem Sonnenschein und allem, was hell und warm war, zurückscheute, sich vor Stimmen zurückzog, Lächeln aussperrte wie ein Vampir, der panische Angst vor dem Licht hatte, das ihn am Ende doch nur zerstören würde.
Ihr Herz lief ab wie eine alte Uhr. Sie unternahm keinerlei Versuch, seine Batterien aufzuziehen oder zu erneuern. Schließlich hieß sie das Schweigen, die reglos gewordenen Hände willkommen. Sie versuchte ihre verlorene

Seele zu erreichen und gesellte sich zu ihr an den Ort, der ihr bestimmt war, um immer und ewig dort zu ruhen.
Mit jedem Wischen eines Tuches, jedem Sprühen des Desinfektionsmittels und Eintauchen in das Putzwasser hasste ich sie ein bisschen weniger. Für ein paar Augenblicke war ich sie geworden und verstand sie, und genau wie sie hasste ich, wodurch sie zu dem Geschöpf geworden war, das sie war.
All diese Gedanken erschöpften mich mehr als die tatsächliche Arbeit. Ich ging nach oben, um mich eine Weile auszuruhen und mich dann für das WME-Treffen frisch zu machen. Für etwa eine Stunde döste ich und wachte schließlich auf, als ich unten Schritte hörte. Ich schaute auf die Uhr. Es war erst halb zwei. Vielleicht hatte Misty beschlossen, früher zu kommen.
Ich stand auf, wusch mir das Gesicht, frisierte mich, strich Bluse und Rock glatt und ging nach unten. Wir hatten mittlerweile so viel zu bereden, so viel zu tun und zu entscheiden. In vieler Hinsicht war das unser wichtigstes Treffen überhaupt, und ich konnte es kaum erwarten, dass es anfing.
Als ich die Treppe hinuntergestiegen war, fand ich jedoch niemanden vor. Es war still, und in der Küche hatte niemand etwas angerührt. Wie seltsam, dachte ich. Ich glaubte doch Schritte gehört zu haben. Es dauerte immerhin noch anderthalb Stunden, bis die Mädchen eintreffen sollten. Dann hörte ich wieder Schritte, nur kamen sie diesmal von der Treppe. Ich hielt die Luft an und lauschte. Ja, die Treppe knarrte. Mein Blick wanderte zur Hintertür. Ich hatte vergessen, sie abzuschließen, nachdem ich hinausgeeilt war, um Star und Larry zu begrüßen. Ich spürte ein kleines Feuer in meiner Brust. Die Flammen leckten an meinem Herzen. Dieses Gefühl raubte

mir den Atem, bis mir die Lunge schmerzte. Zitternd ging ich in den Flur zurück und schaute auf die Treppe. Mein Vater bog gerade in den Flur. Er stand dort und lächelte mich an.

»Was hast du vorgehabt, Cathy?«, fragte er.

Ich hätte nicht gedacht, dass ich auch nur ein einziges Wort herausbekam, aber sie sprudelten nur so hervor, von meinem Herzen wieder ausgespien.

»Du darfst nicht hier sein. Besser gehst du jetzt«, sagte ich.

Sein Lächeln wurde breiter.

»Du und ich werden uns jetzt erst einmal in Ruhe unterhalten, Cathy. Komm mit«, forderte er mich mit einer Bewegung seiner langen Spinnenfinger auf. »Ins Wohnzimmer, das sehr stark veränderte Wohnzimmer«, fügte er immer noch lächelnd hinzu.

Sein Gesicht wirkte schmaler, dunkler, die Falten tiefer, der Blick erschien ausdruckslos und überschattet. Er trug eines seiner schwarzen Sakkos, aber keine Krawatte. Jackett und Hose waren so faltig, als hätte er darin geschlafen. Mir war gar nicht aufgefallen, wie lang und strähnig sein Haar war, als ich ihn nachmittags am Strand getroffen hatte. Sein plötzliches Auftauchen hatte mich zu sehr geschockt. Außerdem hatte er mit dem Rücken zur Sonne gestanden, so dass sein Gesicht im Schatten lag. Dieses ungepflegte Aussehen sah ihm gar nicht ähnlich. Normalerweise war er immer makellos gekleidet. Ihn in so einem Zustand zu sehen erschreckte mich noch mehr.

»Ich rate dir, hereinzukommen und dich zu mir zu setzen, Cathy«, drohte er mir mit unheilschwangerer Stimme.

Ich konnte kaum etwas anderes tun. Also humpelte ich ins Wohnzimmer. Je näher ich ihm kam, desto heftiger schlug mein Herz, als wäre es ein Geigerzähler und er hät-

te sich in radioaktive Strahlung verwandelt. Ich legte die Krücken neben mich und setzte mich aufs Sofa. Er stand einen Augenblick in der Tür, dann ging er zum Fenster und starrte hinaus.
»Wo sind deine Freundinnen heute?«, fragte er.
»Sie werden bald hier sein«, sagte ich. »Und sie wissen alle, dass du dich nicht hier aufhalten darfst. Sie werden die Polizei holen.«
Er drehte sich mit strengem Gesicht und fest aufeinander gepressten Lippen zu mir um.
»Das bezweifle ich sehr, Cathy. Sehr. Ja, ich bin neulich nachts hier eingebrochen. Ich konnte nicht verstehen, warum deine Mutter sich so verhielt, wie sie es tat, und brauchte ein paar Sachen. Du kannst dir meine Überraschung vorstellen, als ich sah, was mit dem Haus und dem Zimmer deiner Mutter geschehen war. Ich glaubte, sie sei verrückt geworden und würde das Zimmer in irgendeiner bizarren Weise umgestalten. Als ich die alten billigen Möbel draußen im Flur sah, dachte ich, dass sie sich endlich einmal von etwas trennt. Vielleicht hatte sich ihre Einstellung, was wertvoll ist und was nicht, verändert und sie war nicht mehr so knauserig.
Wie sie mich wahnsinnig gemacht hat mit dieser Scheiße ›Ein gesparter Pfennig ist ein verdienter Pfennig‹. Wenn ich noch ein einziges Mal gehört hätte ›Sparst du in der Zeit, dann hast du in der Not‹, dann wäre ich verrückt geworden. Ich hörte das schon im Schlaf!«, schrie er mit flehentlich erhobenen Händen, als würde er seinen Fall einer Jury vortragen.
»Ich weiß, dass sie jeden Pfennig hortete, den sie jemals bekommen hat. Sie hatte eine Menge Geld in diesem Safe. Weißt du, dass sie mir nie die Kombination dafür anvertraut hat? Was für eine Ehe ist das denn, in der die

Ehefrau ihrem Mann nicht die Kombination zum Safe in ihrem gemeinsamen Schlafzimmer gibt, hm?
Ich sage es dir«, antwortete er selbst, wie auch sie es oft getan hatte, »keine besondere. Es war nie eine besondere. Ich war ein Narr, mich dazu überreden zu lassen.«
Er lächelte.
»Ich habe die Briefe in deinem Zimmer gefunden. Du hast sie vermutlich gelesen.«
»Nur die ersten zwei«, sagte ich. »Du hattest kein Recht, sie mir wegzunehmen.«
»Nur die ersten zwei. Verstehe. Dann weißt du schon genug über dich und sie. Die anderen Briefe sind voller Entschuldigungen und Versprechungen und all diesem verlogenen Zeug, das nie eintreffen sollte. Du hast den Safe nicht aufbekommen, oder?«, fragte er plötzlich mit hochgezogenen Augenbrauen.
»Doch, das haben wir«, entgegnete ich.
»Wir? Ach, du und deine Freundinnen, ja? Natürlich. Dann kennst du also auch den Rest. Du weißt, dass deine Mutter adoptiert war?«
»Ja«, bestätigte ich.
»Weißt du, dass ich keine Ahnung davon hatte?«, fragte er. »Das stimmt. Sie haben es vor mir geheim gehalten. Vor mir! Vermutlich glaubten sie, ich würde es mir mit der Heirat noch einmal überlegen. Ich wünschte, das hätte ich.
Heirate nie wegen des Geldes oder eines sorgenfreien Lebens, Cathy. Am Ende hast du dann vielleicht etwas Geld, aber du führst nicht das sorgenfreie Leben, das du so sehr schätzt.
Du, nur du warst mir ein Trost«, sagte er mit sanfterer Stimme, eine Stimme, die sich anhörte, als sei sie von Tränen und Schmerz erfüllt. »Als sie dich mir wegnahm ...«
Er machte eine Pause, als säße ihm ein Kloß im Hals, und

wandte sich einen Augenblick ab. Ich sah, wie sich seine Schultern hoben und senkten.
Er sammelte sich, und als er sich wieder umdrehte, war keine Spur von Sanftheit in seinem Gesicht mehr zu entdecken.
»Sie hatte kein Recht dazu, kein Recht. Ich war der Einzige, der dir je Zuneigung schenkte, Mitgefühl mit dir hatte, sich um dich kümmerte. Ich war derjenige, der dir Spielzeug schenkte, dir Sachen geben wollte. Sie bremste mich ständig. Von Anfang an war sie eifersüchtig auf unsere Beziehung. Ihr war lieber, du warst allein, littest, weintest, als mit mir zusammen zu sein. Was für eine Mutter war sie denn für dich?«
Wieder machte er eine Pause und lächelte.
»Ja, Cathy, war. Als du mir erzähltest, sie sei im Krankenhaus, hast du mich eine Weile drangekriegt, obwohl ich wusste, wie sehr sie es hassen würde, in ein Krankenhaus zu gehen«, sagte er.
Einen Augenblick starrte er mich an und ich ihn, während seine Worte sich in meinem Kopf drehten und wendeten und sich zu einem Knoten verschlangen. Ein winziger Schauer kroch mir die Wirbelsäule hoch.
»Sie war eine bemerkenswert gesunde Frau. Ich glaube, das lag an ihrer Gemeinheit. Keine Krankheit, kein Keim wagte es, sich in ihrem ungastlichen Körper einzunisten. Du weißt, wie selten sie auch nur eine Erkältung bekam. In all den Jahren, die wir verheiratet waren, ging sie nie zum Arzt oder zu einer der regelmäßigen Vorsorgeuntersuchungen, die die meisten Frauen machen lassen. Ich dachte immer, sie würde eines Tages Krebs bekommen, der nicht mehr unter Kontrolle zu bekommen wäre. Aber nicht einmal Krebs wagte es, in ihre Haut und ihre Knochen einzudringen.

Ich war überzeugt davon, dass sie mich überleben würde, vielleicht sogar uns beide, und das hätte auch gut der Fall sein können. Glaubst du, sie hätte je zugelassen, dass du eine normale Beziehung zu irgendjemandem eingehst? Glaubst du, du hättest je einen Freund bekommen oder eines der Dinge tun können, die du so gerne tun wolltest? Weißt du noch, dass ich dir das Partykleid gekauft habe? Weißt du noch?«

Er machte erneut eine Pause und schaute sich im Zimmer um.

»Ihr Mädchen seid mir vielleicht welche«, sagte er. »Diese Bilder da draußen.« Er nickte und lachte. »Sie rotiert in ihrem Grab. Stimmt's, Cathy?«

Ich konnte nicht sprechen. Mein ganzer Körper fühlte sich wie erstarrt an. Ich spürte nicht einmal mehr mein Herz schlagen.

»Was tat sie, um sich zu schützen, um ihre Gesundheit aufrechtzuerhalten, außer wie ein Vogel zu essen und als Training das Haus zu putzen? Sie nahm nur diese Pflanzenpräparate, weißt du noch?«

Er griff in seine Jacketttasche und zog ein Medikamentenfläschchen heraus.

»Das war eins ihrer Lieblingsmittel.« Er schaute es an und nickte. »Ich machte mich ständig über sie lustig, aber sie war glücklich darüber, weil das bedeutete, dass ich es nicht nahm und sie mehr für sich hatte.«

»Warum hast du das Fläschchen jetzt?«, fragte ich. Meine Stimme war so dünn, dass ich sie nicht erkannte. Es war, als wäre noch jemand bei uns im Zimmer, der diese Frage stellte.

»Oh, ich wollte nicht, dass es noch länger hier herumsteht«, sagte er und schaute mich eindringlich an. »Das ist der Grund, warum ich wirklich in jener Nacht in das

Haus eingebrochen bin. Mir war nicht klar, dass sie die Schlösser ausgewechselt hatte. Ich musste einbrechen, als ich glaubte, dass ihr alle weg wart.«

»Warum?«, fragte ich.

»Warum? Ich hatte Angst, sie hätte dich schließlich doch noch überzeugt, dieses Zeug auch zu nehmen. Außerdem wollte ich nicht, dass sich jemand das Fläschchen genauer anschaut. Dir ist vielleicht aufgefallen, dass in dem Fläschchen verschiedene Pillen sind – obwohl ich bezweifle, dass du vermutet hättest, es handelte sich um Strychnin. Es war eine Art russisches Roulette. Ich spielte mit ihr und wartete auf den Tag, an dem sie die richtige Pille nehmen würde. Es waren ein halbes Dutzend darin, die ihrem kostbaren Pflanzenwundermittel glichen. Ich habe doch sicher Recht, dass sie sie mittlerweile genommen hat, oder?

Hat es dir die Sprache verschlagen, Cathy? Ich erinnere mich daran, dass sie dich das gelegentlich gefragt hat.« Er fing an zu lachen und hörte dann auf.

»Ich konnte ganz einfach kontrollieren, ob du über das Krankenhaus die Wahrheit gesagt hattest, indem ich bei meiner Krankenhauskostenversicherung nachfragte, Cathy. Sie hatte diese Versicherung behalten, weil ich dafür zahlen musste. Um in ein Krankenhaus eingewiesen zu werden, muss man sich mit der Versicherung in Verbindung setzen, selbst nach einem Notfall, und das war nicht geschehen. Außerdem hatte ich sowieso jedes Krankenhaus angerufen, wie du weißt. Deshalb wusste ich, dass du gelogen hast, und als du diese Komödie aufgeführt und so getan hast, als würdest du sie nach Hause holen, hätte ich beinahe vor Lachen einen Herzinfarkt bekommen. Ich muss schon sagen, deine Freundin hat ihre Sache gut gemacht, als sie als Geraldine am Fenster saß.

Sag mal«, fragte er, »wo ist sie gestorben? Hatte sie die Augen weit aufgerissen, war das Gesicht schmerzverzerrt? Die Totenstarre setzte ziemlich schnell ein, stimmt's?«
Ich hatte das Gefühl, ich würde zusammenschrumpfen, dahinschmelzen, bald ganz im Sofa verschwinden. Mich zu bewegen, zu sprechen, ja selbst zu atmen schien im Moment nicht in Frage zu kommen. Er merkte es nicht, sondern steckte das Fläschchen wieder in seine Tasche und lächelte.
»Als du begannst, Dinge zu tun, die Geraldine unerbittlich verbieten würde, hegte ich den Verdacht, dass sie bereits von uns gegangen war, aber dann dachte ich, wenn das so wäre, warum kam dann nicht die Polizei? Warum benachrichtigte mich keiner?
Und dann, nachdem ich hier gewesen war und gesehen hatte, was du und deine Freundinnen getan hatten und noch taten, wurde es mir klar. Was für eine wundervolle Überraschung!«, sagte er.
»Zuerst dachte ich, ihr hättet sie einfach eingepackt und irgendwo hingebracht, aber dann bemerkte ich die Veränderungen im Garten und erkannte, was du und deine Freundinnen geleistet hattten.«
»Du hast sie … umgebracht?«, fragte ich schließlich.
»Nein, ich habe ihr nur aus ihrem Elend herausgeholfen, denn sie lebte im Elend. Und sie hatte kein Recht, dich mir wegzunehmen. Sie war rachsüchtig und ließ ihr elendes Leben an mir aus. An uns«, korrigierte er. »Wir waren eine Zeit lang glücklich, bevor sie es zerstört hat, nicht wahr?«
»Nein«, widersprach ich, aber meine Antwort war schwach und ich war verängstigt. Falls er es gehört hatte, tat er so, als sei das nicht geschehen.
»Jetzt ist es sowieso vorbei. Wir können das Ganze verges-

sen. Aber wir können nicht hier bleiben, Cathy. Mach dir keine Sorgen. Ich habe eine schöne Überraschung für dich. Rate mal, was ich getan habe. Ich habe ein Hausboot gekauft. Wirklich. Ich weiß nicht, ob du dich daran erinnern kannst, wie ich dich nachmittags einmal mit zum Hafen genommen habe und du so fasziniert warst vom Meer und den Booten. Und dann gingen wir auf ein Hausboot, das einem meiner Kunden gehörte. Erinnerst du dich daran? Du fandest, es war eine lustige Idee, auf dem Wasser zu leben, wo du das Haus immer dahin befördern kannst, wo du es hinhaben möchtest. Erinnerst du dich?«

Ich schüttelte den Kopf, obwohl ich mich erinnerte.

»Aber sicher tust du das. Auf jeden Fall haben wir es jetzt. Wir werden uns großartig amüsieren«, versprach er. »Nur wir beide, weg von all dem hier, und immer wenn uns danach ist, fahren wir weiter.« Er lachte. »Ist das nicht wunderbar?«

»Nein«, widersprach ich. »Ich komme nicht mit.«

Sein Lächeln wurde schwächer und verblasste dann. Sein schauerlich finsteres Gesicht war sehr Furcht einflößend, besonders weil ich ihn noch nie so wütend gesehen hatte.

»Aber sicher kommst du mit, Cathy. Wenn nicht, werden du und besonders deine Freundinnen Riesenprobleme bekommen«, drohte er. »Schließlich habt ihr Mädchen sie vergraben, nicht ich. Und wenn sie kommen und sie ausgraben und untersuchen, werden sie glauben, du und deine Freundinnen hätten sie auch getötet. Sie werden alle ins Gefängnis wandern. Willst du, dass das passiert?«

Meine Augen füllten sich mit heißen Tränen, so heiß, dass sie unter meinen Lidern brannten. Ich schüttelte den Kopf.

»Gut«, sagte er und klatschte in die Hände. »Geh jetzt nach oben und pack eine kleine Tasche zusammen.

Nimm mit, was du im Augenblick benötigst, und in ein paar Tagen kommen wir wieder und holen noch mehr. Im Laufe der Zeit holen wir uns alles, was wir brauchen, aus dem Haus, und eines Tages kommt uns ein Feuer ganz gelegen. Vielleicht verbrennt Geraldine darin. Ich muss mir das noch genau überlegen, aber keine Sorge, keine deiner Freundinnen bekommt Probleme. Bis dahin genießen wir unser Hausboot.

Ach, das macht so viel Spaß, Cathy. Du kannst dir nicht vorstellen, wie es ist, jeden Morgen aufzuwachen und das Meer zu riechen. Es regt deinen Appetit an. Du kannst mir dann das Frühstück zubereiten. Es wird wunderbar sein. Genau das hätte Geraldine nicht ausstehen können«, meinte er lachend.

»Okay.« Er ging weiter zur Haustür. »Jetzt da ich weiß, was hier drinnen los ist, hole ich das Auto. Geh nach oben, hol dein Zeug. Ich komme sofort wieder.«

Er durchquerte das Zimmer und beugte sich vor, um mich auf die Stirn zu küssen.

»Ich bin wieder für dich da, mein Liebling. Daddy ist zurück.«

Er strich mir mit der Hand einige Haarsträhnen aus dem Gesicht und ging dann hinaus.

Als er die Haustür hinter sich schloss, war es, als ob ein Donnerschlag im Haus widerhallte, der mich bis ins Mark erschütterte.

Was für ein Unheil hatten wir begraben, als wir Geraldine begruben?

KAPITEL ACHTZEHN

Trügerische Wasser

Ein paar Augenblicke lang konnte ich mich nicht rühren. Jeder Muskel meines Körpers war vor Angst erstarrt. Ich konnte nicht einmal tief Luft holen, weil ich das Gefühl hatte, dass ebenso viel Erde auf meine Brust drückte wie auf Geraldines. Die Luft um mich herum war stickig und schwer. Winzige elektrische Entladungen knisterten und sprühten Funken. Ich schloss die Augen und betete, dass all dies nur ein weiterer Alptraum war. Aber als ich sie öffnete, wurde mir natürlich klar, dass dies Wirklichkeit war. Er war hier gewesen und kam zurück, um mich abzuholen. Was sollte ich tun? Mit Blitzgeschwindigkeit schossen mir verschiedene Möglichkeiten durch den Kopf. Ich konnte zur Hintertür hinausgehen und mich verstecken oder vielleicht über die Mauer klettern. Aber wo sollte ich hin und was würde dadurch gelöst? Ich konnte tun, was Stuart mir geraten hatte, und die Polizei rufen. Wie würden die Mädchen das aufnehmen? Was würde ich ihnen damit antun? Ich konnte hier bleiben und meinen Vater mit Bitten bestürmen oder ihn vielleicht durch Drohungen bluffen, aber so etwas konnte ich noch nie gut, und jetzt war ich in einer viel zu labilen Verfassung, um irgendetwas vorzutäuschen, das einer überzeugenden Fassade auch nur ähnelte.

Wenn ich nicht tat, was er wollte, würde er selbst die Polizei rufen, und wir alle steckten in großen Schwierigkeiten. Ich konnte mir lebhaft vorstellen, dass selbst die Mädchen sich fragten, ob ich nicht das Gift in Geraldines Fläschchen mit den Kräuterpillen getan hatte. Mindestens würde ein hinreichender Verdacht bestehen, um eine lange und schmerzliche Untersuchung einzuleiten. Alle von ihnen wären in großen Schwierigkeiten – gerade jetzt, wo es allen so gut ging. Larry könnte seine Meinung über eine Ehe mit Star ändern. David würde sich bestimmt nicht mehr mit Jade treffen. Und auch Misty würde ihren neuen Freund verlieren. All das würde geschehen, ganz zu schweigen davon, dass es die Familien noch weiter auseinander reißen würde als jetzt schon.
Wenn ich nur an Stars Granny dachte, wie nett sie zu mir gewesen und wie zerbrechlich sie war, schauderte ich angesichts der drohenden Möglichkeiten. Wie viel sollten sie noch ertragen? Ihre eigenen Probleme hatten ihre Beziehungen und ihr Familienleben zerstört. Sie brauchten nicht auch noch meine Probleme.
Mir blieb eigentlich keine Wahl. Ich hatte sie in all das hineingezogen. Ich konnte nicht so egoistisch sein und ihnen allen solchen Kummer verursachen. Es war zu spät, um noch an mich selbst zu denken. Das hatte ich aufgegeben, als ich Jade anrief und ihr mitteilte, dass Geraldine tot war. Ich hätte sofort die Polizei rufen sollen. Ich sollte, ich hätte – die späte Einsicht der Schuldigen und Dummen, pflegte Geraldine zu sagen. »Wenn du ertrinkst, weil du achtlos oder dumm bist, wickle eine Entschuldigung um dich herum und sieh mal, wie lange sie dich trägt.«
Sie hatte Recht. Es war zu spät für Entschuldigungen. Niemand würde mich vor dem Ertrinken bewahren.
Schwer auf meine Krücken gestützt, zog ich mich hoch

und machte mich auf den Weg zur Treppe wie ein verurteilter Sträfling zum elektrischen Stuhl. Visionen meiner Zukunft ließen jegliches Gefühl erstarren. Ich ging mechanisch, setzte einen Fuß vor den anderen, hielt mich am Geländer fest, als ich hochstieg. Als ich in mein Zimmer kam und mich umschaute, fiel mir nichts ein, was ich mitnehmen wollte.

Ein paar Augenblicke lang dachte ich an Selbstmord. Ich könnte ins Badezimmer gehen, die Tür abschließen, meine Pulsadern aufschneiden und sie in ein Waschbecken voller heißem Wasser halten. Vielleicht bekam er die Tür auf, bevor ich starb. Aber was dann? Wären die Mädchen dann sicher? Er könnte dann behaupten, was er wollte, nicht wahr? Er könnte der Polizei erzählen, dass ich nicht mit dem leben konnte, was ich und die Mädchen getan hatten. Vielleicht hatten sie sogar Mitleid mit ihm, nicht mit mir, mit uns!

Das Einzige, was mir blieb, war die Hoffnung, dass mir noch etwas einfallen würde, wenn ich mir Zeit ließ. Im Augenblick konnte ich nur seinen Befehlen folgen. Ich füllte eine kleine Tasche mit dem Notwendigsten. Bevor ich fertig war, kam er die Treppe hoch.

»Na, wie geht's?«, fragte er mit vor Erregung erhitztem Gesicht.

»Ich weiß nicht, was ich mitnehmen soll«, sagte ich.

»Mach dir darüber keine Sorgen. Wir können von Zeit zu Zeit wiederkommen und dir holen, was immer du brauchst.« Er klatschte in die Hände und rieb sie unternehmungslustig gegeneinander, während er in mein Zimmer kam und sich lächelnd alles anschaute.

»Mir gefallen die Änderungen, die du vorgenommen hast: neue Vorhänge, neues Bettzeug, Bilder, aber warte ab, bis du das Hausboot gesehen hast. Es ist luxuriös, hat alles, was

Geraldine nicht ausstehen konnte und für üppig oder protzig hielt. Ich habe Eichenschränke und -vertäfelung mit massiven Eichenzierleisten überall, Chromwasserhähne, einen Kühlschrank mit Gefrierfach, eine erstklassige Stereoanlage, einen Fernseher mit Großbildschirm.« Er lachte. »Sie glaubte zu wissen, wo all mein Geld steckte, aber ich war clever«, fügte er hinzu und deutete mit dem rechten Zeigefinger an seine Schläfe. »Ich habe mir ausgemalt, dass dieser Tag kommen würde, und das Geld dort beiseite geschafft, wo sie es nicht finden konnte. Sie hielt sich für so scharfsinnig, wenn es darum ging, jeden Pfennig zu kontrollieren. Das war ihr größtes Problem: zu glauben, sie sei in jeder Hinsicht cleverer als ich.«

Als er sah, dass ich einfach nur dastand und ihn anstarrte, blinzelte er und warf erneut einen Blick auf das Zimmer. Dann lachte er.

»Was zum Teufel habt ihr Mädchen mit ihrem Schlafzimmer angestellt? Was sollte das da drinnen sein, hm?« Er kam mir mit seinem Gesicht näher. »Geht hier etwas Unheimliches vor, etwas, das du mir erzählen möchtest?«

»Nein, nichts Unheimliches. Es war unser Meditationszimmer, in das wir gingen, um uns zu beruhigen, nachzudenken und …«

»Was?«

»Zusammen zu sein«, sagte ich. Er würde nie verstehen, was WME bedeutete, und würde vielleicht sogar wütend darüber.

»Gut. Also in Zukunft brauchst du so etwas nicht mehr. Lass uns gehen«, sagte er. »Ich möchte ein paar Sachen aus der Garage holen. Ich treffe dich draußen.«

Er ging hinaus, und ich starrte auf die Uhr. Die Mädchen würden in weniger als einer Stunde hier sein und mich nicht vorfinden. Was würden sie tun, fragte ich mich, und mir kam der Gedanke, dass sie möglicherweise etwas tun würden, das sie in Schwierigkeiten brachte. Ich musste ihnen eine Nachricht hinterlassen. Da ich mir sicher war, dass sie nach hinten gehen würden, um in das Haus zu gelangen, war dies sicher die beste Stelle, um die Nachricht zu hinterlegen. Unsicher, was ich sagen wollte, fing ich einfach an:

»Liebe Jade, Star und Misty,
es tut mir Leid, ich kann nicht so weitermachen, so wie die Dinge liegen. Es wäre das Beste für mich, wenn ihr euch alle auf euch konzentriert und glücklich werdet. Kehrt bitte einfach um, geht weg und vergesst alles. Kommt nicht zum Haus zurück. Versucht nicht, mich anzurufen oder zu finden. Ich mag euch alle sehr und weiß zu schätzen, was ihr alles für mich getan habt, aber jetzt ist es Zeit, dass ihr etwas für euch und eure Familien tut. Tut bitte, bitte, bitte meinetwegen, worum ich euch bitte.

Immer eure
Cat«

Es war das erste Mal, dass ich so unterschrieb. Es trieb mir Tränen in die Augen. Rasch faltete ich die Notiz zusammen und ging nach unten. Ich hörte, wie er die Schränke in der Garage öffnete und schloss, daher schlich ich mich leise nach hinten in die Küche, fand Tesafilm in der Schublade, wo er aufbewahrt wurde, und klebte den Zettel außen an die Hintertür. Um sicherzugehen, dass der Wind den Zettel nicht abriss, klebte ich noch ein zweites Tesaband darüber.
»Cathy?«, rief er mich.
Leise schloss ich die Tür. Wenn er die Notiz fand, würde

er wütend werden. Fast auf Zehenspitzen kehrte ich nach vorne zurück. Er stand an der Eingangstür.

»Wo warst du?«

»Ich hatte Durst, deshalb habe ich einen Schluck Wasser getrunken«, sagte ich.

Er starrte mich finster vor Misstrauen an.

»Hast du jemanden angerufen?«

»Nein«, entgegnete ich rasch.

»Wenn du das getan hast, machst du es nur noch schlimmer für alle«, warnte er mich.

»Ich habe niemanden angerufen, das schwöre ich«, sagte ich.

Er überlegte einen Augenblick, dann lächelte er.

»Nein, ich glaube dir. Ich glaube, du willst jetzt bei mir sein. Ich weiß, dass dir klar ist, dass ich der Einzige bin, der sich wirklich etwas aus dir macht, stimmt's? Habe ich nicht Recht?«, forschte er nach.

»Ja«, sagte ich. Danach versuchte ich zu schlucken, aber meine Kehle war wie zugeschnürt.

»Gut. Also, sagen wir diesem Gefängnis ein für alle Mal auf Wiedersehen«, sagte er und betrachtete das Haus. »Brauchst du Hilfe?«

»Nein, es ist alles in Ordnung«, wehrte ich ab. Unter meinen Augenlidern brannten Tränen, aber ich hielt sie zurück. Wenn er sah, dass ich weinte, würde er bestimmt wütend werden. Ich senkte den Kopf und ging hinaus. Er hielt mir die Tür auf, knallte sie dann fest zu, nahm mich beim Ellenbogen und führte mich zum Auto. Meine kleine Übernachtungstasche legte er auf den Rücksitz, schloss die Tür und stieg ein. Einen Augenblick lang starrte er die Garage an.

»Kannst du dich daran erinnern, wie ich diese Delle gemacht habe?«, sagte er und nickte zu der Stelle hin, wo er beim Zurücksetzen die Garage beschädigt hatte. »Sie ließ nicht zu, dass ich es reparierte. Sie wollte, dass die Delle da blieb, um mich immer daran zu erinnern, dass ich es vermasselt hatte. Ich war immer versucht, es aus Trotz noch einmal zu tun.« Er runzelte die Stirn, entspannte sich aber wieder, als er sich mir zuwandte. »Das haben wir jetzt alles hinter uns. Denk daran wie an einen schlechten Traum. Es wird Zeit, aufzuwachen und glücklich zu sein.«

Er ließ den Motor an und schaltete das Radio ein.

»Erinnerst du dich noch, wie sehr sie es hasste, wenn ich das Radio laut drehte, und dass sie es überhaupt nicht ausstehen konnte, wenn ich einen Sender einschaltete, der Popmusik spielte? ›Wie kannst du dich bei all diesem Lärm auf das Fahren konzentrieren, Howard? Dreh es leiser‹, kommandierte sie wie ein General.

Befehle. Sie erteilte liebend gerne Befehle.« Er lachte. »Ich wette, sie kommandiert jetzt den Teufel herum und der wünscht sich, sie wäre gut genug für den Himmel. Vielleicht glaubt er, sie sei eine neue Strafe für ihn, hm?«

Er legte den Rückwärtsgang ein und setzte zurück.

»Schau dir den Himmel an. Unten am Meer sieht er sogar noch schöner aus, Cathy. Durch das Wasser erscheint er … ich weiß auch nicht, irgendwie blauer. Vermutlich gibt es irgendeinen Grund dafür.«

Er fuhr los. Ich schaute zum Haus zurück. Plötzlich wirkte es nicht mehr halb so scheußlich wie sonst immer. Plötzlich sah es aus wie ein alter Freund, hilflos, dem Verfall preisgegeben, zurückgelassen, um einsam zu sterben, nur begleitet vom Echo unserer Stimmen und Schritte, die widerhallen und verklingen, in Stille und Dunkelheit das Monument einer geplagten traurigen Familie hinter sich lassen, das irgendwie seinen Zweck erfüllt hatte trotz der

Tränen, der Schreie, des Stöhnens und der Gebete um Gnade, die das Maß meiner verzweifelten kleinen Existenz waren.

Mein Vater schien aufzublühen, je weiter wir uns vom Haus entfernten. Er redete ständig über die Fahrt zum Hafen, erzählte, was er getan hatte, seit er nicht mehr bei uns wohnte.

»Tatsächlich klappte es viel besser bei der Arbeit. Ich habe in den vergangenen Monaten einen Haufen Geld verdient, Cathy, und bei dem Hausboot hatte ich richtig Glück. Ein Kunde von mir hatte es gerade gekauft, aber kaum benutzt. Er verlor bei einigen dummen Investitionen Geld. Ich erkannte die Chance, etwas für fast die Hälfte des ursprünglichen Preises zu bekommen, und griff zu. Die Küche ist größer als zu Hause!

Es hat ein schönes Wohnzimmer und zwei Schlafzimmer. Allerdings erwarte ich nicht, dass wir bald Übernachtungsgäste haben werden. Ich möchte, dass wir viel Zeit miteinander verbringen ohne Störung von außen. Wir müssen einander wieder richtig kennen lernen, Cathy. Die Wahrheit ist, Schätzchen, dass wir nur noch uns haben auf der Welt. Ich weiß, was ich von meiner Familie zu halten habe. Und was sie von mir halten, ist mir völlig gleichgültig, war es schon immer.

Du brauchst nicht einmal wieder zur Schule zu gehen, wenn du nicht willst. Ich überlege ernsthaft, ein Jahr Pause zu machen. Jetzt kann ich es mir leisten. Ich könnte hin und wieder ein paar Geschäfte tätigen, nur um in Übung zu bleiben, aber wir könnten reisen. Wir könnten die Küste hinauffahren bis nach Kanada. Wäre das nicht was? Dort gibt es wunderbare Sachen zu sehen.

Das gefällt mir an diesem neuen Zuhause. Freiheit ist dort

ganz großgeschrieben. Und du weißt doch, wie eingesperrt wir beide dort waren bei dieser Wärterin.«
Er warf mir einen Blick zu und nickte.
»Ich weiß, das alles ist dir fremd und neu, aber du wirst überrascht sein, wie schnell sich das ändert. Du wirst ein Seemann. Was ist mit deinem Knöchel – was muss noch getan werden?«
»Übermorgen muss ich wieder zum Röntgen gehen«, sagte ich. »Wenn ich nicht komme, ruft der Arzt zu Hause an.«
»Wir fahren hin. Was ist schon dabei? Bis dahin lassen wir es ruhig angehen. Eine Weile keine Hausarbeit für meine Prinzessin, hm? Ich koche heute Abend auch. Ich bin ein guter Koch geworden, Cathy. Die Wahrheit ist, dass ich immer ein besserer Koch war als Geraldine, denn sie konnte Kräuter und Gewürze nicht ausstehen, und deshalb mussten wir uns mit ihrem faden Essen abfinden und so tun, als sei alles bestens.«
»Ich habe nie gehört, dass du dich über ihr Essen beschwert hättest«, sagte ich.
»Was hätte es denn genützt, sich über irgendetwas zu beklagen? Hätte sie irgendetwas geändert? Wäre sie von der strengen Einhaltung ihrer Pläne und Methoden abgewichen? Nein, eine Klage hätte das Leben nur noch elender für uns, für dich gemacht«, entgegnete er. »Deshalb bin ich geblieben und habe mich mit all ihrer Scheiße abgefunden. Deinetwegen! Ich wusste, dass sie all ihre Wut an dir auslassen würde, deshalb hielt ich den Mund.
Aber das haben wir alles hinter uns, Cathy. Wir wollen einen Pakt schließen und versuchen, das zu vergessen. Wir fangen noch einmal ganz von vorne an, okay? Ja«, sagte er und erwärmte sich immer mehr für seine Idee. »Wir wollen so tun, als wären du und ich jetzt völlig andere Menschen. Denk nicht mehr an mich als deinen

Daddy. Denk an mich als den Mann, der dich beschützt und dich für immer glücklich macht. Ich möchte, dass du mich von jetzt an Howard nennst, von diesem Augenblick an, okay?«

Ich wusste, warum er das wollte. In meiner Magengrube fing es an zu summen, dass ich das Gefühl hatte, eine große Fliege verschluckt zu haben, die den Weg nach draußen suchte.

Er drehte das Radio lauter und lächelte mich an.

»Warte, bis du unser neues Zuhause gesehen hast«, kündigte er an. »Ich kann es kaum abwarten, dein Gesicht zu sehen.«

Das Hausboot lag in der Nähe eines kleinen Ortes namens Fisherman's Village in Marina del Rey vor Anker. Das Boot war größer, als ich erwartet hatte. Er sagte, es sei etwa dreizehneinhalb Meter lang. Als wir aus dem Auto stiegen und dorthin gingen, beschrieb er es in allen Einzelheiten: Das Ruderhaus wies eine drei Meter lange Essecke, eine Kontrollstation und eine Bar auf. Die Kombüse war mit einer kompletten Küche ausgestattet, zum Ruderhaus hin offen und grenzte an die Bar. Große Fenster sorgten für reichlich Licht.

Er war stolz auf die Decks, auf denen man ganz herumgehen konnte, den überdachten Bug mit einem Liegestuhl, ein riesiges Sonnendeck, eine Laufbrückenkontrollstation mit Sitzen Rücken an Rücken. Er schien eine Menge über das Boot zu wissen und ratterte so viele Details herunter, dass mir ganz schwindelig wurde. Ich wusste, dass er versuchte, mir zu imponieren.

Ich war überrascht, wie geräumig es drinnen war und wie groß das Hauptschlafzimmer. Es war ausgestattet mit einem Bett in Übergröße, Teppichboden, Kommoden und einem großen eingebauten Schrank. Auf dem Schiff schien mehr Schrankraum vorhanden zu sein als zu Hause.

»Mach es dir gemütlich«, forderte er mich auf. »Schau dich um, erforsche alles, und dann geh nach oben, setz dich auf das Deck und genieß die Seeluft. Ich gehe zum Supermarkt. Ich dachte, ich bereite uns heute Abend etwas Besonderes zum Essen vor, ein Filet Mignon. Als Nachtisch besorge ich uns Apple Pie und Eis. Ich weiß doch, wie sehr du das mochtest, immer wenn sie damit herausrückte«, sagte er und schlug sich mit der Hand über den Mund, als wollte er verhindern, dass noch weitere Worte herauskamen.

»Hoppla, mein Fehler. Ich weiß, ich weiß. Ich habe sie und die Vergangenheit erwähnt. Du musst mich bremsen, sobald ich damit anfange, Cathy. In Ordnung?« Er lachte. »Du wirkst verblüfft. Es ist schön, ich weiß. Du wirst hier sehr glücklich sein, sehr glücklich.

Ich komme sofort wieder«, sagte er und machte sich auf den Weg zum Supermarkt.

Ich humpelte umher und schaute mir alles an. Ich war überrascht und sogar ein wenig erschreckt, wie viele Bilder er von mir hatte. Offensichtlich hatte er viele mitgenommen, als er das Haus verließ, und noch mehr, als er einbrach. Als ich den Schrank im Schlafzimmer öffnete, entdeckte ich unten direkt hinter einem Paar Schuhe die Briefe meiner Mutter. Zumindest hatte er sie nicht vernichtet, dachte ich und holte sie heraus. Dann ging ich an Deck, setzte mich in einen Liegestuhl gegenüber der Kajütentreppe und nahm den nächsten Brief vom Stapel. Das war besser, als einfach herumzusitzen und darauf zu warten, dass der Himmel einstürzte. Ich musste mich mit irgendetwas beschäftigen, sonst würde ich noch wahnsinnig vor Angst.

»*Meine geliebte Tochter*«, begann dieser Brief.

»Gestern Abend kam mir zum ersten Mal der Gedanke, dass ich einen schweren Fehler begangen haben könnte, als ich dich Geraldine übergab. Als die Idee, dass sie und Howard dich adoptieren sollten, aufkam, leistete sie keinerlei Widerstand und zeigte sich nicht im Geringsten unglücklich darüber. Aber inzwischen habe ich entdeckt, dass sie dir einige der Dinge, die ich für dich gekauft habe, noch nicht gegeben hat. Als ich sie deswegen zur Rede stellte, teilte sie mir ohne mit der Wimper zu zucken mit, dass du noch nicht so weit seist, Dinge geschenkt zu bekommen, und dass du sie nicht zu schätzen wüsstest.

Deshalb hatte ich sie nicht für dich gekauft. Ich wollte von Anfang an immer etwas für dich tun. Als ich Geraldine das erklärte, erschien sie verhärtet, verändert, fast als hätte sie einen ernst zu nehmenden Persönlichkeitswandel durchgemacht. Ehrlich gesagt, ängstigte sie mich sogar ein bisschen. Ihre Augen waren so klein und finster, als ich mit ihr sprach.

Dein Großvater misst dem keine Bedeutung bei. Er sagt, sie gewöhne sich nur daran, ein Kleinkind im Haus zu haben. Natürlich könnte er Recht haben. Ich hoffe, er hat Recht, aber so albern das jetzt auch erscheinen mag, ich wollte dir mitteilen, warum ich dich nicht so oft besuche. Geraldine macht es mir immer schwerer, entmutigt mich, teilt mir mit, ich solle heute nicht kommen, oder findet einen Grund, aus dem ich morgen nicht kommen kann.

Und sie ist seit Wochen, ja seit Monaten nicht mehr hier gewesen. Fast jede Einladung schlug sie aus, fand irgendeine Entschuldigung, warum sie oder sie und Howard

nicht zum Lunch oder zum Dinner kommen könnten. Ich habe ihr sogar angeboten, sie beide und dich natürlich in Urlaub mitzunehmen, aber sie wird zur Einsiedlerin.
Howard hat sich vor ein paar Tagen bei mir beklagt. Er war hier, um über eine geschäftliche Investition zu reden, und kam zu mir ins Wohnzimmer, um mit mir über sie zu sprechen. Er sagt, er könnte sie nicht einmal mehr dazu bewegen, mit ihm abends zum Essen zu gehen. Ich weiß nicht, was ich davon halten soll. Ich mache mir Sorgen.
Natürlich werde ich anrufen und versuchen, dich so häufig wie möglich zu besuchen. Vielleicht geht das ja vorüber.
Vielleicht hat Franklin Recht und es handelt sich nur um eine vorübergehende Phase der Anpassung daran, dass sie ein Kind hat, um das sie sich kümmern muss. Das ist eine anspruchsvolle Aufgabe, und nicht jeder reagiert gleich darauf.
Howard ist auch sehr unglücklich. Ich sagte ihm, ich würde tun, was ich kann, aber dann erzählte er Geraldine von unserer Unterhaltung, die mich daraufhin beschuldigte, mich mit ihm gegen sie verschworen zu haben. Alles, was ich tue, scheint falsch zu sein und alles nur noch schlimmer zu machen.
Ich wollte, dass du das erfährst. Albern, nicht? Du bist noch ein Kleinkind, und ich rede mit dir, als wärst du alt genug, um mich zu verstehen. Schließlich sollen diese Briefe ja gelesen werden, wenn du sie verstehen kannst, und ich versuche nur, dir ein Gefühl für deine Geschichte, unsere Geschichte zu geben.

In Liebe
Mutter«

Jedes Mal, wenn ich dieses Wort las, spürte ich eine tiefe Sehnsucht in mir. Ich war wirklich die Waise in unserer

Gruppe. Ich hatte weder meine leibliche Mutter noch meinen Vater je kennen gelernt. Jetzt hatte ich das Gefühl, nur eine Hülle zu sein. Es war egal, was mir widerfuhr. Ich fühlte mich sowieso so leicht und so leer wie ein Schatten. Mir blieb nur noch übrig, andere davor zu bewahren, wegen meines schrecklichen Schicksals zu leiden.

Die folgenden Briefe beschrieben alle eine immer weiter werdende Kluft zwischen meiner Mutter und Geraldine. In einem Brief kam meine Mutter zu dem Schluss, dass Geraldine alles in ihrer Macht Stehende tat, um sie von mir fern zu halten. Sie schilderte einen schrecklichen Streit, in dem Geraldine sie aller möglichen Dinge beschuldigte und dabei die Worte benutzte, mit denen sie sie mir beschrieben hatte. Sie nannte sie eine Schlampe und eine Hure. Meine Mutter behauptete, ihr sogar angeboten zu haben, mich zurückzunehmen, aber davon wollte Geraldine nichts wissen. Wie würde es denn aussehen, wenn sie mich einfach aufgäbe, wollte sie wissen. Sie gab meiner Mutter die Schuld, ruiniert zu haben, was auch immer für eine Zukunft sie gehabt hätte, welche Hoffnung auch immer sie auf Liebe und Glück gehabt hätte. Meine Mutter fragte sich, ob Geraldine damit nicht Recht hatte. Ich spürte, dass meine Mutter in einer tiefen Depression versank. Ihre Briefe steckten zunehmend voller Entschuldigungen. Ich konnte fast hören, wie sie jammerte und stöhnte, während sie ihr *mea culpa* in langen Sätzen zu Papier brachte. Plötzlich war ich zur Verkörperung all ihrer Sünden geworden und meine bloße Existenz diente dazu, sie ständig daran zu erinnern.

Kein Wunder, dass ich nach einer Weile nur noch so wenig von ihr gesehen habe. Es lag sowohl daran, dass Geraldine es so wollte, als auch daran, dass sie selbst Schwierigkeiten hatte, ihren »Sünden« ins Auge zu sehen. Ich wünschte

mir, ich hätte die Briefe nie gefunden und gelesen. Mein Vater hatte mir einen Gefallen getan, als er sie mitnahm. Am liebsten hätte ich sie über Bord geschmissen.
Eines Tages werde ich mich auch ins Meer stürzen, aber noch nicht, nicht bis genug Zeit vergangen war, um sicherzugehen, dass meine Freundinnen nicht mehr in Gefahr waren.
Ich schlief auf dem Liegestuhl ein und wachte erst auf, als ich ein wenig fröstelte und merkte, dass die Sonne bereits weit im Westen stand und Schatten sich über mich erstreckten. Ich hörte, wie mein Vater unten zu Musikklängen arbeitete. Kurze Zeit später kam er hoch und verkündete, dass das Essen fertig sei.
»Ich wusste, dass du es genießen würdest, hier oben zu sitzen«, sagte er, als ich in die Kabine gehen wollte. Er sah die Briefe in meiner Hand. »Oh, hast du sie gefunden? Ich wollte es dir überlassen, was du damit tun willst. Sie gehören dir, und Geraldine hatte kein Recht, sie vor dir zu verstecken. Siehst du, ich behandele dich wie die Erwachsene, die du ja bist.«
»Ich wünschte, du hättest sie weggeworfen«, murmelte ich und legte sie weg.
Er trat zurück, damit ich die gedeckte Tafel voll im Blick hatte. Er hatte Kerzen angezündet und den Tisch mit Salaten, Baguette und einer Flasche Wein gedeckt.
»Wie gefällt dir das Porzellan? Geraldine hätte im Traum nicht daran gedacht, so viel Geld für Porzellan auszugeben«, meinte er und lachte. »Hübsch, nicht wahr?« Er hob einen Teller hoch, um mir das Muster zu zeigen.
»Ja«, gab ich zu.
Er zog mir meinen Stuhl heraus.
»Mademoiselle Cathy.«
Ich schaute ihn an, wie er lächelte, strahlte, sich wie ein

Schuljunge benahm, der alles vergessen hatte, was er getan hatte und auch was falsch an dem war, was wir vorhatten. Seine Fantasien hatten jetzt völlig von ihm Besitz ergriffen, und ich hatte Angst, irgendetwas zu tun, das seine Illusionen zerstören könnte.

Ich setzte mich, und er goss den Wein ein.

»Kannst du dir vorstellen, dass sie hier sitzt und zuschaut, wie ich dir ein Glas einschenke? Ich schon. Ich stelle es mir vor«, sagte er mit einem seltsam verzerrten Lächeln auf den Lippen. Er nickte in Richtung auf einen Stuhl, der an der Wand stand. »Ich sehe sie dort. Ich sehe sie gefesselt und geknebelt. Ihre Augen treten vor Wut aus den Höhlen. Siehst du sie?«, fragte er mich.

Ich musste zu dem Stuhl schauen. Er nickte ihm zu.

»Ihr Gesicht ist knallrot, und die Venen an ihrem Hals sind hervorgetreten, wie sie es immer taten, wenn sie wirklich wütend war. Sie kämpft gegen die Fesseln an. Hör auf, dich zu wehren, Geraldine!«, schrie er.

Ich zuckte zusammen. Er starte den Stuhl mit einem solchen Ausdruck des Zorns an, der Geraldine ebenbürtig gewesen wäre.

»Du kannst jetzt nichts mehr daran ändern, also kannst du dich auch zurücklehnen und es genießen.« Er wandte sich an mich. »Speichel rinnt ihr aus den Mundwinkeln und über das Kinn wie bei einem geifernden Hund. Aber«, sagte er, plötzlich wieder lächelnd, »das wird uns nicht hindern oder uns im Geringsten beunruhigen, nicht wahr? Je mehr wir uns amüsieren, desto schlimmer wird es für sie.

Gut«, sagte er und setzte sich. »Auf dem Salat ist frischer Ziegenkäse«, hob er hervor und stach mit seiner Gabel in den Salat, spießte ihn auf und führte ihn zum Mund. »Na los, iss«, befahl er.

Mein Magen fühlte sich an wie mit Steinen gefüllt, aber ich zwang das Essen in meinen Mund und kaute.
»Das ist kein billiger Wein«, fuhr er fort. »Er ist aus Frankreich, ein Merlot, der mir von einem meiner kultivierteren Kunden empfohlen worden ist. Das ist das Gute, wenn man mit sehr wohlhabenden Leuten zu tun hat, Cathy, du lernst viel, ohne all das Geld für deine eigene Ausbildung und deine eigenen Erfahrungen ausgeben zu müssen. Sie«, sagte er und nickte in Richtung Stuhl, »hat sich immer über meine Arbeit lustig gemacht. Sie sagte immer, Geld mit dem Geld anderer Leute zu verdienen sei keine ehrliche Arbeit. Wenn sie frustriert oder wütend auf mich war, nannte sie mich einen Finanzzuhälter«, erzählte er lachend. Er schaute zum Stuhl. »Allerdings ein Zuhälter, der ihr finanziell angenehme Verhältnisse ermöglichte.« Er starrte einen Moment vor sich hin, dann schaute er mich an und lächelte. »Du hast den Wein noch nicht probiert. Hab keine Angst. Versuch ihn«, forderte er mich auf, und ich nippte daran. »Nun?«
»Er ist sehr gut«, lobte ich, obwohl ich keine Ahnung hatte, was gut war und was nicht.
»Ich weiß. Von jetzt an wird alles, was wir tun, erstklassig sein. Erstklassig!«, schrie er den Stuhl an. Dann hielt er einen Augenblick inne, als hätte sein Gehirn abgeschaltet, sein Blick wurde ausdruckslos.
Ich rührte keinen Muskel. Sein Gesicht war so starr, dass es mich ängstigte. Ich hörte das Fleisch unter dem Grill zischen.
»Soll ich nach den Steaks schauen?«, fragte ich, einfach weil die Stille so Furcht einflößend war.
»Was? Oh, nein. Das mache ich. Entspann dich. Ruh dich aus. Erhol dich«, sagte er und sprang auf. »Du magst deins rosa, stimmt's? Genau wie ich.«

Er holte das Fleisch aus dem Ofen und richtete es auf Tellern mit neuen Kartoffeln und grünen Bohnen an.
»Ich habe dafür gesorgt, dass sie uns das beste Stück gegeben haben«, prahlte er und brachte die Teller auf den Tisch. »Na los, schneid deins an, und sag mir, ob es gar genug für dich ist.« Ich folgte seinen Anweisungen, probierte das Fleisch und nickte.
»Toll, nicht? Alles wird so sein, für immer und ewig. Ich wette, sie hat auch Hunger«, sagte er und nickte zum Stuhl hin. Er blinzelte, als ich ihn nur anschaute. »Ich meine, sie hätte, wenn sie wirklich hier wäre. Natürlich habe ich das gemeint.« Er lachte. »Ich bin so glücklich, dass ich mich manchmal hinreißen lasse. Denk dir nichts dabei, Schätzchen. Ich bin tipptopp in Schuss.« Er schob einen dicken Happen Fleisch in den Mund und kaute heftig darauf herum, genoss das Aroma und stöhnte lustvoll über so ein gutes Stück Fleisch.
Ich aß, weil ich wusste, dass er sehr ärgerlich würde, wenn ich es nicht täte. So wie er von Augenblicken des Hochgefühls zu Momenten hitzigen Zorns schwankte, hatte ich Angst, ihn zu irritieren. Es war besser, ihn auf seinem emotionalen Highway auf und ab sausen zu lassen und sich so ruhig und unauffällig wie möglich zu verhalten.
Mein Herz war schon vor einer ganzen Weile völlig abgestumpft. Manchmal genügte ein Blick von ihm, eine Berührung, eine plötzliche Bewegung in meine Richtung, um es wieder schneller zum Klopfen zu bringen, aber ich glaubte nicht, dass es das Blut schneller durch meinen Körper pumpen konnte, als es jetzt der Fall war. Ich atmete sehr leicht, nicht nur weil ich Angst hatte, in Ohnmacht zu fallen, sondern weil meine Brust sich anfühlte, als würde sie zusammengehalten von einem Schraubstock, der sich jeden Moment enger zuschnürte.

Ich aß, so viel ich in mich hineinzwängen konnte, und erklärte dann, ich sei so satt, dass ich platzen könnte.
»Aber du hast doch noch ein bisschen Platz für unsere Pie, stimmt's?«, fragte er und sah aus wie ein kleiner Junge, der schrecklich enttäuscht wäre, wenn ich nein sagte. Ich nickte.
»Sich immer Platz für die schönen Dinge lassen«, erklärte er und schaute finster drein, als er zu dem Stuhl blickte. »Sie war wie eine Spaßpolizei oder so etwas, bereit, sich auf alles zu stürzen, das uns Vergnügen bereitete. Weißt du, dass sie der einzige Mensch war, den ich je kannte, den man nicht kitzeln konnte. Früher habe ich es immer versucht, nur um sie zu quälen, aber es hat nie funktioniert. Sie hatte keine einzige empfindliche Stelle an ihrem Granitkörper. An den Händen hatte sie Schwielen, dass man Holz damit hätte abschmirgeln können.«
Er stand auf und fing an, den Tisch abzuräumen. Fast instinktiv begann ich zu helfen.
»Nein, nein«, rief er, als er sah, dass ich die Teller einsammelte. »Du solltest doch nichts tun. Weißt du was«, sagte er und warf einen Blick auf den Stuhl. »Wir essen das Dessert später, viel später. Jetzt geh erst einmal ins Schlafzimmer. Ich habe dort eine Überraschung für dich. Zieh es an«, forderte er mich auf.
»Eine Überraschung?«
»Ja. Nur zu. Ich komme sofort nach. Geh schon«, drängte er und deutete in Richtung Schlafzimmer.
So heftig zitternd, dass ich fast die Krücken nicht festhalten konnte, drehte ich mich um und ging ins Schlafzimmer. Dort lag auf dem Bett ausgebreitet ein seidenes Spitzennachthemd. Als ich es hochhielt, wurde mir klar, dass ich darin so gut wie nackt sein würde. In der Länge reichte es nur bis zur Mitte der Wade.

»Zieh es an!«, hörte ich ihn rufen. »Bestimmt siehst du toll darin aus. Ich habe es vor ein paar Tagen gekauft und kann es gar nicht abwarten, dich darin zu sehen.«

Ich starrte es nur an. Erinnerungen daran, wie seine langen Finger meinen Körper erforschten, während seine Lippen mir Worte der Liebe und Leidenschaft ins Ohr flüsterten, schwappten wie eine Woge über mich dahin und ließen mir die Knie zittern. Ich musste mich aufs Bett setzen. Ich schloss die Augen und versuchte, wieder zu Luft zu kommen.

»Hey«, sagte er und kam an die Tür. »Gefällt es dir nicht? Es war teuer«, fügte er hinzu. »Na los, zieh es an, komm schon«, verlangte er entschiedener. »Oder soll ich dir helfen? Möchtest du das? Mir würde das gefallen.«

»Nein, ich komme schon zurecht«, wehrte ich rasch ab.

»Aber sicher. Sie würde in die Luft gehen, wenn sie dich darin sehen könnte«, fügte er hinzu und kehrte in die Küche zurück.

Langsam zog ich mich aus und probierte das Nachthemd an. Ich fühlte mich so nackt, dass ich zitterte und die Arme um mich schlang. Als ich ihn hinter mir hörte, drehte ich mich um. Er stand mit einem Stuhl in der Hand, den er vor sich hielt, in der Tür.

»Mir gefällt die Vorstellung, dass sie hier bei uns ist, uns beobachtet und vor Wut raucht, dir nicht auch?«, fragte er und stellte den Stuhl an die Wand. »Du siehst besser aus, als ich mir vorgestellt hatte. Du bist ein schönes Mädchen. Ich weiß, sie wollte nicht, dass du das erfährst, aber es stimmt.

Also gut«, sagte er, als er begann, sein Hemd aufzuknöpfen, »jetzt sind wir in unserem neuen Heim. Was könnte besser sein?«

Als er bei der halben Knopfleiste angelangt war, hielt er

inne und lauschte. Ich hatte nichts gehört, weil mir der Sturm, der in meinem Herzen tobte, in den Ohren dröhnte. Aber jetzt, als er schwieg, hörte ich oben etwas wie Schritte, gefolgt von hartem, lautem Klopfen an der Tür.
»Wer zum Teufel ist das?«, fragte er. »Einen Augenblick«, sagte er, knöpfte sein Hemd wieder zu und verließ rasch das Schlafzimmer. Ich lehnte mich auf dem Bett zurück und wartete. Mein ganzer Körper fühlte sich an, als wäre auch ich gefesselt und geknebelt. Ich starrte auf den leeren Stuhl.
Ich hörte eine männliche und darauf eine weibliche Stimme, die meinen Namen riefen. Mein Vater fing an zu schreien. Dann hörte ich ein Handgemenge, weiteres Gebrüll und ein Geräusch, als sei ein Stuhl umgestoßen worden. Ich stand auf und ging zur Tür, als eine Frau von etwa dreißig Jahren auf mich zugeeilt kam. Sie trug eine Polizeiuniform.
»Cathy Carson?«
»Ja?«, sagte ich.
»Ist mit dir alles in Ordnung?«, fragte sie.
Ich schaute an ihr vorbei und sah einen hochgewachsenen Mann im Anzug, der sich über meinen Vater beugte. Er wirbelte ihn herum und legte ihm Handschellen an.
»Es ist alles in Ordnung, Schätzchen«, beruhigte mich die Frau. »Es wird alles gut.«
»Was?«, fragte ich ganz verwirrt. »Was ist los?«
Bevor sie antworten konnte, schaute ich an ihr vorbei, weil ich weitere Schritte auf der Treppe hörte. Ich sah Dr. Marlowe, die rasch auf mich zukam. Ich ließ mich auf das Bett zurückfallen, außer Stande, meine Tränen länger zurückzuhalten. Dr. Marlowe setzte sich schnell neben mich, umarmte mich und drückte mich fest an sich.
»Es ist vorbei«, sagte sie. »Endlich ist es vorbei.«

EPILOG

Die Mädchen hatten Dr. Marlowe geholt. Nachdem sie meine Nachricht gelesen hatten, hielten sie ein Treffen ab und kamen zu dem Schluss, dass sie ihr erzählen mussten, was wir getan hatten und in welcher Gefahr sie mich glaubten. Dr. Marlowe kam auf die Idee, dass mein Vater im Spiel war, und rief die Polizei, die uns auf dem Boot aufspürte. Sie nahmen ein großes Risiko für mich auf sich, und das werde ich ihnen nie vergessen.

Nachdem ich mich angezogen hatte, befragten Dr. Marlowe und eine Polizistin mich, was mein Vater getan hatte, wie er mich erpresst hatte, mit ihm zu gehen. Ich brach mehrmals während meiner Erzählung in hysterische Tränen aus, aber Dr. Marlowe half mir, es loszuwerden und zu reden, und dann berichtete ich der Polizistin, was mein Vater Geraldine angetan hatte. Ich erinnerte mich daran, dass er das Fläschchen mit den Kräuterpillen eingesteckt hatte. Sie suchte danach und fand es. Als sie meinen Vater später damit konfrontierten, gestand er.

Das entschuldigte jedoch unser Handeln nicht. Wir wurden einem Richter vorgeführt und erhielten eine Strafpredigt, Dr. Marlowe schien die Einzige zu sein, die uns verstand und unterstützte. Jades und Mistys Eltern engagierten teure Anwälte, um ihnen zu helfen, die allerdings nicht allzu viel zu tun schienen. Star und ich hatten nur Dr. Marlowe, die im Endeffekt den größten Einfluss auf den Richter zu haben schien. Die anderen hatten Familien, gesetzliche Vormünder, die für sie die Verantwortung übernahmen. Ich hatte niemanden.

Wieder einmal sprang Dr. Marlowe in die Bresche. Sie bot sich an, meine Pflegemutter zu werden. Sie und ihre Schwester wollten mich in ihr Haus aufnehmen. Ich sträubte mich, bis sie mir versicherte, dass ihre Schwester das wirklich wollte.

»Emma braucht Gesellschaft. Ich bin viel zu beschäftigt, um ihr die Aufmerksamkeit zu schenken, die sie verdient hat, Cathy. Mach dir keine Sorgen. Du wirst dir deinen Unterhalt verdienen«, versprach sie.

In der Not darf man nicht wählerisch sein, hätte Geraldine dazu gesagt, aber mir hätte gar nichts Besseres passieren können.

Dr. Marlowe und ich diskutierten über mein Abschlussjahr auf der Highschool und beschlossen, dass ich auf eine öffentliche Schule zurückkehren sollte. Sie wollte, dass ich ein so normales Leben wie möglich führte, Leute kennen lernte, die Dinge tat, die Mädchen meines Alters tun. Unter ihrer Führung und unterstützt von Emmas Ermutigung nahm ich tatsächlich an einigen AGs teil. So bekam ich eine gute Rolle bei einer Theateraufführung der Schule.

Jade, Star und Misty kamen zu der Aufführung, und hinterher gingen wir alle Pizza essen. Wir waren das ganze Jahr über in Kontakt geblieben, obwohl Jades Mutter versucht hatte, uns auseinander zu bringen. Sie gab Star, Misty und mir den Großteil der Schuld an dem, was passiert war, und versicherte Jade, wir übten einen schlech-

ten Einfluss auf sie aus. Wie konnte ihre Tochter sonst so etwas tun, wie eine Leiche zu vergraben?
Jade reagierte trotzig wie immer, selbst nach der Verhandlung vor Gericht, und ihre Mutter kehrte schnell zu ihrem üblichen Lebensstil zurück. Jade passte sich so gut wie möglich an das neue Leben ihres Vaters an und schien dadurch eine neue Krise zu überwinden.
Mistys Vater trennte sich vor Ablauf eines Jahres von Ariel. Sie sagte, nichts hätte ihre Mutter glücklicher machen können. Im Endeffekt hatte Misty jedoch größeres Mitleid mit ihrem Vater als mit sich selbst oder ihrer Mutter. Sie erzählte, wie verloren und verwirrt er wirkte, und begann immer mehr Zeit mit ihm zu verbringen.
»Endlich lernen wir uns richtig kennen«, sagte sie.
Larry und Star planten ihre Hochzeit. Im Juni direkt nach dem Highschool-Abschluss wollten sie kirchlich heiraten, genau wie Star es sich gewünscht hatte. Larry hatte einen guten Job, und Rodney lebte bei ihnen in ihrer Wohnung in Encino. Wir drei besuchten sie im Juli zum Abendessen und hatten viel Spaß miteinander. Bald würden wir drei das College besuchen.
Jade hatte einen Studienplatz an der Boston University bekommen. Sie wollte so weit wie möglich von zu Hause weg studieren und war enttäuscht, dass man sie in Oxford nicht angenommen hatte. Misty ging nach Berkely in San Francisco, und ich schrieb mich an der University of California in Los Angeles ein. Ich würde zu Hause bei Dr. Marlowe und Emma wohnen, zumindest im ersten Jahr.
Während meines letzten Schuljahres wurde mein Haus verkauft und das Geld dem Treuhandvermögen zugeschlagen. Ich holte mir alles aus dem Haus, was ich als Erinnerung aufheben wollte – es war nicht viel. Als ich den

Mädchen davon erzählte, fuhren wir gemeinsam dorthin, weil ich das Haus noch einmal besuchen wollte. Ich hegte keine besonders nostalgischen Gefühle und wollte auch keine der glücklicheren Erinnerungen noch einmal durchleben. Ich hatte einfach das Gefühl, ich schuldete dem Haus einen Abschiedsbesuch.
Es kam mir vor wie eine Gruft. Leere und kalte Schatten begrüßten uns. Ich ging hindurch, schaute aus den Fenstern hinaus, stieg in mein Zimmer hinauf und blieb an meinem Bett stehen. Ich erinnerte mich an meine einsamen Nächte, die scheußlichen Zeiten mit meinem Vater, aber auch an mein Zusammensein mit Stuart.
Bleibst du in einem Haus zurück, in dem du zu viel Zeit deines Lebens verbracht hast, fragte ich mich. Werden die nächsten Bewohner meine Anwesenheit hier spüren, oder werden frische Farbe, neue Teppiche und Möbel die ganze Geschichte auslöschen? Was ist ein Haus eigentlich? Es kann seine Geheimnisse für immer und ewig in seinen Schatten bewahren. Fenster werden geöffnet, neue Stimmen und neues Gelächter vertreiben die Düsterkeit.
All das wird vom Winde verweht und hoffentlich kein neues Heim finden.
Misty trat neben mich und umarmte mich.
»Sag auf Wiedersehen für immer«, flüsterte sie.
Star stimmte ihr zu, und Jade schwang ihren Zauberstab, den sie auch zur Hochzeit von Mistys Vater mitgenommen hatte. Sie hatte ihn mitgebracht, weil sie meinte, dass wir nie aufhören würden, Zauber zu brauchen.
»Verschwindet für immer all ihr traurigen Momente«, rief sie.
Alle lachten, dann drehten wir uns um und gingen hinaus. Als wir davonfuhren, warf ich einen Blick zurück und

stellte mir Geraldine am Fenster vor, wie sie hinausschaute und von ihrer eigenen Flucht träumte. Sie war neben ihren Adoptiveltern und Alden, ihrer einzigen Liebe, begraben worden. Vielleicht war das ja ihre Flucht.

»Uns allen wird es gut gehen, einfach gut«, verkündete Jade. »Wir können die WMEs in den Ruhestand versetzen. Sie haben ihren Zweck erfüllt«, sagte sie.

Keiner widersprach.

»Das bedeutet aber nicht, dass wir nicht für immer zusammen sein werden«, versprach sie.

Wir alle versprachen es.

Aber wir wussten, was Versprechen wert waren. Das war jedoch egal. Was wir zusammen hatten, würden wir immer haben. Weder Zeit noch neue Freunde und neue Lieben konnten uns das nehmen.

Unsere Kerzen würden ewig in der Dunkelheit unserer kostbaren Erinnerungen brennen.

Und unsere Blumen im Garten würden jedes Frühjahr neu erblühen. Jedes Jahr, immer und ewig.

Ein »Lebe wohl« würde nie über unsere Lippen kommen.